D0783446

James Hamilton-Paterson

Drei Meilen tief

Aus dem Englischen übersetzt
von Wolfgang Krege

Klett-Cotta

Danksagungen

Allen, die mit der Orca-Expedition zu tun hatten, meinen Dank – nicht nur pflichtschuldig, sondern freiwillig und von Herzen: Dr. Quentin Huggett von der Firma Geotek, der mich zuerst als Teilnehmer vorgeschlagen hat; Clive Hayley und Simon Fraser, die mich in die Gruppe aufnahmen; und Mike Anderson, der meiner Aufnahme zustimmte. Unser Fotograf Ralph White hat mich gleich nach der Abfahrt auf das großzügigste mit seinen Ansichten und mit seinem Gin traktiert. Dann war es mir eine hohe Auszeichnung, an einer Fahrt mit den Wissenschaftlern und der Crew des Forschungsschiffs *Akademik Mstislaw Keldysch* teilnehmen zu dürfen, deren Gastfreundlichkeit ihren regen Professionalismus wundervoll ergänzte. Was Dr. Anatoly Sagalewitsch angeht, den Erfinder der erstaunlichen MIR-Tauchboote, so verdanke ich ihm schlicht eines der größten Erlebnisse meines Lebens.

Andrea Cordani von der Agentur Shipwreck Research Associates erwies sich als gediegene Bordgefährtin, lange bevor ich ihren Rang in einem hochspezialisierten Arbeitsgebiet erkannt hatte. Ihr und ihrer Partnerin Nina Jenkins bin ich am tiefsten verpflichtet, denn ohne ihre Archive, ihr Fachwissen und ihre geduldigen Erklärungen hätte ich dieses Buch niemals schreiben können. In diesem Zusammenhang ist auch das Werk von Nigel Pickford, *The Atlas of Shipwreck & Treasure,* zu nennen, dem ich viele Auskünfte verdanke. In Italien war mir bei meinen Recherchen mein Freund Remo Ghezzi eine große Hilfe, in dessen vortrefflicher Privatbibliothek ich auf das maßgebliche Werk über die Atlantikfahrten der italienischen U-Boot-Flotte im Zweiten Weltkrieg stieß, *Timoni a salire* von Giulio Raiola.

Ich muß hinzufügen, daß der folgende Bericht durch und durch subjektiv ist. Wenn ich gelegentlich Kritisches oder geradezu Grobes über jemanden sage, dem ich hier eben meinen Dank ausgesprochen habe, so wird er es hoffentlich nicht krummnehmen, sondern es so verstehen, wie es gemeint ist: als Ausdruck einer stark verhüllten Sympathie. Die See kann einen mit einer sonderbaren, erhebenden Freundlichkeit anblasen, und ich spüre es jetzt noch, während ich dies schreibe, Monate später und weit im Binnenland.

Auri sacra fames…

Eins

Oktober 1994. Ich stehe in einer Bar, irgendwo in Italien, und versuche zu telefonieren, mit dem Lärm von zwei Jugendlichen im Ohr, die an einem unaufhörlich zwitschernden und fiependen Spielautomaten hantieren. Was Quentin Huggett am andern Ende der Leitung im fernen Sussex sagt, kann ich nur erraten. Es hört sich an, als würde er sagen: „Was hältst du davon, bei einer Suche nach versunkenen Schätzen mitzumachen?“ Im nächsten etwas ruhigeren Moment erfahre ich, daß er das tatsächlich gesagt hat. „Ach“, sage ich, als ob ich so was jeden Tag höre, „wann denn?“

Quentin ist der Meeresgeologe, mit dem ich auf einer ozeanographischen Vermessungsfahrt im Pazifik gewesen bin, als ich das erste Kapitel für *Seestücke* schrieb, ein Buch über die vom Meer bedeckten sieben Zehntel der Erdoberfläche. Obwohl wir uns noch nicht lange kennen, haben wir uns auf dieser Fahrt doch auf eine Weise angefreundet, die über eine bloße Schiffsbekanntschaft hinausgeht. Darum höre ich ihm nun aufmerksam zu, an einem Wandtelefon in einer italienischen Bar, den einen Zeigefinger ins freie Ohr gestopft.

„Das ist der Haken“, höre ich ihn sagen. „Es ist nicht mehr lange hin. Mitte Dezember wollen wir losfahren.“

„Mitte Dezember? Dann sind wir sicher über Weihnachten fort“, sage ich erfreut.

„Leider ja. Die erste Phase dauert wahrscheinlich mindestens sechs Wochen.“

„Leider? Hört sich doch ideal an! Wo geht es denn hin?“

„Kann ich dir nicht sagen. Tut mir leid, James, darf ich nicht. Ich kann dir nur soviel sagen, es ist keine Million Meilen weit von den Kapverdischen Inseln. Irgendwo Westküste von Afrika.“

„Weihnachten in den Tropen?“ sage ich. „Das muß dich ja

schwer gepackt haben!" Denn Quentin ist ein Familienmensch. Ich dagegen wüßte nicht, was ich lieber versäumen würde als Weihnachten und den Winter in Europa. „Dann könntest du mir aber mal sagen, wonach wir da suchen werden."

Einen Moment bleibt es still im Hörer, doch nicht in der Bar. „Ich will keine großen Sprüche machen", kommt seine Stimme wieder, „nur, ich steh' unter Eid, nicht zuviel drüber zu reden. Ich soll dir aber soviel sagen, daß es um zwei Kriegsschiffe aus dem Zweiten Weltkrieg geht, die mit einer ganzen Menge Gold an Bord versenkt wurden. Sie liegen verflucht tief im Atlantik, und diese Bergungsgesellschaft hat ein russisches Forschungsschiff mit bemannten Tauchbooten für das Unternehmen gechartert."

„Wenn du sagst ‚eine ganze Menge Gold' ...?"

„Oh, na ja, Millionen."

„Millionen, so so? Nicht schlecht. Was meinst du, würde davon auch was für mich abfallen?"

„Das hängt leider nicht von mir ab. Dies ist jetzt nur eine Art erste Sondierung. Müßte mich dann noch mal melden. Ich möchte den Leuten jetzt nur sagen können, ob ja oder nein, ob du Interesse hast oder nicht ... Was?"

„‚Ja', hab ich gesagt!" brülle ich gegen den Radau in der Bar an. „Ja, ich hab Interesse. Was ist der nächste Schritt?"

„Warte, bis ich mich wieder melde! Bleiben Sie in Verbindung mit Ihrem Agenten!"

„Quentin? Nur ... Also, danke, daß du an mich gedacht hast!"

„Schon gut. Du warst der erste, an den ich gedacht habe, gleich als ich von dieser hirnrissigen Sache hörte."

Ich lege auf. Ich bin plötzlich ganz außer mir und möchte irgend jemandem mitteilen, was ich gerade erfahren habe, etwas, das einem wohl nur passiert, wenn man zur Geheimhaltung verpflichtet worden ist. Fast hätte ich es einem der Jungen erzählt, den ich flüchtig kenne, aber da hüstelt sein Apparat und beginnt einige Hälse voll Münzen zu spucken, in Stößen, die sich etwa eine halbe Minute lang fortsetzen, und dann ist der Augenblick verpaßt. Zu jeder anderen Zeit hätte ich ihm mit einem forschen Spruch über versunkene Goldschätze, die ich mir jetzt holen würde, vielleicht etwas Interesse abnötigen können. Aber wer gerade einen fetten Jackpot geknackt hat, ist nicht dazu aufgelegt, von anderer Leute Luftschlössern zu hören.

Als ich Anfang Dezember 1994 nach London komme, weiß ich über das Vorhaben immer noch nicht viel mehr, als Quentin mir an jenem Vormittag am Telefon erzählt hat. Ich weiß nun, es heißt Projekt Orca. Ich weiß, daß eines der Wracks, nach denen wir suchen werden, das eines großen japanischen Unterseeboots ist. Ich weiß, daß ich bei dem Unternehmen die Rolle des Chronisten spielen soll. Ich weiß auch, daß es viel zu spät ist, irgendeinen Anspruch auf Beteiligung an dem Gold zu erheben, das wir vielleicht finden werden. Auf dem Papier ist alles längst aufgeteilt zwischen zwanzig Investoren und den Orca-Mitgliedern, die an der Expedition teilnehmen. Daß dies unfair wäre, kann ich kaum behaupten. Ich komme neu hinzu und habe zu den jahrelangen Vorbereitungen nichts beigetragen. Offiziell gehöre ich nicht mal der Gruppe an. Der Gedanke, die tote Zeit am Jahresende auf hoher See in den Tropen zu verbringen, bei einem Unternehmen, das am Ende vielleicht mehr mit Ozeanographie als mit Bergung zu tun haben könnte, genügt mir vollkommen. Da noch die Aussicht hinzukommt, wieder eine Weile mit Quentin auf See zu sein – ich habe ihn kaum mehr gesehen, seit wir uns vor vier Jahren in Hawaii getrennt haben –, ist mir mein Anteil an einem sowieso nur theoretisch zu verteilenden Schatz völlig egal. Ich fahre mit, weil es interessant werden könnte. Ich fahre mit, weil es aufs Meer geht. Und ich fahre mit, weil jemand die Möglichkeit angedeutet hat, daß ich vielleicht – aber nur vielleicht – eine Chance bekäme, in einem Tauchboot drei Meilen tief auf den Grund des Meeres zu sinken.

Zwei

Versunkene Schiffe sind nicht immer so unauffindbar verschwunden, wie man meinen könnte, wenn sie die Öffentlichkeit aus dem Gedächtnis verliert. Nicht nur Überlebende oder Angehörige der Opfer behalten sie fest in Erinnerung. Auch die Versicherungen und Bergungsgesellschaften haben ein gutes Gedächtnis und führen lange Register, sogar in Kriegszeiten. Kriegsschäden können als Verluste der Versicherungen zu Buche schlagen. Das Schicksal wertvoller Schiffsladungen kann jahrelang ungewiß bleiben. Sie liegen irgendwo sozusagen tiefgekühlt gespeichert, verschwunden aus dem Verkehr, aber nicht aus dem Sinn.

Der Gedanke, ein Wrack zu bergen, bleibt für alle Zeiten interessant, weil klar ist, daß niemand sich die Mühe machen würde, wenn keine Werte auf dem Spiel stünden, die ausreichten, das Unternehmen lohnend zu machen. Ein Wrack kann natürlich auch für sich genommen von Wert sein, ohne Rücksicht auf seine Ladung oder den Schrottwert von Rumpf und Ausrüstung. Ein Schiff wie die *Mary Rose* ist von historischem Interesse, und seine Bergung hatte eher den Charakter einer archäologischen Grabung, die nur eben nicht an Land ausgeführt werden konnte. Auch die *Titanic* wird heute ähnlich betrachtet (sofern irgend jemand noch hinsehen mag), was in der Hauptsache die Folge einer gut orchestrierten Öffentlichkeitsarbeit ist, die darauf abzielt, das Schiff aus seiner poetischen Versunkenheit in den Rang einer Fundgrube von Artefakten zu heben. Hier wird die wissenschaftlich orientierte archäologische Ausgrabung mehr und mehr zu einem allgemein zugänglichen Trödelmarkt. (Archäologisch? 1912? Die meisten bisher geborgenen Gegenstände waren doch von der Art des Gerümpels, das man wegwirft, wenn man nach dem Tod der Großmutter ihr Haus leerräumt.)

Was das Publikum wirklich aufmerken läßt, ist die Aussicht, daß ungeheuer wertvolle Ladungen gefunden und wieder ans Tageslicht gebracht werden. Zeitungsmachern ist völlig klar, daß alles, was mit Schätzen und der Suche nach ihnen zu tun hat, sehr hoch auf der Skala der Themen rangiert, die Leser dazu bewegen können, ihren vielfach bewährten Unglauben zu suspendieren. Professionelle Berger wiederum nehmen es bitter übel, „Schatzsucher" genannt zu werden. Lieber hören sie es, wenn man ihre Tätigkeit als „Frachtbergung" bezeichnet, ein hochspezialisiertes Gewerbe, das eng mit dem Schadenregulierungs- und Versicherungswesen zusammenhängt. Doch wie dem auch sei, mit der allmählichen Verbesserung der Techniken zur Auffindung und Bergung von Wracks werden fesselnde Zeitungsberichte über solche Unternehmungen immer häufiger.

Diese Dinge müssen in ihrem Kontext gezeigt werden. Zu jeder Zeit dürften in aller Welt etwa zwanzig Teams am Werk sein, die sich um die Bergung von Wracks in flachem Wasser bemühen. Die Art der Wracks reicht von spanischen Galeonen, die bei den Philippinen oder in der Karibik untergegangen sind, bis hin zu unscheinbaren kleinen Küstenschiffen in der Nordsee. In vielen Fällen ist die Wassertiefe so gering, daß das gesamte Vorhaben von Tauchern mit Schutzanzug und Atmungsgerät ausgeführt werden kann. Bei spanischen Galeonen lockt bekanntlich die (in der Regel chimärische) Hoffnung, Fässer voller Juwelen und Säcke mit Dublonen zu finden. Andererseits kann auch ein gewöhnlicher Frachter aus dem zwanzigsten Jahrhundert schon einen kleinen Taucheinsatz lohnen, und sei es auch nur wegen des Altmetallwerts der mangan- oder phosphorbronzenen Schiffsschraube.

Obwohl das Recherchieren und Orten von Wracks grundsätzlich nach denselben Verfahren geschieht, ob sie nun in flachen oder tiefen Gewässern liegen, sind die Bergungstechniken doch ganz verschieden. Tiefseebergungen fallen in eine Kategorie für sich, und in aller Welt gibt es wohl nur drei oder vier Firmen, die über die nötige Ausrüstung verfügen. Im Augenblick, wo ich dies schreibe, sind nur einige wenige Tiefsee-Wracks Gegenstand ernsthaft betriebener Bergungsmaßnahmen. Zu diesen gehören die *Central America* und die *John Barry*. Das berühmtere von diesen beiden Schiffen ist die *Central America,* hauptsächlich wegen der phantastischen, von der Massenpresse aus der Luft gegriffenen Angaben über den Wert ihrer Ladung (bis zu einer Milliarde Dollar). Das Schiff sank 1857, von den kalifornischen Goldfeldern kommend. Es soll Gold in Form von Nuggets, Staub, Barren und Münzen an Bord gehabt haben. Zeitungsberichten zufolge wurden Mengen im Wert von 200 Millionen schon heraufgeholt, und viel (unendlich viel) mehr stünde noch in Aussicht. Zwar gibt es in der Tat gute Gründe, warum eine Firma wie die Columbus America Discovery Group die faktisch geborgenen Mengen verheimlichen oder herunterspielen könnte, doch kann man von Bergungsfachleuten privatim erfahren, daß der Wert, der aus der *Central America* bisher gewonnen wurde, bei nicht viel mehr als einer Million Pfund liegt. Die Arbeiten am Wrack haben sich über vier Jahre hingeschleppt, ebenso wie eine sehr kostspielige gerichtliche Auseinandersetzung über das Eigentum an dem Wrack, durch die einstweilen alle weiteren Bemühungen zum Stillstand gekommen sind. Viele meinen, daß sich die Gewinne der Investoren in der Endabrechnung als relativ bescheiden erweisen könnten.

Die *John Barry* ist ein amerikanisches Liberty-Handelsschiff, das 1944 vor der Küste von Oman gesunken ist. Sie hatte etwa dreißig Tonnen Ein-Rial-Silbermünzen für die saudiarabische Regierung an Bord. Mehr als die Hälfte davon wurde bisher geborgen. Gerüchten zufolge soll sie jedoch auch noch zweitausend Tonnen Silberbarren mitgeführt haben, die heute 300 Millionen Dollar wert wären. Diese wurden angeblich von Präsident Roosevelt gegen den Willen des Kongresses heimlich der UdSSR (dem Verbündeten im Zweiten Weltkrieg) geschickt – jedenfalls nach der Aussage des Schiffszahlmeisters, der schwor, gesehen zu haben, wie die Kisten mit den Barren an Bord gebracht wurden. Auch dies ist wieder eine Geschichte, wie die Presse sie liebt. Sie spricht nicht nur von fabelhaften Reichtümern, sondern auch von einer politischen Gaunerei, die, wenn sie sich belegen ließe, allein schon interessant genug wäre. Viele Fachleute bezweifeln, daß in der *John Barry* noch viel zu finden sein wird, aber die Spekulationen erhalten dadurch keinen Dämpfer, und die Bergungsarbeiten an den noch ungeöffneten Laderäumen werden fortgesetzt.

Alles in allem liegt in der einen oder anderen Form eine unvorstellbare Menge Geld oder Geldeswert auf den Meeresböden verstreut, die ungefähr sieben Zehntel der Erdoberfläche ausmachen. Vieles davon liegt in internationalen Gewässern, so daß jeder, der Lust hat, versuchen kann, ein Stück vom Kuchen zu ergattern. Bei keinem einzigen dieser Bergungsversuche ist ein Profit gewährleistet; das Ganze ist immer ein Glücksspiel. Je tiefer der Schatz liegt, desto größer der Einsatz, denn die Kosten steigen exponentiell. Es ist kein Spiel für Leute mit schwachen Nerven, schon gar nicht für konservative Geldanleger, die auf einem festen Kapitalertrag bestehen und gegen alle unvoraussehbaren Launen des Schicksals eine Versicherungspolice bereithalten. Wie ein amerikanischer Unternehmer bemerkte, ist es ein „balls-out business", etwas für Leute mit Sinn für die Romantik des Risikos.

Im Zweiten Weltkrieg wurden zwei besonders interessante Schiffe im Atlantik vor der Westküste Afrikas versenkt. Das eine war ein sehr großes japanisches Unterseeboot, *I-52,* auf dem Weg von dem japanischen Hafen Kobe zu einem Stelldichein mit einem deutschen U-Boot. Es wurde im Juni 1944 von der US Air Force bombardiert und als versenkt gemeldet. Das andere war ein Passagierdampfer, die SS *Aurelia* (nicht ihr echter Name), von der britischen Regierung für die Dauer des Krieges als Truppentransporter requiriert. Sie war auf der Fahrt von Durban nach Liverpool, mit fast 1900 Menschen an Bord, darunter 500 italienische

Kriegsgefangene. Im März 1943 wurde sie von einem italienischen Unterseeboot torpediert und versenkt. Etwa 1500 Menschen überlebten.

Äußerlich besteht zwischen diesen beiden Versenkungen keinerlei Verbindung. Sie lagen zeitlich um mehr als fünfzehn Monate und räumlich um fast tausend Meilen auseinander. Doch abgesehen davon, daß sie beide in demselben Krieg verlorengingen, hatten diese Schiffe eines gemeinsam: Von beiden wird angenommen, daß sie mehrere Tonnen Gold mitführten.

Anfang der 90er Jahre wurde die Firma Projekt Orca eigens zu dem Zweck gegründet, die Goldladungen der beiden Schiffe zu finden und zu heben. Das Unternehmen war von vornherein in mehrfacher Hinsicht einzigartig. Die Wracks wurden 4500 bis 5000 Meter unter Wasser vermutet. Es wäre das erste Mal, daß überhaupt in solcher Tiefe eine Bergungsoperation versucht würde, noch dazu eine, bei der komplizierte Schneidetechniken angewandt werden müßten. (Die Objekte von der *Titanic* konnten zumeist vom Meeresboden aufgelesen werden, wo sie in 3800 Meter Tiefe verstreut lagen.) Auch die *Central America* und die *John Barry* mußten geöffnet werden, aber sie liegen in flacheren Gewässern, zwischen 2000 und 2600 Metern. Außerdem sollte sich zum erstenmal eine einzige Tiefseebergungs-Expedition gleich zwei Ziele vornehmen. Während die meisten Bergungsfirmen schon vor einem einzigen solchen Vorhaben zurückschrecken würden, schien Projekt Orca es darauf anzulegen, den Einsatz noch zu erhöhen.

Hier könnte man einen Sieg der Habgier über die Vorsicht vermuten. Doch abgesehen von der Beschränkung der eingesetzten Geldmittel im Verhältnis zu den Erfolgschancen sind auch die zur Zeit verfügbaren Bergungstechniken und die Besonderheiten der beiden Wracks zu bedenken. Solche Wassertiefen liegen natürlich völlig außer Reichweite eines Tauchers. Für die Bergung von Ladungen aus Wracks in der Tiefsee gibt es einstweilen in der Hauptsache zwei mögliche Verfahren. Das erste heißt im Fachjargon „Smash-and-grab",

Zertrümmern und Greifen. Dies geschieht von der Oberfläche aus mit Hilfe schwerer Geräte, die an Kabeln hängen und von ROVs (Remotely Operated Vehicles) gesteuert werden, kleinen unbemannten Tauchfahrzeugen, die mit Scheinwerfern und Videokameras ausgerüstet sind, um das Wrack genau ins Auge zu fassen. Diese Technik wird bei der *John Barry* angewandt. Ein Team vom staatlichen französischen Institut IFREMER (Institut Français de Recherches pour l'Exploitation des Mers) hatte eine Tiefbohr-Plattform mit einer 50 Tonnen schweren Zange am Ende eines Kabels ausgestattet. Nachdem es nicht gelungen war, den Weg in das Schiff durch Sprengung frei zu machen (Sprengladungen sind in solchen Tiefen unzuverlässig und nur schwer und unter Gefahren anzubringen), verfiel das IFREMER-Team auf die Zange und riß damit, wie der leitende Ingenieur sagte, das Schiff auf „wie eine Sardinenbüchse".

Bei allem technischen Raffinement, das erforderlich ist, um mit einem Werkzeug zu arbeiten, das am Ende eines fast dreitausend Meter langen Kabels hängt, ist Smash-and-grab doch, selbst wo es brauchbar ist, ein grobes Verfahren, allerdings mit dem Vorteil der Ungefährlichkeit. Genau das Gegenteil gilt für die zweite Methode. Hier sinken bemannte Tauchboote zu dem Wrack hinab, die außer mit Scheinwerfern und Videokameras auch mit Greifarmen ausgerüstet sind, die präzise Bohrungen und Schnitte ausführen können. Dieser Einsatz bemannter Tauchfahrzeuge ist ohne Zweifel gefährlich. Ein mechanischer Fehler oder ein Steckenbleiben des Fahrzeugs könnte leicht hektische Rettungsversuche mit tragischem Ausgang und den Verlust der etliche Millionen teuren Geräte zur Folge haben. Andererseits war dies für die Zwecke des Projekts Orca die weitaus billigere Alternative. Die ganze „Smash-and-grab"-Ausrüstung für einen Einsatz aufzubieten, der nahezu doppelt so tief hinabreichen würde wie bei dem IFREMER-Unternehmen, wäre prohibitiv kostspielig. Die schweren ROVs, die Greifer und das Ölbohrschiff, die dazu nötig waren, wären ökonomisch nicht tragbar gewesen. Außerdem war das japanische

Unterseeboot infolge des Luftangriffs, durch den es versenkt wurde, wahrscheinlich auseinandergebrochen und bildete dann auf dem Meeresboden ein Trümmerfeld, für das nur bemannte Tauchboote als Aufsammler zu gebrauchen wären.

Und schließlich hatte Orca Gelegenheit gehabt, das Team und die Geräte in Dienst zu nehmen, die auch das Wrack der *Titanic* gefilmt und viele der aus ihr bisher geborgenen Gegenstände heraufgeholt hatten. Dies war die *Akademik Mstislaw Keldysch,* das wichtigste Forschungsschiff des P. P. Schirschow-Instituts für Ozeanologie (einer unabhängigen Einrichtung der russischen Akademie der Wissenschaften), mit seinen zwei MIR-Tauchbooten und seiner erfahrenen Mannschaft. Orca konnte die *Keldysch* für fünf Monate chartern. Der glänzende Techniker und Chefkonstrukteur der MIRs, Anatoly Sagalewitsch, würde selbst als Leiter der Operationen mit an Bord gehen. Ungewiß war nur, ob es gelingen würde, beide Wracks in diesem kurzen Zeitraum zu orten und zu bergen. Die Investoren hatten für das Projekt 3,6 Millionen Dollar aufgebracht; mehr würden sie im weiteren Verlauf der Arbeiten nicht lockermachen. Es ging um alles oder nichts, Erfolg oder Fehlschlag; aber man konnte sich sagen, daß man an Personal und Ausrüstung das Beste zur Hand hatte, das irgend zu bekommen war. Wenn die Recherchen für das Projekt stimmten, dann konnte mit dieser Auslage von 3,6 Millionen eine Goldmenge im Wert von bis zu 83,12 Millionen Dollar gehoben werden. Da es sich um Bergung in internationalen Gewässern handelt und keine älteren Rechtsansprüche angemeldet worden sind, würden alle Gewinne dem Projekt und den Investoren zufallen.

Aber selbst wenn das Unternehmen fehlschlüge, hätte es immer noch etwas Einmaliges, nämlich in rein ozeanographischer Hinsicht. Das Gebiet, wo das versenkte Unterseeboot liegt, wird von den Meeresgeologen als „achsenfern" bezeichnet, d. h. fern vom mittelatlantischen Rücken. Tatsächlich werden solche Gebiete von den Ozeanographen wenig beachtet. Der Meeresboden dort ist etwa fünfzig Millionen Jahre alt und von solcher Art, daß es die Geologen gewöhnlich nicht reizt, ihn zu untersuchen: mit zuviel Sedimenten bedeckt, die nicht so interessant sind wie Felsgestein, aber mit zuwenig, um als Beispiel für den Sedimentationsvorgang als solchen aufschlußreich zu sein. Dies ist eine etwas blasierte Einstellung, wenn man bedenkt, daß die Geologen bisher erst einen winzigen Bruchteil allen Meeresbodens gesehen haben, und in solcher Tiefe fast überhaupt noch nichts. Jedenfalls hatte bestimmt noch kein menschliches Auge jemals dieses besondere Stück des Planeten Erde erblickt. Die Piloten der MIR-Tauchboote, drei Meilen unter der Welt von Licht und Luft, würden als erste genau erfahren, was unter diesen beiden Stückchen des Atlantiks liegt. Ironischerweise kam noch hinzu, daß sie Zivilisten sein würden: Bürger aus NATO-Ländern, die ein ehemals sowjetisches Schiff und dessen Ausrüstung zur Erkundung eines Ozeans benutzten, der eines der bevorzugten militärischen Operationsgebiete war (und in erstaunlichem Maße immer noch ist). Einigen Mitgliedern der Orca-Gruppe war aufgegangen, daß ihr rein privatwirtschaftliches Unternehmen in bedenkliche Verwicklungen mit militärischen Geheimhaltungsinteressen geraten könnte. Das seriöse, forschungsintensive Unternehmen erhielt dadurch unverkennbar einen Anflug von Schabernack.

Drei

10.1.95

Der Beginn der Expedition verzögert sich. Die Orca-Mitglieder sitzen in London und warten auf die Nachricht, daß die *Keldysch* von Kaliningrad abgefahren ist. Sie hätte schon am 8. Dezember in Falmouth eintreffen sollen; sie hat den schon bezahlten Treibstoff nicht aufnehmen können. Die Anspannung des Wartens spaltet die Orca-Teilnehmer in Tauben und Falken und ruft mancherlei Spekulationen hervor, bald von der teilnahmsvollen, bald von der zynischen Art. Die Tauben fangen immer wieder davon an, wie unangenehm es für einen Mann wie Anatoly Sagalewitsch sein muß, sich bei den russischen Mafiosi loskaufen zu müssen, die anscheinend im Hafen von Kaliningrad nun das Sagen haben. Stellt euch mal vor, der berühmte Ingenieur, der die MIR-Tauchboote entworfen hat, Akademiemitglied und Einsatzleiter des renommiertesten Forschungsschiffs der Sowjetunion, ein Mann, der bis zum Zusammenbruch der UdSSR gewohnt war, seine Befehle ausgeführt zu sehen. Und der muß sich nun den Launen und Schikanen der Gangster beugen, die heute den Ton angeben! Die einzig angemessene Reaktion für Orca wäre Verständnis, Mitgefühl. Schließlich hatte es bei den Briten mehr als ein halbes Jahrhundert gedauert, bis sie ihren Weltreichs- und Supermacht-Status wirklich losgeworden waren, und in mancher Hinsicht hatten sie sich mit der politischen Realität ihrer Herabstufung noch immer nicht abgefunden. Wieviel traumatisierender mußte das also für die Russen sein, ihr Großreich binnen weniger Jahre in nahezu anarchische Zustände verfallen zu sehen, unter dem Gespött und gönnerhaften Beifall ihrer früheren Feinde? (Und so weiter.)

Den Falken macht diese Argumentation wenig Eindruck. Als die Zeit sich hinschleppt und an den Nerven zerrt, beginnen sie über die verdammten Russen zu murren, die mal wieder vollkommen undurchschaubar seien. Die haben ihre eigenen Pläne! Was wir jetzt erleben, ist noch gar nicht so schlimm; die wollen einfach nicht abfahren, bevor sie nicht ihre orthodoxen Weihnachts- und Neujahrsfeiern hinter sich gebracht haben. Das Datum, an dem sie wirklich aufbrechen, haben sie von vornherein vorgesehen, egal, was sie Orca versprochen haben. (Und so weiter.)

Endlich kommt ein Fax aus Kaliningrad:

Russische Akademie der Wissenschaften
Forschungsschiff *„Akademik Mstislaw Keldysch“*

12. Januar 1995
Absender: Anatoly Sagalewitsch

AMTLICHE MITTEILUNG

Liebe Investoren,

entschuldigen Sie die Verzögerung unserer Abfahrt aus dem Hafen Kaliningrad. Wir hatten große Schwierigkeiten wegen des Treibstoffs für das Schiff. Gestern abend wurde der letzte Teil des Treibstoffs geliefert. Heute hatten wir Probleme mit dem Zoll zu lösen, wegen neuer Bestimmungen für den „Export“ von Treibstoff und wissenschaftlicher Ausrüstung. Jetzt ist alles erledigt. Das Forschungsschiff *„Akademik Mstislaw Keldysch“*, mit zwei MIRs an Bord, läuft am 12. Januar, 20 Uhr, von Kaliningrad aus.

Wir gedenken am Nachmittag des 16. Januar in Falmouth einzutreffen. Genaue Zeitangabe später.

Tut mir leid, in unserem Land ist heute alles nicht so einfach, aber wir tun unser Bestes.

Bis bald.

Mit freundlichen Grüßen
Anatoly Sagalewitsch, Expeditionsleiter

Wir, die wir im sicheren London W8 sitzen, haben den Eindruck, daß Kaliningrad das letzte Drecknest sein muß. Es kostet Mühe, sich zu erinnern, daß es bis 1946 Königsberg war, Ostpreußens Hauptstadt, eine große baltische Stadt mit verlorenen Schätzen in ihrer eigenen Geschichte.

Königsberger Handwerker waren es, die sieben Jahre lang an dem fabelhaften Bernsteinzimmer arbeiteten, das Friedrich Wilhelm I. von Preußen 1716 dem Zaren Peter dem Großen schickte. Dieses erstaunliche Werk verschwand im Zweiten Weltkrieg, nachdem es während der Belagerung Leningrads von deutschen Soldaten ausgebaut worden war. Zuletzt sah man es in zweiundzwanzig Kisten verpackt in den treuen Händen der SS, und seither wird von Profis und Amateuren nach ihm gefahndet. Von seinen Handwerkern abgesehen ist Königsberg auch als die Geburtsstadt Kants berühmt, der dort sein ganzes Leben verbrachte. Ebenfalls in Königsberg geboren wurde 1776 der eigenwillig geniale E. T. A. Hoffmann: Jurist, Theaterdirektor, Komponist, Musikkritiker, Maler und Schriftsteller, Verfasser einiger Erzählungen, die zu den unheimlichsten der europäischen Literatur zählen. Als ich Deutsch studierte, wurde Hoffmann eines meiner Idole. Er war, was ich damals am liebsten auch gewesen wäre: in allen Künsten zu Hause und von Grund auf subversiv. Die Subversivität wäre ihm beinah zum Verhängnis geworden. Die Schriften und Opern, durch die er berühmt wurde, brachten wenig Bares ein, und so mußte er mit dem Beamtenschicksal eines Kammergerichtsrats in Berlin vorliebnehmen. In dieser Eigenschaft legte er sich mit dem König von Preußen und seinem Polizeidirektor an, indem er für den wegen seines revolutionären Nationalismus angeklagten „Turnvater“ Jahn eintrat. Seine Gründe waren rein juristischer Art: Es sei ungesetzlicher Machtmißbrauch, jemanden allein wegen seiner Gesinnung zu verfolgen. Sein Urteil wurde sofort annulliert. In seiner letzten Erzählung, *Meister Floh,* rächte sich Hoffmann mit einer Episode, die eine grimmige Satire auf den König und seinen Polizeichef war. Mit dieser ebenso unklugen wie rühmlichen Tat beschwor er eine Gewitterwolke von Strafanträgen und Zensurverfügungen über sich herauf, der er nur entging, weil er 1822 an Nierenversagen starb. Ich glaube mich zu erinnern, daß der Meister Floh unter anderem die Fähigkeit besaß, Gold zu sehen, wo es unter der Erde verborgen lag. Als Teilnehmer an der Orca-Expedition wäre er sehr nützlich gewesen.

Jedenfalls, wie ich aus den Nachrichten über Treibstoffschacher und Beamtenwillkür entnehme, die aus Kaliningrad durchsickern, würde es auch einem modernen Hoffmann dort an Stoff für eine Satire nicht mangeln. Vielleicht wird diese einstmals große Stadt irgendwann wieder glücklich ihren alten Namen annehmen dürfen. Denn Kalinin? Wer zum Teufel war Kalinin? „Ein bäurischer Emporkömmling im Kreml", sagt der emigrierte Schriftsteller Sergej Jurjenen voller Erbitterung und zitiert ein Beispiel für die „phantastische philosophische Potenz" dieses Intellektuellen:

> Die kommunistische Weltanschauung ist für diejenigen, die für die proletarische Revolution kämpfen, dasselbe wie ein Riesenteleskop für den Astronomen oder ein Mikroskop für den biologischen Forscher.

Armer Kant, armer Herder, daß eure Heimatstadt nach einem solchen Deppen umbenannt werden mußte! Hoffmann, vermute ich, hätte es nicht überrascht.

17.1.95

Seltsamer Zufall: am Abend, bevor die Orca-Teilnehmer nach Falmouth fahren, um an Bord des Schiffes zu gehen, gibt es im Fernsehen eine „Horizont"-Sendung der BBC über die *Keldysch.* Der Film wurde erst vor ein paar Monaten in Norwegen aufgenommen, wo die MIRs im Auftrag der russischen Regierung regelmäßig die *Komsomolets* inspizieren, das sowjetische Atom-Unterseeboot, das 1989 nach einem Brand gesunken ist. Die Tauchboote sollen die etwa austretende Radioaktivität messen. Wir sind auf die Bilder von der *Keldysch* so neugierig, wie man nur sein kann, wenn man seinen neuen Aufenthaltsort für die nächsten Wochen oder Monate vorgezeigt bekommt. Das also ist der Anstrich, das sind die Möbel, das die Gesichter, die wir bald gründlich satt haben oder vielleicht auch in liebevoller Erinnerung behalten werden. Der Rabauke dort in dem Anorak, ob der auch an Bord sein wird? Und da ist der große Anatoly Sagalewitsch selbst, mit Brille und im Springeranzug, wie er in einem seiner MIRs ein Sandwich verzehrt.

Was die Orca-Gruppe angeht, so ist sie so bunt gemischt, wie ich es mir nur wünschen kann. Meine fünf Gefährten sind: der Bruder eines Mannes, der 1994 rühmlicher- oder schmählicherweise (je nachdem, ob man ein „liberaler" Demokrat ist oder nicht) als ein „literal democrat" in den Wahlkampf zog und über 10 000 Stimmen gewann; ein ehemaliger Polizist; der Sohn eines namhaften Psychoanalytikers; eine Frau, die einmal eine Fabrik für Naßtauchanzüge geleitet und längere Zeit in einer Schwulen-Hilfsorganisation gearbeitet hat; und ein Mann, der die amerikanischen Marine-Infanteristen im Messerkampf unterrichtet hat und der nun „Ritter des Konstantinsordens" ist (weiß ich, was das heißt). In den Kulissen wartet noch jemand, der in den 70er Jahren als Student in Oxford zu der Gruppe gehörte, die das Bungee-Springen in England heimisch machte. Nur die von einem Ingenieur auf den Rücken eines Briefumschlags gekritzelten Berechnungen der Elastizitäts-Koeffizienten gaben ihnen vor dem Sprung die Gewißheit, daß sie nicht neunzig Meter tief von der Clifton-Hängebrücke in den Schlamm stürzen würden. Immerhin blieb unser Mann mit diesem Ingenieur befreundet, der, bevor er in den USA sein Glück machte, als Gorilla kostümiert in einem Kleinstflugzeug um die Fenster des Londoner Parlamentsgebäudes schwirrte. (Denselben Ingenieur, einen Physiker, ließ die Premierministerin Margaret Thatcher einige Jahre später kommen, damit er ihr die technischen Einzelheiten von Präsident Reagans „Star-Wars"-Programm erklärte.)

Ich habe keine Ahnung, ob diese Zusammensetzung für ein Tiefseebergungs-Team „normal" ist. Wahrscheinlich ja – was wieder einmal dafür spräche, daß Vorstellungen vom Normalen in den meisten irgendwie interessanten menschlichen Belangen wenig zu bedeuten haben. Als ich die Teilnehmer einen nach dem andern kennenlerne – nur Quentin kannte ich schon vorher –, finden wir übereinstimmend, daß nur ein so verrücktes Projekt wie dieses uns zusammenführen konnte; also müssen wir wohl alle einen kleinen Stich haben. Darauf trinken wir im regengepeitschten Falmouth. Ein verheißungsvollerer Beginn eines Abenteuers läßt sich kaum denken.

Die englische Westküste ist der richtige Ausgangsort für eine Goldsuche. Piraterie und Kaperfahrten, Schmuggel, Strandraub und Wrackbergungen haben hier eine lange Geschichte. Drake lief zu seiner Jagd auf die spanischen Goldtransporte meistens von Plymouth aus. Falmouth wurde zwar erst 1763 durch die Gründung der Postschiffstation ein wichtiger Hafen, aber Gold bekam es bald genug zu sehen, denn oft bildete das edle Metall die Fracht der heimkehrenden Schiffe. Diese Bekanntschaft kann die Stadt bald erneuern, wenn es nach den Orca-Leuten geht, denn es besteht die Absicht, alles etwa gehobene Gold hier zu entladen und dem Bergungsamt zu treuen Händen zu übergeben.

Viele sind schon von Falmouth zur Suche nach Gold ausgefahren. Das vorzügliche kleine Schiffahrtsmuseum der Stadt gibt Nachricht von Männern wie dem einheimischen Fischer Job Kelynack, der 1854 den Heringen und Sardinen für immer Lebewohl sagte und mitsamt der Mannschaft seiner *Mystery* nach Australien segelte, wo der Goldrausch ausgebrochen war. Zur gleichen Zeit malte Ford Madox Brown das berühmte präraffaelitische Bild *The Last of England,* inspiriert von dem Aufbruch des Bildhauers und Dichters Thomas Woolner zu denselben Goldminen. (Von Woolner stammen die Büsten John Hunters auf dem Leicester Square und John Stuart Mills in den Victoria Embankment Gardens. Australien scheint nicht das richtige für ihn gewesen zu sein. Er kehrte sehr schnell wieder nach London zurück und rührte sich seit 1860 während der nächsten zweiunddreißig Jahre kaum mehr fort aus seinem Haus in der Welbeck Street.)

Job Kelynack und seine Crew schafften die Reise in Rekordzeit, aber wie es den wetterfesten Seeleuten aus Cornwall dann in ihrem neuen Landrattengewerbe auf der „unteren“ Seite des Erdballs erging, darüber ist nichts bekannt. Sicherlich nahmen sie eine große Ladung Seemannstabus und abergläubische Regeln mit auf die Fahrt, von deren Beachtung Leben und Tod und wirtschaftlicher Erfolg abhingen. Unzählige Dinge konnten dem Seemann Unglück bringen: Katzen, Priester, Leichen, tote Hasen, Haareschneiden, Hinrichtungen, Pfiffe, Huren und – wie sollte es anders sein? – Frauen überhaupt. Frauen waren dafür bekannt, daß sie den Männern den Fischzug verdarben. Daß eine Frau eine Schule Fische sah, bevor man sie im Netz hatte, galt als so schlechtes Vorzeichen, daß man in den Dörfern von Cornwall noch in den 20er Jahren die Frauen in die Häuser einsperrte, wenn die Fischer ausfuhren. Auch Gold vertrug sich nicht mit Frauen, wenigstens solange man es nicht sicher heimgebracht und in einen Ehering verwandelt hatte. Dabei war wiederum der alte, vom südlichsten bis zum nördlichsten Zipfel der britischen Inseln herrschende Glaube zu beachten, daß Hochzeiten schlechtes Wetter bringen und daher auf die Zeit nach der Heringssaison zu verschieben sind. Jedenfalls bedeuteten Frauen nichts Gutes, und wer auf Fischfang oder Goldsuche ging, sollte sich hüten, mit ihnen allzuviel Umgang zu haben.

Natürlich glauben Ozeanographen nicht an solches Zeug, sonst hätten unter den etwa hundert Russen an Bord der *Keldysch* nicht so viele Frauen sein dürfen, darunter acht wissenschaftliche Mitarbeiterinnen. Das Schiff liegt nun am County-Pier, hinter einer von Böen gefegten Betonfläche. Die beiden MIR-Tauchboote hocken unter ihren Schutzdächern auf dem Steuerbord-Achterdeck. Zwischen dem Schiff und der Stadt laufen winddurchpustete Russen hin und her, die ihre Einkaufstüten von Tesco, Dixon und verschiedenen Computerläden fest an sich klammern. Ein Container auf dem Kai ist voller abgelegter Schuhe und Stiefel, die vermutlich gerade durch teurere und haltbarere ersetzt worden sind. Daß Falmouth ein Konsumparadies sein soll, kann man sich kaum vorstellen, schon gar nicht im grauen, nassen und windigen Januar, aber womöglich ist es doch eines. Ebensowenig würde man in dieser Stadt das Tor zu tropischen Abenteuern vermuten. Doch im Landesinnern sind nur die Höhen von Dartmoor und Bodmin schneebestäubt, während die von dort herabführende Straße ein paar Meilen weiter an der Küste von Palmen und dornigen Sukkulenten gesäumt wird, Exoten im Schutze der flüssigen Heizung durch den Golfstrom, der aus fünftausend Meilen Entfernung die Wärme strahlend schöner Tage heranträgt. Die Küste von Cornwall kann feucht und stürmisch sein, aber selbst an einem Wintertag wie diesem ist sie nie richtig kalt.

Für ein Forschungsschiff ist die *Keldysch* sehr gut ausgestattet. Offenbar scheute man keine Kosten, als sie 1980 in Finnland gebaut wurde. Die Korridore sind breit, die Treppen mit Teppichen ausgelegt. Im Besprechungszimmer, von dem wir schon in der BBC-Sendung etwas gesehen haben (die Stühle sind wirklich so giftgrün wie auf dem Bildschirm), stehen ein Klavier und eine elektrische Orgel. An Bord gibt es eine Sporthalle, eine Sauna und sogar ein kleines Schwimmbecken. Quentin hat soviel Luxus noch auf keinem Forschungsschiff erlebt; er ist sehr angetan. Er und die anderen Orca-Teilnehmer, die nun in den Tagen vor der Abfahrt ihre Kabinen beziehen, haben ein sonderbares Gefühl von Staatenlosigkeit, wie man es nur an Bord eines ausländischen Schiffs verspüren kann, das in einem heimischen Hafen liegt. Ein Gutteil des Tages verbringen sie in einem Büro an Land, wo noch einige wichtige Ausrüstungsteile besorgt werden müssen, alles in Hetze und von einer letzten Minute zur andern, wie es selbst bei den bestvorbereiteten Expeditionen üblich ist. Auch allerlei persönliche Einkäufe werden noch erledigt: Sonnenölflaschen, Schutzfaktor 25, von Boots (obwohl es schwerfällt, an Sonnenbrand zu denken, während ein scharfer Regen horizontal durch die schmale Hauptstraße von Falmouth fegt), Kisten mit Tonic-Water und Flüssigwaschmitteln. Dann zum Essen in eine Hafenkneipe, sehr britisch, und wieder in die Koje auf dem nach Anweisungen einer sowjetischen Behörde gebauten Schiff, wo sich in jeder Kabine um 7 Uhr früh krächzend der Lautsprecher zu Wort meldet, vermutlich mit dem russischen Befehl zum Aufstehen und Antreten. Diese Mischung von Luxus und KGB-Tradition ist um so seltsamer, als die Luken den Blick auf den hellgrauen Hafenbezirk in wenigen hundert Meter Entfernung freigeben. Der Gedanke an den KGB ist nicht rein scherzhaft. Bald finden wir heraus, daß diese Durchsagen von einem kleinen Raum voller Funkanlagen ausgehen, der einst den Geheimdienstleuten, die auf jeder Reise mitfuhren, als Sende- und Abhörposten gedient hat. An dem Tag im Jahre 1991, so erzählte man uns, als die Nachricht vom endgültigen Sturz des Sowjetregimes kam, war die *Keldysch* auf See. Der Kapitän ging zu diesem finsteren kleinen Raum, öffnete die Tür, ohne anzuklopfen, drückte dem verdutzten Kommissar einen großen Pinsel und einen Eimer weiße Farbe in die Hand und befahl ihm, sich an die Arbeit zu machen. Als erstes mußte er das Hammer-und-Sichel-Emblem auf beiden Seiten der Aufbauten übermalen (die Umrisse sind heute noch zu erkennen). Für den Rest der Fahrt mußten der Kommissar und seine Genossen an Deck schuften, während die Mannschaft die neugewonnene Freiheit feierte. Heute scheint dieser Raum der einzige auf dem Schiff zu sein, dessen Tür permanent offensteht. Es fällt schwer, darin etwas anderes als einen leicht abergläubischen Zug zu sehen, ein symbolisches Bekenntnis zur „Perestroika". Die geräumige Kabine, die der Kommissar außerdem innehatte, ist für diese Reise Ralph White zugeteilt, Orcas amerikanischem Kameramann. Auf der *Keldysch* ist er ein alter Hase, weil er mit ihrer Hilfe für die kanadische Firma Imax die *Titanic* gefilmt hat. Er behauptet sogar, schon zum neunten Mal auf dem Schiff mitzufahren, meistens in derselben Kabine. Mehr oder weniger im Scherz nennen die Russen ihn manchmal „unser Kommissar".

Noch vier Tage bis zur Abfahrt. Das ganze Ausmaß der logistischen Probleme bei einer technisch so schwierigen Bergungsmaßnahme wird deutlich. Die *Keldysch* und ihre Besatzung sind für fünf Monate gechartert. Vorräte müssen eingeladen, Computer-Systeme getestet werden, bevor es zu spät ist; ständig kommen auf dem Kai mechanische und elektronische Ersatzteile an. Oben in Aberdeen wird ein streckbarer Greifarm gebaut. Er soll an einem der MIRs befestigt werden, damit das Bedienungspersonal durch ein in den Rumpf des Wracks geschnittenes Loch die Goldbarren herausholen kann. Weil er nicht rechtzeitig fertig wird, muß er nach Dakar im Senegal geflogen werden, wo die *Keldysch* nach der ersten Etappe der Fahrt anlegen wird. Landurlaub für die Mannschaft in Abständen von höchstens fünf Wochen ist eine Bedingung in den Heuerverträgen der russischen Seeleute. Bei der Aufgabe, innerhalb der vorgegebenen Zeit zwei weit voneinander entfernt liegende Wracks zu finden und ihre Fracht zu bergen, ist aber jeder Tag kostbar. Wie Landurlaub, Proviantergänzung und Abholung nachgeschickter Ersatzteile mit den Unvorhersehbarkeiten des Wetters und der Befunde auf dem Meeresboden vereinbart werden sollen, ist ein Problem für sich – und im jetzigen Stadium ein weitgehend unlösbares. Doch für Dakar müssen genaue Lieferdaten festgelegt werden. Außerdem braucht Quentin Huggett, bei Orca der Geologe und Sonar-Experte, eine vorbehaltlose Zusicherung, am 27. Februar von Dakar heimfliegen zu können. Abgesehen davon, daß er ein Familienmensch ist, betreibt er auch zusammen mit einem Partner ein kleines, aufstrebendes Unternehmen namens Geotek. Sein Auftragsbuch ist voll, und Anfang März muß er an einigen wichtigen Sitzungen teilnehmen.

Aus London kommen nun Clive Hayley und Simon Fraser an. Als Kapitalbeschaffer und Finanzmanager des Unternehmens sind sie sich der Verantwortung für die 3,6 Millionen Dollar überaus bewußt, die die Investoren in das Projekt zu stecken bereit sind. Clive wird auf der ersten Etappe mitfahren; dann soll Simon ihn in Dakar ablösen. Allerlei Spannungen und Unzufriedenheiten liegen in der Luft. Angesichts der Torschlußpanik bei Orca stellen die Russen fest, daß die Verspätung der *Keldysch* um einen vollen Monat überhaupt nichts geschadet hat. Gereizt erwidern die Briten, daß es bei den ständigen Verschiebungen des Abreisedatums in Kaliningrad viel zu riskant gewesen wäre, teure Ausrüstungsteile schon anliefern zu lassen, weil Orca dann ja vielleicht darauf sitzengeblieben wäre. Einen, der bei den Russen viel zu sagen hat, hört man äußern, daß es verrückt sei, die Verantwortung für etwas so Wichtiges wie die Vorräte einer Frau zu übertragen. Gern möchte man zu seinen Gunsten annehmen, dies sei nur ein Stück altehrwürdiger Seemannsaberglaube und nicht nacktes Vorurteil, wenn diese Unterscheidung nicht ihrerseits unsinnig wäre: Was ist Aberglaube denn anderes als zur Folklore geadeltes Vorurteil?

Plötzlich wird mir etwas klarer, warum so viele Filme und Geschichten von Schatzsuchern in der Katastrophe enden. Selbst bei einem modernen Bergungsvorhaben wie diesem ist es nicht das Gold, von dem alles abhängt, sondern die Persönlichkeit der Beteiligten. Nur allzu leicht läßt sich die Aufmerksamkeit von der Technologie gefangennehmen: von den blendenden wissenschaftlichen Vorarbeiten, den Präzisionsgeräten, den elektronischen Zaubereien. Aber dahinter stehen Weisungsbefugnisse, Führungskonflikte, Meinungsverschiedenheiten, Bündnisse und Gehässigkeiten, die schwerer wiegen als alles andere. Hoher Einsatz erzeugt hohe Spannung. In den Büchern und Filmen erscheint das Auffinden des Goldes oft als relativ einfach. Erst wenn die Ausbeute heimgebracht und gerecht geteilt werden soll, beginnt das schwierige Stadium, wo die alten Gefährten uneins werden. Immer ist einer von ihnen derjenige, der zuerst von der Sache Wind bekommen, der seinen Traum viele Jahre lang mit sich herumgetragen hat wie eine Landkarte mit dem Lageplan des Schatzes, ehe er begreift, daß er Hilfe braucht, um den Schatz zu finden und auszugraben. Und anscheinend unvermeidlich zieht er den kürzeren gegen einen skrupellosen Nachstreber. Plötzlich, aus Gründen, die, wäre man von Anfang an so klug gewesen, wie man nachher ist, nicht unvoraussehbar gewesen wären, ist alles verloren. Die klaren Ziele und die sorgfältige Planung des Orca-Abenteuers (denn ein Abenteuer ist es trotz allem) sollten dergleichen Mißgeschicke ausschließen. Aber das hindert einen nicht, sich zu fragen, was es wohl sein könnte, das einige Monate später im Rückblick so aussehen wird, als müßte es sich jetzt schon in greller Deutlichkeit angekündigt haben.

Meine erste Begegnung mit Anatoly Sagalewitsch steht unter keinem guten Stern. Durch eine offene Tür, an der ich vorüberkomme, ruft er mir einen Gruß zu, und ich strecke ihm über die Schwelle die Hand hin. „Bringt schlimmes Pech!" sagt er lächelnd, aber nicht allzu freundlich, und nimmt meine Hand erst, nachdem er ganz über das Süll hinweg nach draußen getreten ist.

Vier

Wenn bei dieser Expedition einem die Rolle des geistigen Vaters zusteht, desjenigen, der einen jahrelangen Traum nun verwirklichen will, so ist dies ohne Zweifel Mike Anderson. Mike ist der ehemalige Polizist, und wie viele ehemalige Polizisten hat er über Journalisten eine glasklare Meinung. Ich verdankte die Erlaubnis mitzufahren Simon und Clive, den Finanzgewaltigen, während Mike mich nie zu Gesicht bekommen hatte, bevor wir uns in Falmouth auf der *Keldysch* trafen. Zu dieser Zeit hielt er mich für einen Journalisten, und es spricht sehr für seine guten Manieren, daß er sein Mißbehagen über einen solchen Reisegefährten durch kein Zeichen verriet. (Erst als wir die Biskaya schon ein gutes Stück weit hinter uns hatten, kam das Problem zur Sprache und wurde – glaube ich – gütlich beigelegt.)

Äußerlich erinnert Mike mich an den Schauspieler Dennis Waterman in *The Sweeney,* und je mehr ich über seine Vergangenheit bei der Polizei erfahre, desto fester wird diese Assoziation. Sicherlich ist er auf diese Ähnlichkeit schon so oft angesprochen worden (meistens von Frauen, würde ich meinen), daß er es nicht mehr hören kann, und es ärgert mich, daß auch mir nur derselbe banale Vergleich einfällt. Ebenso wie sein fiktionaler Doppelgänger spricht Mike nicht gern von sich selbst. Auch er macht den Eindruck, daß er Reden, soweit es über das Allernötigste hinausgeht, für Zeitverschwendung, rasches, entschlossenes Handeln dagegen für das einzige hält, wodurch sich Geheimniskrämereien, Hypothesen und Theorien aller Art in Luft auflösen lassen. Jedenfalls hat er sicher keinen Grund, sich ausgerechnet mir zu offenbaren, einem Fremden, der möglicherweise sogar ein Feind ist; allerdings glaube ich nicht, daß er anderen viel mehr von sich erzählt. Aber ich will und erwarte ja auch nicht, daß er mir sein Herz ausschüttet. Ich will nur wissen, wie dieses Projekt zustande gekommen ist und welche Rolle Mike dabei gespielt hat. Alles übrige wird mir gewiß im Lauf der nächsten Wochen und Monate nach und nach klarwerden, bröckchenweise, wie so oft, bis sich dann in den letzten Tagen das Bild eines Menschen abzeichnet, von dem man es bedauert, ihn wahrscheinlich nie wiederzusehen. Dies ist der gewöhnliche Verlauf einer Schiffsbekanntschaft.

Bevor ich dazu komme, ihn zu vorläufigen ersten Erkundigungen aufzusuchen, ist schon etwas geschehen, dessen Bedeutung ich noch nicht beurteilen kann. Mike hat die Kabine wechseln müssen. Als altem Freund von Anatoly war ihm ursprünglich ein großer Raum zugewiesen worden, eine Art Luxuskabine, ähnlich wie Ralphs „Kommissars"-Kabine auf dem Unterdeck. Doch bei der Ankunft der Finanzmänner aus London wurde beschlossen (wie beschlossen?), daß diese Kabine vielmehr Clive zustehe, und Mike mußte in eine andere umziehen, ein paar Türen weiter auf demselben Flur, eine gleichfalls ganz ordentliche, aber eben kleinere und nicht so ansehnliche. In dieser nun erzählt er mir von seinem schottischen Vater, der in Birmingham in den Polizeidienst getreten war. Mike selbst ist in Birmingham geboren, einer Stadt, die vom Meer so weit entfernt liegt wie auf den Britischen Inseln nur möglich; daß ihm die Seefahrt im Blut lag, kann man daher kaum sagen. Trotzdem wollte er schon als Junge zur Marine. Weil seine Mutter dagegen war, ging er statt dessen auf die Polizeischule. „Ich wollte es unbedingt so weit bringen, daß mein Dad mich noch mit ‚Sir' anreden müßte, bevor er in Pension ging." Aber schon bald nach Mikes Diensteintritt wurde sein Vater zum Sergeant befördert, und Mike begriff, daß er diesen Ehrgeiz wohl nicht befriedigen könnte. Auf der Polizeischule belegte er juristische Kurse, die ihn interessierten und in denen er gut abschnitt. Danach kletterte er bei der Birminghamer Polizei einige Ränge hinauf, bis er Ende der 70er Jahre ausschied. Dies geschah nicht aus einem bestimmten Anlaß, versichert er, sondern aus einem wachsenden Gefühl der Unruhe und Unzufriedenheit. Darin war er nicht der einzige: Bezahlung und Arbeitsverhältnisse bei der Polizei waren damals schlecht, und viele nahmen ihren Abschied.

Arbeitslos geworden, machte Mike einen Fahrkurs für schwere Lastzüge und hatte bald den entsprechenden Führerschein. Gleichzeitig ging er im Teilzeit-Studium an der Universität Birmingham seinen juristischen Neigungen nach. (Es ist nicht der uninteressanteste Zug an ihm, daß er bei aller gelegentlich geäußerten Verachtung der „Theorie" in seiner beruflichen Entwicklung doch eine echte akademische Ader aufweist. Ohne Zweifel würde er dies als bloßes Mittel zum Zweck abtun; aber oft beweist er auch einen etwas sturen Respekt vor dem Wissen, wie sich etwa in seinem Bemühen zeigt, Russisch zu lernen.) Nachdem er das erste Examen bestanden hatte, setzte er das Studium ganzzeitig fort; als Lastwagenfahrer arbeitete er nur noch an den Wochenenden und in den Ferien, um sich finanziell über Wasser zu halten. Zum Abschluß des Studiums gehörte auch eine Dissertation. Weil er sich schon immer für die Seefahrt interessiert hatte, wählte er Seebetrug als Thema. Dazu mußte er sich mit Seetransportversicherungen, mit Problemen der Schadensregulierung und mit Einrichtungen wie der Salvage Association vertraut machen. 1983 bestand er sein Examen und begann sich nach einer Stellung umzusehen. Weil er nicht wußte, wo er sonst anfangen könnte, trat er zuerst mit einer Firma für Schadensregulierung in Verbindung. „Aber die Welt ist ein Dorf", sagt er, „und manches spricht sich 'rum, und ich bekam eine Stelle bei der Salvage Association angeboten." Er kam in die Abteilung für Bergung, Absatz und Information, die für die Kooperation mit Firmen zuständig war, die Bergungen für Lloyds oder die britische Regierung durchführen wollten. Inzwischen war Mike entschlossen, sich auf die Ermittlung in Fällen von Seebetrug zu konzentrieren, denn auf diese Weise konnte er seine Erfahrungen bei der Polizei mit seinen seemännischen Interessen verbinden. Fast sofort fand er, daß seine Abteilung zu bürokratisch arbeitete, und bestand darauf, sich Bergungen vor Ort anzusehen, um zu erfahren, wie es dabei zuging – eine nahezu unerhörte Neuerung in seinem Amt. Dies waren Bergungsmaßnahmen an Flachwasser-Wracks, denn die technischen Möglichkeiten für Tiefseebergungen waren noch sehr eng begrenzt. Die Abteilung begann Geld einzubringen, für sich selbst wie für ihre Auftraggeber, und Mike erlangte allmählich eine Reputation. Es dauerte nicht lange, und eine große internationale Bergungsgesellschaft setzte „Kopfjäger" auf ihn an, weil er sich sowohl in den rechtlichen Geschäftsgrundlagen als auch in den Spielregeln für den Umgang mit staatlichen Behörden auskannte.

Also arbeitete er nun für eine Tochtergesellschaft dieser Bergungsfirma (die wir der Diskretion halber „Salvimar AG" nennen wollen). Gleich wurde er aufgefordert, Erkundigungen über die Durchführbarkeit von Tiefsee-Operationen und die Beschaffung der erforderlichen Ausrüstung zur Bergung von Nichteisen- und Edelmetallen einzuholen. Salvimar wußte schon von siebzig bis achtzig Wracks, die wertvolle Ladungen an „Industriemetallen" wie Mangan und Kupfer enthielten, und war darauf erpicht, daß Mike und seine vier Kollegen einen Geschäftsplan zu ihrer Bergung aufstellten. Nicht lange und sie kamen zu dem Ergebnis, daß dies ein immens kostspieliges Unternehmen wäre, dessen Aufbau mindestens 40 Millionen Dollar erfordern würde (zu den Preisen Mitte der 80er Jahre). Inzwischen hatte Mike einige Recherchen auf eigene Faust fortgesetzt. Ein oder zwei Jahre zuvor hatte er in den Archiven der Bank von England zu tun gehabt, als ganz zufällig und ohne, daß er davon wußte, jemand aus Kanada an die Bank schrieb und um Kopien etwa vorhandener amtlicher Dokumente bat, die bewiesen, daß der Passagierdampfer SS *Aurelia,* als er 1943 torpediert wurde, eine große Menge Gold geladen hatte. Der Briefschreiber war ein gewisser Jock Walker, der die Versenkung als Offizier des Schiffs miterlebt und vorher in Durban beim Einladen des Goldes die Aufsicht geführt hatte. Als alter Mann schrieb er nun an seiner Autobiografie und wollte, der historischen Richtigkeit zuliebe, die genaue Menge des Goldes feststellen. Ob die Bank ihm behilflich sein könne? Bis die Bank dazu gekommen war, jemanden zur Durchsicht der einschlägigen Archive abzuordnen, war Mike schon Direktor der Tochterfirma von Salvimar geworden. Als die Bank keinerlei Unterlagen über den fraglichen Goldtransport finden konnte, empfahl sie Jock Walker, doch bei einer professionellen Bergungsgesellschaft wie der Salvimar AG anzufragen, die vielleicht zu anderen Auskunftsquellen Zugang habe.

So kam es, daß eines Tages ein Brief von Jock Walker auf Mikes Schreibtisch landete. Mike antwortete im Namen der Firma. Jeder, der im Bergungswesen arbeitet, kennt schon Leute genug, die einem erzählen, wo das Gold haufenweise herumliegt und nur darauf wartet, mitgenommen zu werden: Geschichten, wie man sie in den Hafenkneipen auf Jamaica Ende des siebzehnten Jahrhunderts zu hören bekam. Trotzdem nahm Mike diesen Mann, von dem er noch nie gehört hatte, von vornherein ernst. Der alte Herr zeigte nicht das geringste Interesse an einem Gewinn; es ging ihm nur um die Richtigkeit der Angaben in seinen Memoiren. Als Mike in anderen Geschäften nach Kanada kam, trafen sie sich und fanden einander sympathisch. Jock fragte nach dem Bergungsgeschäft und den dabei üblichen Arbeitsweisen. Selbstverständlich kamen sie auch darauf zu sprechen, wie schwierig es wohl wäre, das Gold aus der *Aurelia* heraufzuholen. Mike sagte, er wolle sich erkundigen, ob es noch andere Stellen gebe, die die Existenz dieser Goldladung bestätigen könnten, und dabei blieb es einstweilen.

Inzwischen war man bei der Salvimar AG zu der Auffassung gekommen, daß Tiefseebergungen auf lange Sicht allzu kostspielig würden. 1989 sperrte man der Tochterfirma Salvimar-Tiefseebergungen die Mittel und löste sie auf. Plötzlich war Mike wieder stellungslos. Er schrieb gleich an Jock Walker und erklärte ihm, daß er die Sache leider nicht weiterverfolgen könne. Jock antwortete, er betrachte Mike nun als Freund und wolle das Projekt ihm überlassen, weil er ihm vertraue und ohnehin keine Lust habe, die ganze Geschichte noch mal mit einem Fremden von vorn aufzurühren. Nicht lange danach wurde Mike Vizepräsident einer amerikanischen Bergungsfirma, der Subsal Inc. (auch ein Pseudonym), etwa mit der gleichen Aufgabe wie bei Salvimar: einen Geschäftsplan für ein auf Tiefseebergungen spezialisiertes Unternehmen aufzustellen. Für Subsal arbeitete Mike während der nächsten zwei Jahre. Dabei hatte er Gelegenheit, im Auftrag der Firma Jock Walker erneut zu besuchen und zu interviewen. Allmählich schien aus der *Aurelia* ein ernsthaftes Bergungsprojekt zu werden. Von nun an wurde das Schiff aus Sicherheitsgründen nicht mehr mit seinem echten Namen, sondern mit einem Code-Namen benannt. Weil es während des Krieges von der britischen Regierung requiriert worden war, konnte man vermuten, daß jede etwa noch vorhandene Information über seine Goldladung in einem britischen Archiv zu finden sein müßte. Natürlich war dieses Projekt nur eines von denen, für die Mike verantwortlich war, und er merkte bald, daß er für die Recherchen, die in London anzustellen waren, professionelle Hilfe brauchte. Zunächst kannte er niemanden, den er für geeignet hielt, doch bei einem Besuch im Staatsarchiv sah er am Anschlagbrett eine Visitenkarte, auf der sich eine Frau namens Andrea Cordani für solche Recherchen empfahl.

So lernte er Andrea kennen, die nun als Rechercheurin für Orca auf der *Keldysch* mitfährt. Sie hat allerhand über die letzte Fahrt des Schiffes in Erfahrung gebracht, doch eine unabhängige Bestätigung für Jock Walkers Geschichte von den fünfzig Kisten Gold, die sich an Bord befunden haben sollen, hat sie noch nicht. Allerdings hat sie herausgefunden, daß solche Goldtransporte nach England während des Zweiten Weltkriegs häufig stattfanden, und nicht nur aus Südafrika. Eine der ersten Maßnahmen der britischen Regierung nach der Kriegserklärung war die Auslagerung der Goldreserven gewesen. An verschiedenen, mit Bedacht über das ganze Empire verstreuten Orten wurden Golddepots angelegt. Immer wenn die zunehmend kostspieligeren Kriegsanstrengungen eine neue Finanzspritze erforderlich machten, ordnete die Regierung unter strengster Geheimhaltung einen Rücktransport mit dem schnellsten Schiff an, das zur Verfügung stand. Vorzugsweise waren dies Kriegsschiffe, aber sie waren nicht immer am rechten Ort und zur rechten Zeit zur Hand, und dann konnte ein schnelles Passagierschiff ein guter Ersatz sein. Das Verfahren für diese Goldtransporte war zu der Zeit, als die *Aurelia* im Frühjahr 1943 abfuhr, schon gut eingespielt, eine komplizierte und streng vertrauliche Regelung mit verschlüsselten Telegrammen und oft nur spärlicher Dokumentation. Die Aufschlüsse, die Andrea gewinnen konnte, erbrachten zwar keinen weiteren Beweis für diesen Transport im besonderen, stellten aber sicher, daß dergleichen vollkommen der üblichen Praxis entsprach, sowohl hinsichtlich des verwendeten Schiffstyps als auch der damaligen politischen Umstände. In Jock Walkers Geschichte blieb ein wichtiger Punkt dunkel: Er konnte sich erinnern, fünfzig Kisten gezählt zu haben, wußte aber nicht, wieviel sie gewogen hatten. Gold konnte in Barren oder in gemünzter Form verschifft worden sein. Goldbarren waren damals in zwei Größen gebräuchlich, zu 400 oder zu 1000 Unzen, von denen meistens zwei in einer Kiste verpackt wurden. Goldmünzen hätten sich anscheinend in Mengen bis zu 3000 Unzen in eine Kiste packen lassen, und so konnte der Inhalt von Jocks fünfzig Kisten insgesamt stark differieren, nämlich zwischen 40 000 und 150 000 Unzen (ungefähr eine Tonne bzw. vier Tonnen). Bei heutigen Goldpreisen konnte dies eine Spanne von 15 bis zu 60 Millionen Dollar bedeuten.

Aufgrund von Andreas Recherchen kam Mike zu dem Ergebnis, daß wohl kein Investor, selbst wenn der dokumentarische Beweis für die Existenz des Goldes vorläge, bereit sein würde, die erforderlichen drei Millionen Dollar für die Bergungsoperation hinzublättern – und angesichts der Tiefe, in der die torpedierte *Aurelia* vermutlich lag, war diese Summe wohl nur das Minimum der zu erwartenden Kosten. Machbar würde das Ganze jedoch, wenn zur Amortisierung der Kosten noch ein zweites Wrack zu bergen wäre; es müßte möglich sein, zwei Operationen zu einem Preis, der nur wenig höher wäre als bei einer einzigen, miteinander zu verbinden. Bei Durchsicht seiner Unterlagen stellte er fest, daß eine solche Möglichkeit offenbar bestand: Ein japanisches Unterseeboot, *I-52,* lag nicht nur verhältnismäßig nahe bei der *Aurelia,* sondern würde auch mit seiner Ladung von zwei – oder womöglich gar vier – Tonnen Gold den zu überzeugenden Investoren einen günstigen Eindruck machen.

Bevor Jock Walker die Geschichte von dem Gold an Bord der *Aurelia* Mike erzählte, sah es so aus, als ob niemand anders davon wüßte. Das U-Boot *I-52* war dagegen bei den Bergungsfirmen schon allgemein bekannt. Die Geschichte seiner Goldladung war gut dokumentiert und weithin geläufig, aber es war noch nie ernsthaft als Bergungsobjekt betrachtet worden, weil es so tief lag. Salvimar hatte inzwischen begonnen, mit ferngesteuerten Tauchfahrzeugen zu arbeiten, aber deren Möglichkeiten sind eng begrenzt, ihr Einsatz erfordert viel Zeit, und in ein unbeschädigtes Wrack können sie nur schwer eindringen. Mikes Chef bei Subsal Inc. dagegen hatte währenddessen von einem russischen Forschungsschiff gehört, der *Keldysch* mit ihren zwei Tauchbooten, und sich eine Einladung zu Gesprächen in der UdSSR verschafft (wie das Land damals gerade noch hieß). Dies war immerhin ein wagemutigerer Schritt, als man heute denken würde: ein privater amerikanischer Unternehmer im Reich des Bösen zu Verhandlungen über ein Geschäft, an dem die angesehenste wissenschaftliche Institution des Sowjetstaates beteiligt werden sollte, die russische Akademie der Wissenschaften. Sehr zur allgemeinen Überraschung verliefen die Vorgespräche günstig, und bei seiner Rückkehr war der Präsident der Firma optimistisch genug, Mike grünes Licht für ein gemeinsames Projekt zur Bergung der *Aurelia* und des *I-52* zu geben. Etwa ein Jahr später waren die *Keldysch* und ihre Tauchboote durch die vielbeachtete Expedition von 1991, bei der die *Titanic* gefilmt wurde, berühmt geworden, und im Jahr darauf flog Mike selbst nach Moskau, um mit Anatoly Sagalewitsch über Vorschläge zu gemeinsamen Bergungsprojekten zu sprechen.

Bei all seiner Professionalität und juristischen Kompetenz muß Mike sich doch über die unvorhersehbare – und sogar ironische – Verkettung von Ereignissen gewundert haben, die einen ehemaligen Birminghamer Polizisten im Laufe von dreizehn Jahren in ein Moskauer Meeresforschungs-Institut geführt hatten. Zu seiner Überraschung fiel es ihm nicht schwer, sich mit den Russen in ihrer plötzlich bedrängten politischen Situation zu identifizieren. Schnell kam er zu einem guten sachlichen und persönlichen Verhältnis mit Anatoly selbst und mit mehreren seiner russischen Kollegen. Als Vizepräsident von Subsal wollte er dafür sorgen, daß einige unbedingt nötige Ersatzteile für die MIRs und manche Ausrüstungsgegenstände für die *Keldysch* im Westen angekauft werden könnten, im Zusammenhang einer längerfristigen Abmachung über gemeinsame Bergungsoperationen. Die Vertragsverhandlungen zwischen dem Schirschow-Institut (der ozeanographischen Abteilung der Akademie der Wissenschaften) und Subsal Inc. scheiterten jedoch im letzten Augenblick, sehr zu Mikes Bestürzung und unter Umständen, die ihn so sehr ärgerten, daß er seine Stellung bei der Firma sofort kündigte.

Nach England zurückgekehrt war er von neuem stellungslos und mußte sich außerdem sagen, daß es so aussah, als hätte er das Vertrauen seiner neugewonnenen Freunde enttäuscht. Um so erstaunter war er, als ihn Anatoly Sagalewitsch einige Monate später in Cornwall anrief und sagte, ihnen allen sei klar, daß die Vereinbarung über die Ersatzteile nicht an ihm gescheitert sei, und ob er wohl behilflich sein könne, der *Keldysch* einen Trockendock-Platz in Falmouth zu verschaffen? Ja, das konnte er. Nachdem die Beziehung zu den Russen auf diese Weise wiederhergestellt war, begannen Mike und Anatoly das aufgegebene Bergungsprojekt ernstlich zu erörtern. Als Anatoly Feuer und Flamme war, ließ Mike sich mit Simon und Clive in Kontakt bringen, um zu hören, wie das nötige Geld beschafft werden könnte.

Ein solchermaßen verkürzter Bericht wird Mike Anderson menschlich nicht gerecht; unvermeidlich erscheint das Leben dabei auf eine Abfolge von Berufspositionen reduziert. Immerhin wird deutlich, daß er der Urheber dieses *Aurelia/I-52*-Bergungsprojekts war und daß Andrea, die *Keldysch* und die Investoren von Orca alle durch ihn zusammengetrommelt worden waren. Natürlich wäre es falsch, anzunehmen, daß dieses Projekt für einen professionellen Berger wie Mike nur eines unter vielen sei oder daß es in der langen Zeit, in der es ungelöst liegengeblieben war, Staub angesetzt hätte. „Im Lauf der letzten sechs Jahre bin ich von Salvimar und Subsal dermaßen, grob gesagt, angeschissen worden, daß ich in dieser Sache unbedingt auf den Erfolg aus bin, schon damit ich es denen ein bißchen unter die Nase halten kann. Sicher, den Erfolg will ich auch deshalb, weil er mir Geld einbringt. Aber die größte Genugtuung wäre für mich, daß die Leute, die zu mir gehalten haben, auch etwas davon hätten, besonders Anatoly, die Russen und Jean." (Jean Anderson ist Mikes geschiedene Frau.)

Doch Mike kann die Bergungsindustrie auch in milderem Licht sehen, wo sie es verdient, denn er kennt das Geschäft zur Genüge, um die Schwierigkeiten richtig einzuschätzen. Sowohl das *Central-America-* wie auch das *John-Barry*-Projekt stuft er als echten Erfolg ein, egal wie weit die tatsächlich geborgenen Werte hinter den in der Presse gemeldeten zurückbleiben mögen. Beide Wracks stellen die Bergung vor massive technische Probleme. Schon heute, wo die Tiefseebergung noch in den Kinderschuhen steckt, sind die technischen Leistungen manchmal unerhört. Mike nennt als Beispiel die Firma Oceaneering, die eine einzelne Ladeluke gesucht und gefunden hat, die 1990 vom UAL-Flug 811 ins Meer gestürzt war. Also sollte es für Orca doch möglich sein, einen großen Truppentransporter und ein 2000-Tonnen-Unterseeboot zu finden... Trotzdem, das Projekt ist einzigartig. Eine Frachtbergung aus solcher Tiefe ist noch nie versucht worden, und zum erstenmal wird es nötig sein, mit Schneidwerkzeugen in die Schiffsrümpfe einzudringen. Niemand hat je von einem Tauchboot aus die Scheiben einer Hacksäge zu wechseln versucht.

Einstweilen liegt die Hacksäge – erst vor kurzem nach Mikes Angaben gebaut – auf dem Boden seiner Kabine zwischen Styroporchips, die wie Partygebäck aussehen. Von Zeit zu Zeit hebt er sie auf, wiegt sie stolz in den Händen und betrachtet den Kettenantrieb. „Gute Arbeit", sagt er, „ein schönes Stück Technik!" Wenn das Ding daliegt, bleibt nicht mehr viel Platz auf dem Boden, und ich frage mich immer noch, wie es wohl dazu gekommen sein mag, daß der Urheber des ganzen Projekts so weit „degradiert" wurde – denn anders kann ich es nicht auffassen –, daß er in diese kleinere Kabine umziehen mußte. Auch wieder etwas, das wohl erst im weiteren Verlauf der Fahrt klar werden wird.

Fünf

26. 1. 95

Wir sind nun seit fast fünf Tagen auf See. Falmouth ist nur noch eine Erinnerung hinter grauen Wolkenbänken am nördlichen Horizont. Das Meer ist sehr unruhig; die *Keldysch* rollt und rüttelt. Die Vorpiek taucht tief ein, und Gischtsträhnen peitschen achtern. Alles wird durchgeschüttelt und fügt sich allmählich nach den Formen und Regeln des Bordbetriebs, so wie sie hinfort für die ganze Reise gelten werden.

In London hatten unsere Finanzmänner, bevor wir abfuhren, viel Zeit und Scharfsinn auf die Festlegung eines Codes für den Austausch vertraulicher Funkmeldungen mit dem Schiff verwendet. Schließlich hatten Simon und Clive sich auf eine Chiffrierung geeinigt, die auf einer 1965er Nummer ihrer alten Schülerzeitschrift beruhte. Heute ist zu berichten, daß ihr erster Versuch mit verschlüsselter Kommunikation mißlungen ist. Clive hat zwei Stunden gebraucht, um ein paar Zeilen zu chiffrieren, und eine darauf folgende Nachricht von Clive bezog sich anscheinend auf die 31. Zeile einer Seite, die nur 28 Zeilen hatte. Das Ergebnis war Zahlensalat. Das ist nicht ganz die Welt der „Ultra“- und „Magic“-Programme (vgl. S. 74), die für die Versenkung des U-Boots, nach dem wir suchen, letztlich ausschlaggebend waren. Der Fehler lag sicher darin, daß sie sich eine zu komplizierte Methode ausgedacht hatten. Sie hätten sich die britischen Panzer-Kommandeure im Nordafrika-Feldzug zum Vorbild nehmen sollen, deren Verfahren von Keith Douglas in *Alamein to Zem-Zem* beschrieben wurde. Diese ehemaligen Public-School-Boys kleideten ihre Funkmitteilungen in einen Sportjargon, hauptsächlich aus Kricket- und Pferderennausdrücken, die allen etwa mithörenden Deutschen rätselhaft bleiben mußten. In gewisser Weise entsprach dies der Methode, die von den Amerikanern seit dem Ersten Weltkrieg bei verschiedenen Gelegenheiten angewandt wurde: Sie ließen Indianer in ihrer Stammessprache miteinander Klartext reden, mit der Gewißheit, daß kein deutscher, russischer, koreanischer oder vietnamesischer Frontsoldat die Sprache auch nur identifizieren, geschweige denn verstehen könnte. Unvorstellbar, daß Clive und Simon nicht imstande gewesen sein sollten, sich eine ähnlich kryptische Public-School-Formulierung für die Mitteilung einfallen zu lassen, daß das U-Boot gefunden sei und daß man das Gold nun heraufhole. Aber vermutlich wollen sie sich auch offen und ohne alle Ellipsen über die Russen auslassen können.

Orcas Kommunikationssystem ist zur Zeit ein Chaos, zum größten Vergnügen derer, denen die technophile Hörigkeit ein Greuel ist. Bei den fünf Mitgliedern an Bord gibt es fünf verschiedene Computer und fünf verschiedene Übermittlungsweisen. Niemand kann ohne weiteres mit irgend jemand Verbindung aufnehmen, und eine Nachricht von der *Keldysch* nach England durchzubringen (Clive an Simon, Quentin an Geotek, Mike an Jean, jeder an jeden), ist alles andere als der gemütliche Plausch, die die Computer-Technomanen, die „Nerds“, uns in England versprochen hatten. Es herrscht ein Durcheinander von Faxen und Modems, Macintoshes und Standleitungen, Schaltkästen, Inmarsat, Programmen, Mail-Boxen, Ablage-Software, Laplink und Smartcom und Winfax und Comet und WordPerfect-Ablagedisketten – und immer werden noch mehr hellgraue Plastikkästen und Monitore in den Funkraum des Schiffes raufgeschleppt, um sie dort zu vernetzen und anzuschließen, was schließlich dazu führt, daß man für teures Geld zu absolut niemandem mehr durchkommt. Das aufgemotzte GPS-Navigationssystem des Schiffs stört die Funkverbindungen oder umgekehrt, während der Funkoffizier mit seinen eigenen Durchgaben unsere wackligen Telefonverbindungen glatt aus der Ionosphäre pustet. Orcas Anrufe in England werden der Theorie nach über Intelsat zu einer Empfangsstation in Norwegen geleitet, von wo eine Roboterstimme dem Anrufer sagt, daß er mit dem Vereinigten Königreich verbunden wird; dort aber nimmt niemand den Hörer ab, weil der hirnlose Zahlenstrang sich nicht entscheiden kann, ob er nun als Fax, als Sprechstimme oder als eine Art Himmelsflüstern jenseits aller gebräuchlichen Systeme ankommen will, Äther spricht mit Äther, natürlich über Äthernet.

Alle sagen, „wenn doch nur das Verbindungskabel rechtzeitig gekommen wäre, das ich vor zwei Monaten bestellt habe, wäre alles so *einfach*...“; oder „nur so ein Dings, nicht größer als 'ne Schachtel Zigaretten und kostet 7,99 bei Dixons, und das alles wäre uns erspart geblieben!“ Davon glaube ich kein Wort, teils weil ich schon genug Leute sich mit Computern habe abquälen und ihre Zeit verschwenden sehen und daher weiß, daß dieser ganze Schlamassel völlig normal ist, teils aber auch, weil wir Computerdämonen an Bord haben, die sicherlich alles bereinigen können, wenn es überhaupt möglich wäre. Nik Schaschkow zum Beispiel ist so einer, der wie ein ängstlicher Pennäler aussieht, aber, erzählt mir Quentin, „im wirklichen Leben“ (sic!) Familienvater und zu der außergewöhnlichen intellektuellen Turnübung imstande ist, Software zu dekompilieren. Eine solche Wundertat der Dekodierung soll er vor einigen Jahren vollbracht haben, als er mit einem finnischen Navigationsgerät zurechtkommen mußte, das noch zur Erstausstattung der *Keldysch* gehörte. Die Finnen hatten die Software kompiliert, und der ursprüngliche Code war nicht mehr vorhanden. Nik arbeitete das Programm rückwärts durch, dekompilierte es und schrieb es um. Man kann sich nur wundern, womit manche Menschen freiwillig ihre Zeit verbringen. Vielleicht bin ich ja auch nur neidisch. Ich werde mit solchen intellektuellen Bravourstücken niemals Lorbeer ernten.

In diesem zirpenden und surrenden elektronischen Tohuwabohu, während die Leute hektisch Stunde um Stunde damit verbringen, ihre arbeitssparenden Maschinen zum Arbeitssparen anzutreiben, fällt es schwer, nicht in Zweifel zu verfallen, ob sie überhaupt noch irgendwann irgendwas fertigbekommen werden. Die Seeleute, auf die wirklich Verlaß ist, sind ja auch heute noch diejenigen, die sich damit abfinden können, über Monate hin abgeschnitten und nur auf sich selbst gestellt zu sein (eines der großen Befreiungserlebnisse der Seefahrt). Zur Hölle mit Marconi! Ich sehne mich nach den Zeiten, als die Schiffe noch miteinander *sprachen,* auf hoher See oder in einem schäbigen fremdländischen Hafen, als man bei Salutschüssen und Flaggengrüßen bündelweise Briefe und Nachrichten austauschte, bevor dann jedes Schiff wieder in den Horizont hineinfuhr, seinem eigenen Schicksal entgegen: ein feierliches, erwartungsträchtiges Geschehen. Die Vorstellung, jemanden von irgendwo mitten auf dem Atlantik anzurufen wie aus der Telefonkabine in der Kneipe um die Ecke, ist mir verhaßt. Jedenfalls ist bei all dem Hin und Her mit diesen Zauberkästen, die in den Funkraum des Schiffes hinein- und wieder herausgetragen werden, nicht zu vergessen, daß die neue Kommunikationstechnologie trotz aller Beteuerungen ihrer Leistungsfähigkeit noch in den Anfängen steckt. Die Russen benutzen immer noch das Morse-Gerät, und es funktioniert zuverlässig. Trotz aller Modems sind wir immer noch im Zeitalter des Semaphors und der Rauchzeichen.

Unterdessen leisten unsere russischen Gastgeber, ohne sich von dem elektronischen Durcheinander bei Orca stören zu lassen, in aller Stille die eigentliche Arbeit. Täglich werden wir daran erinnert, daß die *Keldysch* eigentlich ein Forschungsschiff ist. Die an Bord befindlichen Wissenschaftler setzen ihre Arbeit fort, mit Papier, Bleistift und Radiergummi, wie sie es seit jeher tun; sie produzieren vielsagende Schaubilder und Diagramme und heften sie an die Tafel im Aufenthaltsraum, der mir bald mehr wie ein Hörsaal vorkommt. Tatsächlich sind Vorlesungen während dieser Reise, wie sicherlich auf allen Fahrten der *Keldysch,* an der Tagesordnung. Meistens um 6 Uhr abends treten ernsthaft und gelehrt aussehende Leute zu einem siebzigminütigen Vortrag auf Russisch an, über vielerlei Themen, oft mit Dias oder einem Video. Gestern abend Dr. Juri Bogdanow, ein international angesehener Geologe: ein fülliger Herr um die sechzig mit leicht ergrauter Mähne, der manchmal ein wenig wie ein gelehrter Bruder des verstorbenen Abgeordneten George Brown aussieht, doch mehr Teddybär als Schnapsdrossel. Zusammen mit den anderen Teilnehmern von Orca sitze ich pflichtbewußt unter den Zuhörern und lasse mich von dem unverständlichen, doch einschmeichelnden Russisch umspülen. Schläfrig versuche ich zu rekonstruieren, was die Vergangenheit des Redners unter dem Sowjetsystem gewesen sein könnte. Auch von den finstersten KGB-Typen kann ich mir nicht vorstellen, daß sie imstande wären, so einen netten, herzigen Onkel hart anzufassen. Mit seinen schlaffen Händen macht er kleine, ausdrucksblasse Gesten; er spielt mit der zusammengeklappten Brille und blickt bekümmert auf den Tisch herab, während er redet. Hier und da verstehe ich ein Wort: Karbonate, Vulkanismus, magnetische Strömung (vielleicht), Dioxyde. Sein Spezialgebiet sind die sogenannten schwarzen Raucher und die chemischen Vorgänge in der abgeschlossenen Sphäre der hydrothermalen Schlote.

Später bringt Quentin eine Hypothese über Bogdanows Vergangenheit und sein geologisches Forschungsgebiet vor, die sich plausibel anhört. Während der letzten acht Jahre des Sowjetregimes war ein Posten an Bord der *Keldysch* der beste, den man sich denken konnte. Wer zum ruhmreichen Mitarbeiterstab dieses Schiffes gehörte, hatte Anrecht auf die Sondervergünstigungen für Auslandsreisen; er konnte internationale Kontakte knüpfen und bekam sogar einen Teil seines Gehalts in Dollar ausgezahlt (5 Dollar pro Woche). Eine Möglichkeit, sich in dieser Position zu halten, dürfte darin bestanden haben, sich durch Konzentration auf im Westen beliebte Modethemen der „Big Science" einen gewissen internationalen Bekanntheitsgrad zu sichern, und dazu waren die schwarzen Schlote genau das richtige. Fatal wäre es gewesen, sich zum Beispiel auf ein obskures und entlegenes Nebengebiet der Magnetometrie zu verlegen; da wäre man von diesem Flaggschiff der sowjetischen Wissenschaft mit Sicherheit bald verschwunden. Meine Phantasien über Bogdanow als einsamen Gelehrten, der unbeirrt durch modischen akademischen Mumpitz seinen Weg geht, sind also möglicherweise ganz falsch. Vielleicht hat er sich wohlweislich an die schwarzen Schlote gehalten, über die bei all ihrem Sensationswert noch erstaunlich wenig an *echter* Forschung geleistet worden ist.

Es klingt vielleicht wie Ketzerei: Wenn wir den Einfluß des Menschen auf die Umwelt je zutreffend einschätzen wollen, müssen wir erst einmal das Ausmaß der *natürlichen* Verunreinigung kennen. Ganz abgesehen davon, daß an vielen Stellen in aller Welt Öl durch den Meeresboden austritt, ist auch der Ausstoß chemischer Stoffe aus den hydrothermalen Schloten bisher nicht gemessen worden – schon deshalb nicht, weil niemand so recht weiß, wie viele solcher unterseeischer Geysire es überhaupt gibt. Die „bestinformierte Schätzung" der Geologen besagt zur Zeit, daß diese Schlote jährlich mehr Metalle ausstoßen, als alle mineralabbauenden Industrien der Welt erzeugen. Dies in Verbindung mit einer Vielzahl anderer giftiger Substanzen (einschließlich der radioaktiven) läßt den Meeresboden als die größte chemische Giftküche auf dem Planeten erscheinen. Woraus sich der Ausstoß auch nur eines einzigen Schlots im einzelnen zusammensetzt, ist noch unbekannt, und dasselbe gilt für den Anteil seiner Ausflüsse an der Gesamtbelastung der Umwelt. Im allgemeinen sind die Forscher zu sehr darauf versessen, Videos von den Schlotgemeinschaften der Würmer, Krebse und anderer Bioten aufzunehmen, als daß sie sich bemüht hätten, viel Geldmittel für die wichtigeren, aber weniger spektakulären wissenschaftlichen Aufgaben des Messens und Analysierens zu beschaffen. (Sollte jemand die Relevanz dieser Wissenslücke bezweifelt haben, so konnte er wenige Monate später die famose Konfrontation zwischen Greenpeace und der Royal Dutch Shell erleben, in der die Firma gezwungen wurde, ihren Plan zur Beseitigung einer nicht mehr benötigten Ölbohrplattform, der 14 500 Tonnen schweren *Brent Spar,* aufzugeben, die zu der Zeit schon zu der vorgesehenen Versenkungsstelle geschleppt wurde. Trotz aller Aufregung in der breiten Öffentlichkeit hielten viele Ozeanologen und andere Wissenschaftler tapfer an ihrer Ansicht fest, daß eine Versenkung in der Tiefsee im Vergleich zu einer Demontage an Land nur geringfügige Auswirkungen auf die Umwelt habe. Das aber wollten die Gläubigen der Greenpeace-Kirche nicht hören. Die Folge war eine weitere Dämonisierung der Wissenschaft und ihrer Vertreter.)

Als Bogdanow seinen Vortrag beendet hatte, fragte ihn Quentin, ob ernsthaftes Interesse an der Suche nach „fossilen" schwarzen Schloten bestehe. Natürlich sei dies interessant, war die Antwort, aber niemand arbeite daran. Als Meeresgeologe wußte Quentin das selbst am besten; er hielt sich nur an die alte Anwaltsregel, niemals einem Zeugen eine Frage zu stellen, die man nicht selbst beantworten kann. Und im gleichen Sinne hatte er einen Hintergedanken. Denn plötzlich beginnt die *Keldysch* nun wieder wie ein seriöses Forschungsschiff auszusehen, was sie ja tatsächlich ist, ein mehr auf intellektuelle Belange als auf diese törichte Fahndung nach dem Gold ausgerichtetes Unternehmen. Sogar Anatoly Sagalewitsch selbst ist skeptisch gegen die Verträge mit Orca, die er zuvor in Moskau unterzeichnet hat, und gegen alles, was das finanzielle Entgelt angeht. Nicht, daß er Mike Anderson mißtraute – sie sind schließlich Freunde –, aber bei allem Geschick und aller Erfahrung (seit ihrem *Titanic*-Unternehmen) im Umgang mit den westlichen Medien scheinen Sagalewitsch und seine Kollegen doch in bezug auf Verträge, Anwälte und vielleicht auch das Geld überhaupt radikal ahnungslos zu sein. Das Sowjetsystem hat glänzende Techniker hervorgebracht, keine Unternehmer. Anatoly hat seine zwei MIR-Tauchboote selbst entworfen, hat sie bauen geholfen, die ersten Testfahrten gemacht und sie seither für die Akademie der Wissenschaften in Betrieb gehalten. Auf seine Weise ist er ein Pionier in der Nachfolge Beebes, Piccards und Cousteaus, kein smarter Geschäftsmann in seinem Büro, der daran dächte, wie das ihm anvertraute Schiff sich bezahlt machen kann. Der Chartervertrag mit Orca hat ihn als Wissenschaftler eigentlich an jenen unglückseligen und ruinösen Kreuzweg geführt, den der Thatcherismus seit fünfzehn Jahren so rücksichtslos in Englands geistige Landkarte eingezeichnet hat: vor die Frage, wie ernsthafte wissenschaftliche Forschung kommerziell tragbar zu machen ist. Und die bequemste Lösung sind dann Tiefsee-Expeditionen, bei denen für die internationalen Fernseh-Produktionsfirmen immer wieder dieselben schwarzen Raucher oder die *Titanic* gefilmt werden (oder was immer gerade als das Thema der Woche angesagt ist), so daß man alle Mühe hat, nebenbei vielleicht noch ein bißchen „harte" Wissenschaft zu betreiben. Insofern wir dringend darauf angewiesen sind, rechtzeitig genug über die Ökologie des Planeten in Erfahrung zu bringen, um unsere Haut zu retten, ist dies wohl ein schwerer Fehler.

Vor diesem Dilemma steht man nun an Bord der *Keldysch*. Mit seiner Frage will Quentin den Russen zeigen, daß wenigstens einer von den Orca-Leuten ein Wissenschaftler ist, dem klar ist, daß die anderen Wissenschaftler an Bord lieber einen Punkt über dem mittelatlantischen Rücken ansteuern würden, 300 Seemeilen westlich von Orcas erstem Ziel, der *Dolphin* (wie nun der Code-Name für das U-Boot *I-52* lautet). Es geht das Gerücht, ein anderes russisches Forschungsschiff habe dort einen schwarzen Schlot entdeckt – vielleicht den ersten, der an dieser Verwerfungslinie je gefunden wurde. Den Geologen auf der *Keldysch* ist nur allzu bewußt, daß sie eigentlich dort hinfahren und die Stelle mit Hilfe der MIRs in Augenschein nehmen sollten. Durch Entnahme einiger Kern- und Sedimentproben und deren Untersuchung, ergänzt durch Video-Aufnahmen, könnten sie hier einen echten wissenschaftlichen Coup landen. Statt dessen sollen sie sich nun dafür begeistern, nach einem fünfzig Jahre alten japanischen Unterseeboot zu suchen, das vielleicht an der vermuteten Stelle liegt, vielleicht auch nicht, und in dem sich das Gold, das sie dann ein bißchen reicher machen würde, vielleicht findet, vielleicht auch nicht. Mir scheint, an solchen Verhältnissen zeigt sich das Unvermögen der neoklassischen Ökonomie, auf dem Grund allen menschlichen Strebens etwas anderes als die schlichte Habgier zu erkennen. Die stillschweigende Verachtung der Wissenschaftler an Bord der *Keldysch* für die Marktgesetzlichkeiten ist wohl weniger Ausdruck keynesianischen Denkens als vielmehr eines Purismus, der das freie Suchen nach Erkenntnis um ihrer selbst willen anstrebt. Hier besteht eine gewisse Ähnlichkeit mit der Internet-Gemeinde, die einen mutigen, entschiedenen (aber wahrscheinlich aussichtslosen) Kampf gegen die Werbung führt, um zu verhindern, daß sie die jungfräulichen Bereiche des Cyberspace mit den Ausgeburten des Geschäftssinns überfüllt. Keine dieser beiden Haltungen ist lächerlich. Sie stellen im Gegenteil einen ursprünglichen und weitverbreiteten menschlichen Wesenszug dar: ein intellektuelles Lustprinzip, ohne Rücksicht aufs Geld.

Die meisten der russischen Forscher würden für ihre Person der Suche nach Goldbarren zwar einen gewissen narrativen Spannungswert zubilligen, sie im übrigen aber belanglos finden im Vergleich zu den Fragen der Biologie oder Meteorologie. Oder der Geologie. Um zum Beispiel ein Bild davon zu gewinnen, was an der sich verbreiternden Achse zwischen zwei tektonischen Platten vorgeht, muß man herausfinden, was aus einem schwarzen Schlot wird, wenn das Strömungssystem, das ihn aufgetürmt hat, sich von dem Kamin entfernt, durch den es ausgetreten ist. Es gibt also vielleicht „fossile" Schlote, die vom Meeresboden aufragen oder tief unter Sedimenten begraben liegen; und an ihnen könnten wir etwas über Mineralablagerungen, Verbreiterungsgeschwindigkeit und dergleichen ablesen. Leider ist das Gebiet, in dem das U-Boot liegen soll, geologisch gesehen sehr alt, vermutlich mit wenig Veränderung oder Erschütterung. Kurz, nach dem Vertrag mit Orca wird die *Keldysch* gezwungen sein, 50 Millionen Jahre entfernt von der sich verbreiternden Achse zu arbeiten. Inoffiziell sind die Engländer einverstanden, den Russen vor Ende der ersten Etappe und dem Hafenanlauf in Dakar ein bißchen Zeit für ihre Forschung zu lassen, vorausgesetzt, das U-Boot wird schnell genug gefunden und ausgeräumt. Dabei gibt es noch ein anderes Problem. In der Zeit zwischen den MIR-Tauchfahrten im Suchgebiet möchten die Russen wenigstens ein paar Kernproben von den örtlichen Sedimenten entnehmen. Das einzige aufgespulte Kabel an Bord, das stark genug wäre, eine Röhre voll Schlamm fünftausend Meter hochzuziehen, ist aber anscheinend dasjenige, das Orca in Falmouth für den Sonarschlitten eingeladen hat, und das ist viel zu kostbar, um für diesen Zweck verwendet zu werden: Es enthält elektronische Leitungen. Angesichts der Tatsache, daß Kernbohrproben mitsamt den Kabeln, an denen sie hängen, oft verlorengehen, wäre hier ein gewöhnliches Drahtseil nötig. Ein solches haben sie an Bord, aber es ist ein verdrehtes, ausgefranstes altes Ding und viel zu dünn; immerhin ließe sich die Idee, Wissenschaft könne man auch mit einem alten Schnürsenkel betreiben, damit wunderschön exemplifizieren. Jedenfalls wird Orca das Sonarkabel nicht aufs Spiel setzen, und darum werden die Russen an dem Unternehmen nicht viel Freude haben, schon gar nicht in dieser frühen Phase. Natürlich kann das bedeuten, daß sie dann noch verdrossener und vielleicht auch widerspenstiger werden.

Sechs

Vom ersten Augenblick an, als ich aus der Bar in Italien mit Quentin telefonierte, machte mir Orcas Wunsch nach Geheimhaltung Eindruck. Zuerst hatte ich naiverweise angenommen, es ginge darum, rivalisierende Bergungsunternehmen, die uns vielleicht das Gold vor der Nase wegschnappen könnten, von den beiden Wracks fernzuhalten. An Bord der *Keldysch,* als wir schon auf hoher See waren, erfuhr ich, daß dergleichen nicht ernstlich zu befürchten stand. Tiefseebergungen erfordern monatelange Vorbereitung, und es gibt auf der ganzen Welt nur wenige Firmen, die dazu überhaupt in der Lage sind. Nein, der wahre Grund für die Geheimhaltung hatte mit dem versenkten Truppentransporter zu tun, der den Code-Namen *Marlin* erhalten hatte. (Das U-Boot, *Dolphin* genannt, war den meisten professionellen Bergern schon bekannt, und außerdem war es kein britisches Schiff. Trotzdem hatte man ihm ebenfalls einen Code-Namen gegeben.) Orca befürchtete, daß die britische Regierung, wenn zu Ohren käme, was wir mit der *Aurelia* vorhatten, in aller Eile eine Verordnung erlassen würde, die das Wrack zum Kriegsgrab erklärte. Wäre das rechtlich möglich? wollte ich wissen. Konnte die Regierung Ihrer Majestät willkürlich jedes im Krieg versenkte britische Schiff zum Kriegsgrab erklären, um Bergungsmaßnahmen zu lähmen? Diese Frage, auf die sowohl Mike Anderson als auch unsere Rechercheurin Andrea Cordani bei vielen Gelegenheiten aus verschiedenen Richtungen zu sprechen kamen, führte über einige interessante juristische Abwege, bevor sie beantwortet werden konnte.

Allgemein gesagt sind die britischen Gesetze in bezug auf Schiffsbergungen die günstigsten unter denen aller seefahrenden Nationen, zumindest vom Standpunkt des Bergers gesehen. Vor einem Jahrhundert (1896) erhob das

Merchant Shipping Act die schon seit langem übliche Praxis zum Gesetz, wonach geborgene Wracks oder Güter bei der Bergebehörde abzuliefern waren. (Sowohl das Bergungsgewerbe wie auch das Gesetz unterscheiden zwischen „Naß"- und „Trockenbergung". Eine Naßbergung ist eine, wie wir sie vorhaben. Ein Beispiel für Trockenbergung wäre das Abschleppen eines havarierten Tankers.) Das Bergungsobjekt kann bei Naß- wie bei Trockenbergung ein Schiff der Royal Navy sein; der Berger behält nach dem britischen Gesetz auch dann seine Rechte, wenn das Wrack Eigentum der Krone oder Admiralität ist. Bis vor kurzem waren für die Wrackabnahme die örtlichen Zollämter zuständig, ein System, das für Orca vorteilhaft gewesen wäre, denn Mike Anderson als früherer Polizeibeamter kannte die Zöllner von Falmouth persönlich. Nun war das System aber soeben zentralisiert worden, und eine Mrs. Veronica Robbins, mit Amtssitz in Southampton, war die Leiterin der Bergebehörde für das gesamte britische Königreich. Ihre Aufgabe bestand darin, die geborgenen Güter in sichere Verwahrung zu nehmen und die Identität der rechtmäßigen Eigentümer oder Anspruchsberechtigten festzustellen. Wo keine Zweifel bestanden, ließ sich die Sache schnell regeln. Gemäß den Präzedenzfällen erhält der Berger den Löwenanteil der geborgenen Werte, wenn er die Bergung auf eigenes Risiko unternommen hat, während der rechtmäßige Eigentümer mit einer Entschädigungssumme zufrieden sein muß, in der Regel in Höhe von 5 bis 10 Prozent des Wertes. Im Falle des *I-52* würde dies eintreten, wenn die japanische Regierung den Eigentumsanspruch erhob, aber auf den Besitz verzichtete (und fast mit Sicherheit würde ihr nichts anderes übrigbleiben, weil sie nicht zu den Siegermächten des Zweiten Weltkriegs gehörte). Wenn die Japaner geltend machten, daß 10 Prozent des Goldwertes keine ausreichende Entschädigung seien, würde der Fall vor einem Admiralitätsgericht verhandelt und der Bergelohn neu festgesetzt. Gegen die Entscheidungen dieses Gerichts gibt es keine Berufung, und es wäre sehr wohl möglich, daß die Entschädigung dabei noch niedriger bemessen würde, so daß die japanische Regierung am Ende mit weniger als 5 Prozent zufrieden sein müßte.

Wenn die Bergebehörde den Eigentümer nicht ermitteln kann, wird die Fracht ein Jahr und einen Tag in Verwahrung gehalten und dann, abzüglich der Lagergebühren, den Bergern zurückgegeben. Früher schlug die Behörde zu den Gebühren einiges mehr als die Selbstkosten auf, aber davon ist sie nun abgekommen, und der Berger kann damit rechnen, etwa 90 Prozent vom Wert der Ladung für sich behalten zu können. All dies bleibt verhältnismäßig unkompliziert, wenn das Wrack in internationalen Gewässern liegt. Andernfalls kann es ein großes juristisches Hauen und Stechen geben. Die niederländische Regierung zum Beispiel erhebt Anspruch auf alle irgendwo auf der Welt gesunkenen Schiffe der Ostindischen Gesellschaft mitsamt ihren Ladungen, während die indonesische Regierung ein ausschließliches Anrecht auf dieselben Wracks vertritt, soweit sie in ihren nationalen Hoheitsgewässern liegen.

Jedenfalls ist das Bergungsrecht dunkel und kompliziert, um so mehr als es auf den Bräuchen und Präzedenzfällen vieler Jahrhunderte beruht und noch immer von den absonderlichsten Traditionen durchwirkt ist (wer darauf neugierig ist, kann dies in der sogenannten Lehre von den erblichen Strandregalien bestätigt finden). Wenn noch der internationale Aspekt hinzukommt, können seerechtliche Prozesse oft ähnlich abenteuerlich wie eine Schatzsuche werden: ein Spiel mit hohem Einsatz. Wenigstens liegen die beiden von Orca gesuchten Wracks unbestreitbar in internationalen Gewässern. Dennoch, das größere von beiden, das Passagierschiff, ist in gewissem Sinne britischer Staatsbesitz, denn die britische Regierung war rechtmäßiger Eigentümer der Fracht, die vermutlich versichert war. Oder nicht? Die Versicherungsanstalt gegen Kriegsschäden untersteht dem Transportministerium. Als die Regierung zu Anfang des Krieges die *Aurelia* von der Schiffahrtslinie, der sie ursprünglich angehörte, dienstverpflichtete (wie sie es mit allen zivilen Schiffen tat), mußte das Schiff durch diese Behörde gegen Kriegsrisiken, aber nicht gegen nautische (natürliche) Gefahren versichert werden. Der Versicherungsschutz galt sowohl für das Schiff wie für die Ladung; dennoch hat es sehr verwickelte Rechtsstreitigkeiten gegeben, weil es in der Praxis oft schwerfällt, zwischen kriegsbedingten und natürlichen Ursachen für den Verlust eines Schiffes zu unterscheiden. Obwohl es über diesen Goldtransport keine amtlichen Dokumente zu geben scheint, so daß er noch geheimer gewesen sein müßte als üblich, wäre es doch nötig zu wissen, ob sein voller Wert durch die Kriegsschäden-Versicherung gedeckt gewesen wäre. Es ist höchst unwahrscheinlich, daß die britische Regierung ihren eigenen Goldtransport bei der eigenen Anstalt hätte versichern sollen. Andererseits besteht auch die Möglichkeit, daß das Gold gar nicht der Regierung Seiner Majestät gehörte und nicht für die Bank von England bestimmt war. Dies dürfte klarer werden, wenn es uns gelingt, ein paar Barren zu finden; die Markierungen würden dann einiges erklären.

Die größte Sorge bei Orca war von Anfang an, daß die britische Regierung von der Suche nach dem Schiff erfahren und es schleunigst zum Kriegsgrab erklären könnte, um Zeit zu gewinnen und in aller Eile die Admiralitätsakten und andere Quellen nach Informationen über den Transport zu durchstöbern, wie sie die Bank von England anscheinend nicht gehabt hatte. Als Kriegsgrab gilt ein Schiff, wenn es von amtlicher Seite dazu erklärt worden ist; aber praktisch kann man davon ausgehen, daß jedes irgendwie in Frage kommende Schiff der Royal Navy automatisch diesen Status erlangen kann. Für die *Aurelia,* ein ziviles Passagierschiff, kann dies nicht im gewöhnlichen Sinne gelten, obwohl sie für Kriegszwecke dienstverpflichtet und mit Bordgeschützen ausgerüstet war, die von Marinesoldaten bedient wurden. (Angesichts der Tatsache, daß so gut wie alle britischen Handelsschiffe während des Krieges trotz ihres zivilen Status den Gefahren der erbitterten Geleitzugschlachten ausgesetzt waren, in denen sie fürchterliche Verluste erlitten, kann man eine besonders schäbige Ungerechtigkeit darin sehen, daß keines ihrer Wracks als Kriegsgrab anerkannt ist.) Trotzdem, Mike befürchtet, daß die Regierung, wenn sie ernstlich wollte, ein kürzlich (1986) verabschiedetes Gesetz so weit auslegen könnte, daß die *Aurelia* darunter fiele.

Schon die Frage nach den Definitionsmerkmalen eines Kriegsgrabs auf See – und, daran anschließend, was diese Definition für den Status eines Wracks ausmacht – führt auf schwierige und verworrene Pfade. Was die Gesetzgebung angeht, so kann man sagen, daß die britische Regierung das Problem indirekt angegangen ist, durch das Wrackschutzgesetz (1973) und das Gesetz zum Schutz militärischer Hinterlassenschaften (1986). Das erste wurde erlassen, weil es keine klare rechtliche Abgrenzung zwischen historischen und modernen Wracks gab. Im Hinblick auf Bergungen mußte ein juristischer Unterschied zwischen einem alten Wrack wie dem der *Mary Rose* und dem eines panamaischen Tankers gemacht werden. Der Runciman-Ausschuß beschloß, daß nach diesem Gesetz die für geschützt erklärten Wracks oder die Untergangsorte (z. B. im Falle unter dem Meeresboden verschütteter Schiffe) katalogisiert werden sollten. Demgemäß gibt es nun eine veröffentlichte Liste solcher Wracks und Untergangsstellen, an denen ohne Genehmigung nicht getaucht oder geborgen werden darf.

Das zweite Gesetz sah vor, daß das Verteidigungsministerium eine vollständige Liste seiner Wracks zu erstellen habe, doch ist dies bisher nicht geschehen. Bis 1986 hatte die Kriegsgräber-Kommission, der außerdem die Pflege von Friedhöfen in aller Welt obliegt, die Vollmacht, auf See untergegangene Schiffe zu Kriegsgräbern zu erklären. Leider gibt es für ein Seekriegsgrab noch immer keine präzise juristische Definition, und das Gesetz von 1986 bleibt nicht nur wegen der fehlenden Liste unwirksam, sondern auch wegen der Schwächen seiner Konzeption, die es mit so vielen anderen Gesetzen aus jener Zeit gemein hat. Das Thema ist insgesamt stark emotionsbesetzt und führt leicht zu grundsätzlichen Erörterungen wie etwa über die Frage, wann ein

Schiff, bei dessen Untergang Menschen ums Leben kamen, *kein* Kriegsgrab ist. Die kurze und zynische Antwort lautet: wenn es eine wertvolle Ladung enthält. Eine andere, triftigere könnte lauten: wenn keine näheren Angehörigen der Opfer mehr am Leben sind, die Lärm schlagen oder auf Schadenersatz klagen könnten. Hinzu kommt noch, daß die verschiedenen Kulturen zu den Leichen der Verstorbenen grundverschieden eingestellt sind: Manche machen einen Fetisch aus ihnen, für andere sind es gleichgültige, abgelegte Hüllen. Diese Einstellungen wiederum sind elastisch, besonders wenn es um die Leichen besiegter Feinde geht. Und was ist mit einem verhältnismäßig jungen Wrack aus der Zeit des Zweiten Weltkriegs, in dem dennoch keinerlei menschliche Überreste mehr erhalten sind? In keinem der beiden von Orca gesuchten Wracks kann es auch nur noch einen einzigen Knochen geben, geschweige denn ein ganzes Skelett. Der gewaltige Druck in dieser Tiefe bewirkt zusammen mit dem Salzgehalt des Wassers, daß selbst Knochen rasch zerbröckeln und sich auflösen. Ist ein Grab noch ein Grab, wenn es weder Asche noch Knochen enthält? Macht der Grabstein allein schon das Grab aus – oder die Nennung auf einer von der Admiralität herausgegebenen Liste?

Auf alle diese Fragen gibt es bisher keine verbindlichen Antworten, teils weil jeder anders darüber denkt, hauptsächlich aber weil das Thema zu ernsthaften Diskussionen nicht eben herausfordert. Niemand mag wirklich darüber nachdenken; einfacher ist es, jeden Fall für sich zu betrachten. Es kann sein, daß eine Zeitung einen solchen Fall aufgreift und ihre Leser auf „nationale Empörung über die zynische Plünderung der letzten Ruhestätte von Menschen" einstimmt, die „ihr Leben geopfert haben" (oder eine beliebige ähnliche Phrase); aber es kann auch sein, daß derselbe Fall die Öffentlichkeit nie beschäftigt. Zynisch, wie ich nun mal bin, vermute ich, daß nicht wenige von denen, die schnell zu lautem Protest gegen Entweihung und Grabräuberei bereit sind, sich im wesentlichen von ganz gewöhnlichem Neid leiten lassen: unerträglich, daß daß jemand anders als sie selbst einen Batzen Geld in die Finger bekommt. So kann sich der Neidhammel als treuherziger Wächter der guten Sitten aufspielen. Um sich dieses dichte Gefilz von Sentimentalität, Raffgier, weihevollen Sprüchen, Moralismus, Geschäftssinn und so weiter zu vergegenwärtigen, genügt es, sich einen Präzedenzfall vor Augen zu führen.

An der *Titanic,* obwohl sie keinesfalls als Kriegsgrab gelten kann, sieht man deutlich, wie schnell die Normen in diesen Fragen sich aufweichen können. Dr. Robert Ballard, der amerikanische Ko-Direktor der Expedition, die das Wrack 1985 fand, ging in seiner Pietät so weit, nichts von der Fundstelle zu entnehmen; er ließ von seinen ferngesteuerten Tauchbooten, bevor er sie einholte, sogar die Restpartikel des Schiffes abwaschen. Er meinte – und diese Einstellung brachte er energisch auch seiner Crew nahe –, daß die Trauerstätte, die sie gefunden hatten, mit tiefstem Respekt zu behandeln sei. Der Kamera zuliebe durften manche Dinge berührt oder näher in Augenschein genommen, aber nicht heraufgeholt werden. In den zehn Jahren seither haben sich die Einstellungen gründlich gewandelt. Nun werden regelmäßig Objekte vom Schiffsrumpf und persönliche Utensilien von der Fundstelle geborgen, zur Schau gestellt und einem profitträchtigen Medienzirkus zugeführt. (Im Sommer 1996 mißlang der Versuch eines französisch-amerikanischen Gemeinschaftsunternehmens, einen Teil des Wracks zu heben. Als die Schleppkabel in dem stürmischen Wetter rissen, wurden die Überreste der *Titanic* noch weiter verstreut und verwüstet.) Aber warum nicht? sagten die Realisten. Ballard hatte doch eine Bronzetafel an dem Schiff hinterlassen; genügte das nicht? Schon 1986 sprach ein Editorial des *National Geographic* es prägnant aus: „Wenn die Werbung Sex benutzt, um Dinge zu verkaufen, vom Katzenfutter bis hin zu Kölnisch Wasser, warum dann nicht die *Titanic* benutzen, um Tiefseeforschung zu verkaufen und voranzutreiben?" Und das natürlich zu einer Zeit, als nicht nur Verwandte der mit der *Titanic* Untergegangenen, sondern auch einige der damals Geretteten noch am Leben waren. Alles, was diesem pragmatischen Vorgehen noch fehlte, war die offizielle Absegnung als legitime Praxis. Dasselbe Editorial leistete sie umgehend, indem es kurzerhand den gesamten Meeresboden des Planeten für Grabungen aller Art freigab: „Als gewaltige archäologische Fundstätte sind die Ozeane eine schätzenswerte Zeitkapsel." In der Tat, „schätzenswert" ist hier das Mot juste.

Diese zivile Einstellung kann auch auf das Verfahren mit Wracks von Kriegsschiffen abfärben. Betrachtet man das ganze Phänomen im Zusammenhang, so ist man versucht, eine Hypothese aufzustellen, nämlich daß für eine Nation wie Großbritannien oder die Vereinigten Staaten ein oder zwei berühmte und sakrosankte versunkene Gräber stellvertretend für alle anderen genug sind, während man den Rest der Raffgier überlassen kann. Sicherlich würden das Pentagon und die Admiralität dies gleichermaßen entschieden abstreiten, aber so sieht es aus. Das imposanteste dieser Seekriegsgräber, der Rumpf des Schlachtschiffs USS *Arizona,* das von oben sichtbar unter den klaren tropischen Wassern von Pearl Harbor liegt, ist das Musterbild eines nationalen Denkmals: feierlich, unberührbar, Ruhestätte und Schrein für noch einiges mehr als die 1177 Männer, die auf ihr starben. Sie und die in der Nähe liegende *Utah* sowie eine kleine Anzahl anderer Schiffe bilden gemeinsam ein Meeres-Zenotaph, ein großartiges Äquivalent zu der Bronzetafel, die Dr. Ballard an der *Titanic* hinterließ. Mehr oder weniger dasselbe gilt für die Briten. Die Kriegsschiffe HMS *Prince of Wales* und HMS *Repulse,* die vor Malaysia auf Grund liegen, sind zwar nicht individuell als geschützte Kriegsgräber benannt worden; aber noch immer finden dort Gedenkgottesdienste statt, und unter Wasser wird die weiße Flagge der britischen Kriegsmarine entrollt.

Die Aufweichung der Regeln zeigt sich in einem Fall wie dem der HMS *Edinburgh.* Dieser britische Kreuzer wurde im Mai 1942 in der Barents-See versenkt, wo er einem von Murmansk zurückkehrenden britischen Konvoi Geleitschutz gab. Die *Edinburgh* hatte 850 Mann Besatzung und 4,5 Tonnen russisches Gold in dreiundneunzig Kisten an Bord. Nach wiederholten Angriffen eines U-Boots und dreier deutscher Zerstörer wurde das stark beschädigte Schiff von der Mannschaft aufgegeben und versenkt, damit das Gold nicht dem Feind in die Hände fiele. 1957 wurde sie offiziell zum Kriegsgrab erklärt, aber gegen Ende der 70er Jahre drängte die britische Regierung selbst darauf, das Gold bergen zu lassen. Wie Nigel Pickford in seinem kürzlich erschienenen Buch *The Atlas of Shipwreck & Treasure* berichtet:

> Jessop Marine, eine von dem Taucher Keith Jessop geleitete Bergungsfirma, erhielt den Zuschlag, zum Teil deshalb, weil ihre Methoden, die den Einsatz von Tauchern und Schneidegeräten vorsahen, der Regierung als einem Kriegsgrab gemäßer erschienen als die von den anderen Bewerbern vorgeschlagenen Smash-and-grab-Techniken. Jessop Marine verlangte 45 Prozent der Erträge; der Rest fiele zu einem Drittel an die britische und zu zwei Dritteln an die sowjetische Regierung, gemäß dem Verhältnis, in dem damals die Kriegsversicherung für das Gold aufgeteilt worden war.
>
> Am 15. September 1981 drang ein Taucher in das Wrack ein und brachte einen Goldbarren mit herauf. Am 7. Oktober, als schlechtes Wetter den vorläufigen Abbruch der Bergungsmaßnahmen erzwang, waren 431 von 465 Barren im Werte von über 43 Millionen Pfund Sterling geborgen worden.

Einige Jahre später kam es wegen der letzten 34 Barren noch zu einer zweiten Expedition, die für Mike Anderson von besonderer Bedeutung war, weil er an ihr teilnahm. Dieses Mal war ein Vertreter der Kriegsgräber-Kommission mit an Bord, der die gesamte Operation überwachte. Er hatte immerhin soviel Autorität, daß er den Bergern verbieten konnte, auf der Suche nach den letzten fünf Barren, die durch ein Loch gerutscht waren, über ein bestimmtes Schott hinaus vorzudringen. Er hatte Grund zu der Annahme, daß sich in der Kammer dahinter noch menschliche Überreste befanden. Darum blieben die letzten Goldbarren in der HMS *Edinburgh* zurück, zusammen mit den dort vermuteten Gebeinen derer, die gestorben waren, um sie zu schützen.

Letzten Endes besagt die Geschichte, daß man mit staatlicher Genehmigung Kriegsgräber plündern darf, vorausgesetzt, die Beute ist lohnend, und unter der Bedingung, daß man einen symbolischen Bruchteil des Schatzes am Fundort zurückläßt, um das Gewissen der Öffentlichkeit und die Manen der Toten zu beschwichtigen: mit anderen Worten, etwas Ähnliches wie die Hinterlassung einer Bronzetafel. Mike, der selbst miterlebt hat, wie es zuging, daß die Öffentlichkeit auf die Bergung der *Edinburgh* aufmerksam wurde, hat viel darüber nachgedacht. Wenn Orca auch nur bei einem der beiden Bergungsobjekte Erfolg hat, wird man die Sache sehr behutsam anfassen müssen. Japan, wie sich herausgestellt hat, kennt keine besondere Regelung für Kriegsgräber, sonst fiele *I-52* sicherlich in diese Kategorie. Es verlangt nur, daß etwa aufgefundene menschliche Überreste zu einem ordentlichen Shinto-Begräbnis überführt werden. Auf jeden Fall soll der Fotograf Ralph White für Orca eine Video-Aufzeichnung von einer angemessen feierlichen Totenehrung machen, die an den beiden Untergangsstellen an Bord der *Keldysch* stattfinden werden, zur Vorbeugung gegen etwaige Anwürfe, wir seien einfach eine Bande von Grabräubern ohne die mindeste Achtung vor den menschlichen Tragödien, die für unser Unternehmen die Voraussetzungen schufen. Kurz, der Schein muß gewahrt werden.

Die Auffassungen darüber, an welchem Punkt aus Grabräuberei Archäologie wird, unterliegen dem Wandel der Zeiten. In einer interessanten Vielfalt von Möglichkeiten wird mit den sterblichen Überresten von Menschen je nach Ort und Umständen anders verfahren. Wie Kenneth V. Iserson in seinem Buch *Death to Dust* beschrieben hat, ist die Truk-Lagune bei den Östlichen Karolinen (wo sich im Zweiten Weltkrieg eine große japanische Marinebasis befand) zu einem bevorzugten Platz für Wracktaucher geworden. Bis in die späten 80er Jahre, als die Japaner eine Gruppe professioneller Taucher schickten, um die Überreste ihrer Landsleute einzusammeln und nach Japan heimzuführen, wurden die Knochen der japanischen Seeleute von den Tauchern oft als Souvenirs mitgenommen oder als Versatzstücke für Unterwasserfotos benutzt. Natürlich ist die Lagune flach genug für Scuba-Taucher. Wie schon gesagt, werden wir bei unseren beiden Wracks, weil sie zu tief liegen, keine emotionalen Probleme mit Skelettresten haben. 1993 wurde Dr. Robert Ballard von *USA Today* über seine Untersuchungen an vierzehn Schiffen interviewt, die in tausend Meter Wassertiefe vor Guadalcanal liegen, sämtlich Opfer der schweren Gefechte von 1943. Der Zustand der Schiffe sei noch unverändert, sagte er und fügte hinzu: „Alles, was fehlt, sind die Leichen der Tausende von Matrosen."

Alles in allem ist Naßbergung sowohl rechtlich als auch technisch gesehen ein riskantes Geschäft, so sehr auch das britische Recht den Berger begünstigt. Mike Anderson kennt gute finanzielle Gründe, warum es nur so wenige (oder womöglich gar keine) Firmen gibt, die sich ausschließlich mit Frachtbergung aus der Tiefsee befassen; doch die juristischen Grauzonen und möglichen Verwicklungen müssen ein zusätzlicher Abschreckungsgrund sein. Dafür gibt es eine große Anzahl kleiner Naßbergungs-Firmen mit hochfliegenden Plänen; viele davon sind um ein einziges Projekt herum entstanden. Zum Beispiel wurde eine Firma zur Bergung alter transatlantischer Telegrafenkabel und anderer nicht mehr gebrauchter Leitungen gegründet, wegen der Unmengen Kupfer, die sie enthalten. Es war eine gute Idee, erwies sich aber als nicht ausführbar, weil die Betriebskosten zu hoch waren. Ebenso haben manche Gruppen von Bergern schon lange die im westlichen Atlantik versunkenen Reichtümer ins Auge gefaßt. Im Weltkrieg wurden deutsche U-Boote vor die amerikanischen Küsten geschickt mit dem Auftrag, möglichst viele nach England fahrende Öltanker zu versenken. Daher ist nun der Boden vor der amerikanischen Ostküste mit Wracks von Öltankern übersät. Viele davon enthalten wahrscheinlich noch einen großen, unversehrten Teil ihrer Ladung: Hunderttausende, vielleicht Millionen Tonnen Öl. Das einzige Problem sind die Betriebskosten ... Die Techniken, um an diese Ladungen heranzukommen, gibt es, und den Beweis haben wir an Bord der *Keldysch.* Das Rockwater-Schneidegerät, das Orca mit auf die Fahrt genommen hat, wurde erst vor kurzem im Oslo-Fjord mit viel Erfolg dazu verwendet, Löcher in den Rumpf des deutschen Kriegsschiffs *Blücher* zu bohren, um den Treibstoff aus den lecken Tanks abzusaugen, bevor das Öl die norwegischen Strände verpesten konnte.

Die Naßbergungen lassen sich in drei Geschäftszweige unterteilen: einen modernen, der sich in der Hauptsache mit Stahlrumpf-Wracks aus dem zwanzigsten Jahrhundert befaßt; einen historischen, der sich z. B. der in flachem Wasser liegenden spanischen Galeonen annimmt (hier werden die Berger oft als „Schatzsucher" bezeichnet); und einen archäologischen, dem es um römische Galeeren und dergleichen oder Schiffe wie die *Mary Rose* geht. Mike Anderson versichert, daß die Orca-Teilnehmer jedenfalls keine Schatzsucher, sondern einfach moderne Tiefsee-Frachtberger seien. Wie er mir erklärt, sind nur sehr wenige Bergungsfirmen in der Absicht gegründet worden, sich vornehmlich auf Frachtbergung, ob aus tiefem oder flachem Wasser, zu konzentrieren. Das einzige bemerkenswerte britische Unternehmen seit dem Weltkrieg, das dergleichen versucht hat, war eine Firma namens Risdon Beazley. Diese bildete sich um eine Kerngruppe von ehemaligen Tauchern der Kriegsmarine, die nach ihrer Demobilisierung beschlossen hatten, ihre Kenntnisse und Erfahrungen zu einem gemeinsamen Broterwerb zu bündeln. Von 1945 bis etwa 1980 bargen sie mit so viel Erfolg Schiffsladungen für die britische und die französische Regierung, daß sie eine Art halboffiziellen Status erlangten, und das, obwohl sie kaum in Tiefen unter 400 Meter arbeiten konnten. (Ihr Chefrechercheur T. H. Pickford leistete in den Jahren um 1950 einen großen Teil der Vorarbeiten zur Ermittlung der Einzelheiten unter *I-52.* Sein Sohn Nigel Pickford ist der Verfasser des maßgeblichen *Atlas of Shipwreck & Treasure,* den ich oben zitierte.)

Mike Anderson erklärt sich den Niedergang der Firma mit ihrem Versäumnis, dem technischen Fortschritt Rechnung zu tragen. Risdon Beazley wurde schließlich von dem niederländischen Bergungsgiganten Smit aufgekauft, der mit der neuen Tochterfirma allerlei großspurige Entwicklungspläne verfolgte; aber dann stellte sich heraus, daß selbst Smit nicht die Mittel hatte, um ganzzeitig ins Tiefseebergungs-Geschäft einzusteigen, und das hat bisher auch niemand anders getan. An Träumen, Plänen und Luftschlössern herrscht kein Mangel. Die Meeresböden liegen voller Schätze, die nur gefunden sein wollen. Doch das Bergungsgeschäft ist auf seine Weise ebenso spezialisiert wie die Weltraumforschung, nur viel gefährlicher und fast ebenso teuer.

Sieben

27.1.95

Bei den Mahlzeiten sitzen wir zu viert an einem Tisch: der Ingenieur Viktor Browko, Anatoly Susliajew oder „Goldenhands“, wie er respektvoll auf englisch und russisch genannt wird, unsere Rechercheurin Andrea Cordani und ich. Meistens gibt es zum Frühstück Tee. Am Ende des Tischs steht ein Kessel aus rostfreiem Stahl mit Espresso-Tee, wie man es nennen könnte, unglaublich stark und bitter, daneben ein größerer Kessel mit heißem Wasser zum Verdünnen. Ein Teller mit Zitronenscheibchen; Wurst, Käse. Zum Mittag- und Abendessen ist der Kessel mit *kompot* gefüllt, einer Art wässerigem Pflaumensaft. Nichts dagegen zu sagen, bis jetzt, aber wenn das sechs Wochen so bleibt, könnte es eintönig werden. Zu meiner Freude bemerke ich, daß Viktor kein Freund von *kompot* ist, ebenso wie das Goldhändchen Zwiebeln nicht mag. Wenn die Russen selbst schon an ihrem Essen herummäkeln, wird es für Andrea und mich leichter sein, alles wirklich Ungenießbare zurückzuweisen. Weitsichtigere Orca-Teilnehmer haben allerlei unrussische Dinge wie Orangenmarmelade, Limepickle, Marmite und Tabasco-Sauce auf die Reise mitgenommen, die der nette Viktor alle schon probiert hat, doch meistens zu seinem nur schwach verhohlenen Mißvergnügen. Aber uns Briten steht es nicht zu, über anderer Leute Küche zu lästern. Nur ein Volk von dickköpfigen gastronomischen Spießern konnte ja auf die Idee kommen, „Slam in the lamb“ („Hau den Hammel in den Topf“) für eine mögliche Art der Essenszubereitung oder gar für einen Werbeslogan zu halten.

Heute Vormittag müssen wir kurz Funchal auf Madeira anlaufen, ein unvorhergesehener Aufenthalt, der nötig geworden ist, weil man in Falmouth anstatt des Benzins für den Außenbordmotor des *Zodiac* irrtümlich einige Fässer rotes Hydrauliköl eingeladen hat. Wir bleiben vor dem Hafen liegen und warten auf die Barkasse, die den Treibstoff anliefern soll. Kein Landgang, keine Verzögerung. Umsichtigerweise versucht Clive über die Telefonverbindung zum Land zu erreichen, daß mit den Benzinfässern noch eine Kiste Madeira an Bord kommt.

Dies ist ein Forschungsschiff, man merkt es. Anscheinend wurden heute morgen beim Wecken über Lautsprecher unsere geschätzte Ankunftszeit in Funchal, Wassertemperatur, Windgeschwindigkeit und Luftdruck durchgesagt. Ich hörte es sogar auf Deck, denn ich war schon lange auf den Beinen. Der Anblick von Land macht immer neugierig. Der Morgenwind ist warm. Irgendwo hinter dem Horizont liegt Afrika; Europa und den Winter haben wir hinter uns gelassen. Land in Sicht bei Tagesanbruch: So oft man das auch schon erlebt hat, es verfehlt nie seine Wirkung. Der Himmel leuchtet rosa und türkis und in den anderen Farben der Jugend. Aus dem leeren Ozean ist seit gestern abend ein Brokken vulkanisches Land herangeschwommen, mit Reihen von blinkenden Lichtern an den Hängen, wo die uns unbekannten und unsichtbaren Bewohner jetzt aufstehen und durch die Schlafzimmerfenster in der Ferne unser weißes Spielzeugschiff sehen. Vielleicht fragen sie sich, wer wir sind und wo wir herkommen, aber wahrscheinlich ist ihnen der Anblick nicht so ungewohnt, daß er sie kümmert.

Zu tiefzerfurchten rosa Basaltklippen spannen sich grüne Hänge hinauf, besät mit weißen Häusern. Quentin, der schon mehr als einmal auf Exkursionen mit der HMS *Discovery* hier gewesen ist, hat eine hohe Meinung von der Insel. „Wenn das Meer wärmer wäre“, sagt er, „wäre das hier wie auf Hawaii: gleiche Breite, gleicher Vulkanismus, ähnliche Klippen.“ Er glaubt, die höchsten Klippen der Welt seien hier zu finden – vom Meeresboden aus gemessen. Ich bin von dem weiten Panorama unwillkürlich fasziniert, denn ebendieses Bild mußte ich mir vorstellen, als ich meinen Roman *Gerontius* schrieb: den Hafen, den Elgars Schiff 1923 auf der Fahrt von Liverpool zum Amazonas anlief, hatte ich damals noch nicht mit eigenen Augen gesehen. Das Land ist ein bißchen flacher, als ich es mir gedacht hatte. *„Vulkan"*, sagt ein Russe, der in der Nähe steht. Er ist einer von etwa einem Dutzend Leute, die jeden Morgen in Trainingsanzug oder T-Shirt irgendwo auf den Decks ihre Streck- und Beugegymnastik machen, jeder auf seinem privaten Fleckchen Boden. (Es erinnert mich angenehm an den Fernen Osten, wo Wände von Papier ausreichen können, um die vollkommene Intimität zu schaffen, einen persönlichen Raum zwischen unsichtbar in die Luft gezeichneten Grenzen.) „Vulkan", stimme ich ihm zu. Madeira ist in der Tat augenfällig vulkanisch, und ich bin nun schon so weit gewohnt, Landschaften wie ein Geologe zu betrachten, daß ich es nicht mehr fertigbringe, die Insel in literarischer Manier „im Morgennebel auf den Wellen schwimmen" zu sehen, wie ich es als Student wahrscheinlich ausgedrückt hätte. Jetzt ist sie vielmehr ein Klumpen von unten hochgedrückter Erdkruste, jener nie abbrechenden Kruste, über der wir schwimmen und von der wir zuletzt das von Booten bevölkerte Wattenmeer bei Falmouth gesehen haben: alles in allem ein noch mysteriöseres Bild.

Offen gesagt, diese Insel hat eigentlich nicht viel Ähnlichkeit mit dem, was ich mir nach kurzem Blättern in einem illustrierten Reiseführer aus den 20er Jahren vorgestellt hatte, als ich den Roman schrieb. Nicht, daß es darauf ankäme. Trotzdem erscheint es mir nun als ein alberner Zeitvertreib, Romane zu schreiben: als ob die „Phantasie", diese heilige Kuh, irgendwie von höherer Art oder „wirklicher" wäre als die Dinge, die uns ins Auge springen, wenn wir nicht schreiben oder träumen, sondern an eine Schiffsreling gelehnt im sardinenduftenden Frühmorgenlicht ein neues Land auftauchen sehen. Jetzt hier zu sein ist besser, als es sein wird, sich daran zu erinnern, daß man hier gewesen ist, und sehr viel besser, als zu behaupten, daß man einst hier gewesen sei, verkleidet als ein Mann von sechsundsechzig Jahren.

Sobald die *Keldysch* vor Anker liegt, kommt ein rühriger

kleiner Kutter, *Mosquito,* angefahren, von dem drei portugiesische Beamte über eine Strickleiter an Bord klettern, ein alter Hafenagent, ein Dicker und ein Clown. Sie bringen 400 Liter Benzin, eine teure Kiste John Blandys besten fünfjährigen Bual und eine halsabschneiderische Rechnung über 2600 Dollar, davon 454 für das Benzin und 68 für den Madeira; der Rest sind Füllsel wie „Bootsmiete", „Bootsbesatzung", „Zollgebühren" und eine gepfefferte „Agenturgebühr" von 903 Dollar für die Gebrüder Blandy. Das sind die versteckten Nebenkosten einer Schatzsuche – und die versteckten Fundamente für die Hegemonie der Blandy-Dynastie in und über Madeira.

Binnen einer Stunde sind wir wieder unterwegs. Die Sonne steigt höher, das Land bleibt achteraus zurück, und von den kreisenden Seevögeln folgen schließlich nur noch zwei beklagenswert sture unserem Kielwasser. Wenn nichts Unvorhersehbares passiert, werden wir mindestens einen Monat kein Land mehr sehen. Nun können wir einem versenkten Unterseeboot unsere ungeteilte Aufmerksamkeit widmen.

Acht

Was hatte ein japanisches Unterseeboot im Jahr 1944 vor der westafrikanischen Küste zu suchen? Warum führte es zwei Tonnen Gold mit? Und wie kam es, daß es der amerikanischen Kriegsmarine dort geradezu in die Arme zu laufen schien?

Der U-Boot-Verkehr zwischen Europa und dem Fernen Osten hatte damals einen ganz beträchtlichen Umfang. Nur selten schlossen sich die deutschen und die japanischen U-Boote zum Angriff auf Frachtschiffe der Alliierten zusammen, und dies blieben die einzigen militärischen Operationen während des ganzen Krieges, die Deutschland und Japan gemeinsam durchführten. Doch dienten solche Fernfahrten in der Hauptsache zum Transport dringend benötigter Güter. Im Frühjahr 1943 bauten die Deutschen sieben große italienische U-Boote zu Transportern um. Zusammen mit drei japanischen und einer Anzahl deutscher Kampfboote unterliefen diese die alliierte Blockade Europas. Zu den nach Japan verschifften Gütern gehörten legierter Stahl für Flugzeugmotoren, Quecksilber, optische Gläser, Industriediamanten, Kugellager und elektronische Geräte. In der Gegenrichtung kamen Zinn, Gummi, Chinin, Opium, Molybdän und Goldbarren herein. Außerdem wurden auch Personen befördert: Diplomaten, Ingenieure, Spione, ausgewählte technische Experten und gelegentlich der eine oder andere Politiker. Anfang 1943 brachte ein japanisches U-Boot zum Beispiel Subhas Chandra Bose nach Singapur, den Führer der indischen Nationalisten, der von einem geheimen Treffen mit Hitler kam, wo besprochen wurde, wie die nationalistische Bewegung die britische Herrschaft erschüttern könnte. (Von dort wurde Bose, der sich „Präsident der provisorischen indischen Regierung“ nannte, nach Tokio geflogen, wo ihm der japanische Premierminister

Tojo Unterstützung für seine indische Nationalarmee zusagte.)

Die Notwendigkeit, Gold nach Europa zu verschiffen, hatte sich für die Japaner erst spät ergeben. Seit Kriegsbeginn hatte Japan sich neutrale Währungen beschaffen müssen, um seine Kosten für Diplomatie, Handel und Spionage in Europa decken zu können. Bis 1943 hatten die Deutschen die Japaner nach Bedarf mit Schweizer Franken versorgt. Dann, als ihnen plötzlich selbst das Geld ausging, begannen sie Zahlung in Gold zu verlangen, und zwar nicht nur für die Währungskäufe, sondern auch für kommerzielle Dienstleistungen wie die Freigabe von Patenten. Sie nahmen an, daß die Japaner jährlich mindestens 80 Tonnen Gold allein aus den Bergwerken auf den von ihnen besetzten Philippinen gewannen, was jedoch bei weitem zu hoch geschätzt war. Jedenfalls hatte die japanische Regierung damals schon begonnen, alles noch in Privatbesitz befindliche Gold aufzukaufen oder zu beschlagnahmen. Um den Ankauf kriegswichtiger Güter aus Europa weiterhin finanzieren zu können, ganz zu schweigen von den Kosten der verschiedenen japanischen Botschaften, konnten die Japaner nur unter Anwendung aller erdenklichen Kniffe die schätzungsweise erforderlichen 40 Millionen Schweizer Franken aufbringen. (Zum Kurs von 1943 war dies der Nettowert von etwa acht Tonnen Gold.) Sie verkauften große Mengen Perlen; außerdem ließen sie über ihre Lissabonner Botschaft gefälschte US-Dollars auf dem schwarzen Markt in Escudos umtauschen.

Mitte Juli 1944 wies das deutsche Außenministerium den Leiter seiner Wirtschaftsdelegation in Tokio an, die Japaner mit allen diplomatischen Mitteln so schnell wie möglich zur Entsendung von fünfzig Tonnen Gold nach Deutschland zu bewegen. Inzwischen waren beide Länder in Finanznöten. Weil die Deutschen erwarteten, daß die Japaner das Gold ganz auf eigenes Risiko nach Deutschland verschifften, und weil die Blockade durch die Alliierten Monat für Monat wirksamer wurde, wuchs in Tokio die Abneigung, weitere kostbare Mittel in dieses Faß ohne Boden zu schütten. Und während Dr. Wohltat in Tokio noch für die Forderungen seines Führers eintrat, dürften dort die ersten verschlüsselten Nachrichten vom Marine-Attaché in Berlin eingegangen sein, die den mutmaßlichen Verlust von *I-52* mitsamt zwei Tonnen des so bitter nötigen Goldes anzeigten.

Nach den Maßstäben des Zweiten Weltkriegs war *I-52* ein sehr großes U-Boot. Es war am 18. Dezember 1943 auf der Werft von Kure fertiggestellt worden, und dies war seine erste Frontfahrt. Seine Wasserverdrängung betrug 2000 Tonnen, die Länge 108,7 Meter; die Besatzung bestand aus 94 Mann samt Offizieren. Sein Fahrbereich war erstaunlich groß: 27 000 Seemeilen bei 12 Knoten (über Wasser), mehr als genug für eine Umrundung des Erdballs. Unter Wasser konnte es mit Elektromotoren 105 Seemeilen bei drei Knoten zurücklegen. Die maximale Tauchtiefe betrug 100 Meter. Nach der Ausrüstung und den Probefahrten wurde es im März 1944 dem Marine-Stützpunkt Osaka zugewiesen und nahm dort eine hochwertige gemischte Ladung auf: insgesamt 228 Tonnen Zinn, Molybdän und Wolfram; 2,88 Tonnen Rohopium; 3 Tonnen Chinin; 54 Tonnen Rohgummi. Am 10. März nahm es außerdem von der Bank von Japan 2 Tonnen Gold an Bord. Sein Einsatzbefehl lautete, sich mit einem deutschen Boot, *U-530,* im Atlantik vor der westafrikanischen Küste zu treffen, drei deutsche Funktechniker und einige elektronische Geräte zu übernehmen und sich dann durch die Bucht von Biskaya zu dem französischen Hafen Lorient, 110 Kilometer südöstlich von Brest, durchzuschleichen. Sobald er das Gold sicher verstaut und diesen Einsatzbefehl in der Tasche hatte, fuhr Kommandant Uno Kameo aus Osaka ab und brachte das Boot 250 Kilometer westlich nach Kure, wo es kurz anlegte, bevor es Mitte März nach Singapur auslief. Von dort brach es am 23. März zu der drei Monate langen Reise um das Kap auf.

Das einzig Interessante an diesen sonst nicht weiter ungewöhnlichen Umständen ist, daß sie der amerikanischen

Kriegsmarine sämtlich schon bekannt waren, bevor *I-52* Japan auch nur verlassen hatte. Nicht lange nach seiner Abfahrt bekamen die Amerikaner einige weitere Details über seinen wertvollsten Frachtposten heraus:

Von: Tokio
Nach: Berlin
An den Finanzbeauftragten Yumoto vom Leiter der Abt. für auswärtige Angelegenheiten im Finanzministerium:

1. Das mit „MOMI" *[I-52]* auf der jetzigen Reise übersandte Gold ist zur Auffüllung des Golddepot-Sonderkontos zu verwenden. Folgende Angaben im einzelnen:
   a) Zahl der Goldbarren: 146 (49 Kisten)
   b) Gesamtgewicht der Barren: 2 000 229 g 0
   c) Reines Gold: 2 000 003 g 5
   d) Feingehalt: über 995 Promille
   e) Gesamtwert: 7 700 128 Yen 64 (oder bei ein Gramm zu 4 Yen 80 Sen: 9 600 016 Yen 80 Sen).
2. Bitte die Angelegenheit wie bei früheren Anlässen zu regeln.

Die Interpretation, Entschlüsselung und Übersetzung dieses hochgeheimen Telegramms waren ein Erfolg des Nachrichtendienstes, der bedeutete, daß die US-Marine monatelang Zeit hatte, einen Angriffsplan auszuarbeiten. Es liegt eine traurige Ironie darin, daß schon in dem Augenblick, als Kommandant Kameo Singapur achteraus im Dieseldunst verschwimmen sah und sich auf die lange Fahrt nach Westen gefaßt machte, die Amerikaner über seine streng geheime Mission, seine Fracht und sein nagelneues Schiff praktisch ebensogut Bescheid wußten wie er selbst. Insofern war *I-52* von Anfang an zum Untergang bestimmt, mitsamt all den jungen Matrosen, die sich noch ahnungslos an Deck sonnten, als das Boot, das noch drei Monate zu leben hatte, durch die japanisch beherrschten Gewässer pflügte.

Tatsächlich war dies nur eine einzelne Episode aus einem Triumph der Nachrichtendienste, der zweifellos zu den bestgehüteten Geheimnissen des Zweiten Weltkriegs gehörte: Die Alliierten hatten die operativen Codes der Achsenmächte geknackt. Den britischen Kryptografen war es etwas schneller gelungen als ihren amerikanischen Kollegen, und meistens, doch nicht immer, gaben sie weiter, was sie herausbekommen hatten. (Die britischen Dechiffrier-Maßnahmen werden manchmal insgesamt als „Ultra“ bezeichnet, die der Amerikaner als „Magic“. Tatsächlich war „Ultra“ der britische Geheimhaltungs-Vermerk für aufgelöste Chiffren, die verschiedentlich auch als „Ultra-Intelligence“ oder „Z-Dekrypten“ bezeichnet wurden; „Magic“ dagegen war die Bezeichnung der Amerikaner für die in der Hauptsache aus dem diplomatischen Verkehr stammenden dechiffrierten Nachrichten, die täglich für das Pentagon zu Kurzmeldungen aufbereitet wurden.) 1944 waren die Amerikaner in den Dechiffrierungskünsten längst gleichauf mit den Briten, besonders auf dem pazifischen Kriegsschauplatz. Daß die Alliierten die geheimen Botschaften ihrer Feinde lesen konnten, war an sich schon eine starke Leistung; daß sie es fertigbrachten, diese Tatsache wiederum geheimzuhalten, war noch erstaunlicher. Dazu spiegelten sie ein weltweites Netz von Spionen und Agenten in hohen Stellungen vor, so allgegenwärtig, daß deren schiere Zahl es ihnen ermöglichte, dem Feind immer einen Schritt voraus zu sein. Dank dieser kolossalen Fiktion konnten sie Erfolge erklären, die sonst verdächtig nach Wundern ausgesehen hätten.

So kam es, daß die Mission von *I-52* schon bekannt war, bevor das Boot abfuhr; und bekannt waren auch die Namen seiner Offiziere und die genauen Koordinaten seines Treffpunkts mit dem deutschen *U-530*. Das Problem für die US-Marine war daher, das Boot abfangen zu lassen, ohne daß der Anschein entstünde, es sei erwartet worden. Wie bereitet man unter der Hand ein Gefecht vor, ohne daß der Feind es merkt? Das Pentagon war so vorsichtig, nicht einmal die eigenen Flotten-Kommandanten voll einzuweihen. Was es unternahm, war das einzig Mögliche: Die erfahrensten U-Boot-Jäger, die sogenannte Hunter/Killer-Gruppe, wurde in die Nähe des Bereichs beordert, in dem das Treffen stattfinden sollte. Der Kern dieser Gruppe war der Flugzeugträger USS *Bogue,* der am Ende des Krieges unter den Flugzeugträgern der Alliierten die höchsten Erfolgszahlen aufzuweisen hatte und eine Auszeichnung durch den Präsidenten und drei Gefechtssterne erhielt. Die *Bogue* und ihre Begleitschiffe nahmen daraufhin eine Reihe routinemäßiger Streiffahrten auf, die sie zu gegebener Zeit wie selbstverständlich in die Nähe des Einsatzortes bringen würden.

Die Operation hatte noch eine weitere Besonderheit, derenthalben sie genauestens beobachtet und dokumentiert wurde. Zum erstenmal sollte hier eine neue und bis dahin geheimgehaltene Anti-U-Boot-Waffe, die die Amerikaner entwickelt hatten, unter Gefechtsbedingungen erprobt werden. Es handelte sich um die Luftmine Mk. 24, eine der im Zweiten Weltkrieg aufgekommenen „intelligenten Bomben" mit Propeller, die, wenn aus geringer Höhe abgeworfen, unter Wasser akustisch ihr Ziel suchten und dem U-Boot folgten, egal, wie oft es den Kurs änderte. An Bord der *Bogue* war ein ziviler Techniker, Price Fish, der an der Entwicklung der Mk. 24 beteiligt gewesen war. Fish kam von der Columbia University und war an das Unterwasserschall-Labor der US-Kriegsmarine in New London, Connecticut, beordert worden. Er fuhr als Fachbeobachter mit und hatte sogar Anweisung erhalten, bei Kampfeinsätzen mitzufliegen und über die Horchgeräte das Unterwasser-Verhalten seines Schoßkindes zu überwachen. Auf hoher Kommando-Ebene bestand also einiges Interesse daran, zu sehen, was dieser neue Lufttorpedo leisten konnte; und daß das Boot *I-52* sein erstes echtes Ziel sein würde, konnte zwar niemand voraussehen (denn die *Bogue*-Gruppe hätte ebensogut auch irgendeinem anderen feindlichen U-Boot begegnen können), aber für die Japaner war es doppeltes Pech, nun – gegen Ende ihrer langen Fahrt – auf einen so starken Gegner zu treffen, der sie mit einer neuen Waffe erwartete.

Der Bericht über das, was geschah, als *I-52* wie verabredet mit *U-530* zusammentraf und kurz darauf von der US Navy angegriffen wurde, ist beispielhaft für die Schwierigkeiten eines modernen Bergungsunternehmens, wenn es darum geht, die Lage eines Wracks exakt zu bestimmen. Von Anfang bis Ende wurde das Gefecht von mehreren Seiten dokumentiert, so daß grob gesehen kaum ein Zweifel darüber möglich scheint, was passierte. Und dennoch erweisen sich die Angaben bei näherer Prüfung oft als widersprüchlich und lassen sonderbare Lücken, die mit Konjekturen, informierten Schätzungen und Hypothesen ausgefüllt werden müssen. Zunächst einmal, der Bericht hat zwei Seiten, nämlich die amerikanischen und die deutschen Versionen (denn *U-530* entkam und kapitulierte ein Jahr später in Argentinien, wo es mitsamt seinem Logbuch den Alliierten in die Hände fiel). Von amerikanischer Seite allein liegen ebensoviele gesonderte Berichte vor, wie Schiffe und Piloten an der Operation teilnahmen.

Kein Zweifel besteht, daß das Rendezvous der beiden U-Boote wie geplant verlief. Das Logbuch von *U-530* gibt an, daß *I-52* am 23. Juni nachts um 23 Uhr 15 auf Kurs 280° gesichtet wurde. Fünfzehn Minuten lang lagen die beiden Boote Seite an Seite, und in der Zeit zwischen 23 Uhr 30 und 1 Uhr 45 am Morgen des 24. wurden Funk- oder Radar-Ausrüstungsgegenstände nach *I-52* umgeladen, begleitet von drei Deutschen, die als „Kapitänleutnant Schäfer und zwei Funker" bezeichnet wurden. Diese sollten vermutlich den Japanern bei den Schwierigkeiten behilflich sein, die zu erwarten waren, wenn sie durch die Biskaya nach Lorient fuhren. Seit den Landungen der Alliierten in der Operation Overlord änderte sich die Lage an der Küste von Tag zu Tag, und die französischen Gewässer wurden für die Schiffe der Achsenmächte immer gefährlicher. Jedenfalls trennten sich die beiden Boote sofort nach der Umladung, und *U-530* vermerkte seinen Kurs als genau Süd.

Es ist nicht klar, ob die beiden U-Boote die *Bogue* und ihre Begleitschiffe mit ihren Unterwasser-Horchgeräten hörten und ob die *Bogue* die U-Boote hörte. Aber um 22 Uhr 03, nach dem Gefechts-Logbuch des Flugzeugträgers, stieg der

Lieutenant Commander Jesse D. Taylor von der US-Marinereserve „zu einem Suchflug über 75 Meilen im dienstplanmäßigen Anti-U-Boot-Einsatz" auf. Taylor, der 1995 mit 79 Jahren noch quicklebendig war, flog eine Grumman TBM-3 Avenger, ein stämmiges dreisitziges Flugzeug, das eigens für die U-Boot-Bekämpfung konstruiert war. („TB" bedeutete Torpedo-Bomber, „M" bezeichnete General Motors, die es gebaut hatten. Die Avenger war das Flugzeug, das der künftige Präsident der USA, George Bush, im gleichen Jahr auf einem anderen Kriegsschauplatz flog.) Es war eine schöne Nacht bei schwachem Wind und ohne Mond. Dachte Taylor wirklich, als er durch die wirbelnde Luftschraube des massigen Sternmotor-Fliegers vorausblickte, daß es sich nur um einen Routineflug handelte, oder hatte er eine Ahnung, daß seine Vorgesetzten ein bestimmtes Ziel im Sinn haben könnten? Jedenfalls meldete er sechsunddreißig Minuten nach dem Start einen Kontakt. Er warf eine Leuchtbombe ab und sah ein großes aufgetauchtes U-Boot, dessen Umrisse sich deutlich gegen die dunkle See unter ihm abzeichneten. Er wendete und ließ bei einem zweiten Anflug der Leuchtbombe einige konventionelle Mk. 54-Wasserbomben folgen. Inzwischen muß das U-Boot schon in höchster Eile alarmgetaucht sein, während Taylor sich daranmachte, die neue Waffe, den FIDO, wie die Luftmine auch genannt wurde, zu erproben. Um die Bewegungen des U-Bootes, nachdem es verschwunden war, und die des neuen Geschosses, während es auf sein Ziel lossteuerte, verfolgen zu können, warf Taylor zuerst einen Satz Sonarbojen ab. Das Prinzip dieser Bojen war relativ einfach. Sie fingen die Schraubengeräusche auf und gaben sie weiter. Jede Boje hatte einen eigenen Farbcodewert und sendete die Unterwassergeräusche, die sie empfing, auf einer eigenen Frequenz. Da die Positionen der Bojen genau bekannt waren, konnte man die Bewegungsrichtung der Unterwassergeräusche erkennen, je nachdem, ob sie an den einzelnen Bojen lauter oder leiser wurden. Wie die anderen Piloten war Taylor für den Einsatz der neuen Geschosse gründlich ausgebildet worden. Sie mußten im Gleitflug aus einer Höhe von 50 bis 100 Metern und bei einer Geschwindigkeit von 125 bis 150 Knoten abgeworfen werden. Er richtete die Maschine sorgfältig aus, flog tief an und warf den FIDO ab. Die Zeit gab er auf dem Tonaufzeichnungsgerät im Cockpit mit 23 Uhr 47.30 an.

Die Mk. 24 war für den Einsatz gegen U-Boote konstruiert, die schon getaucht waren, bevor ein angreifendes Flugzeug Wasserbomben abwerfen konnte. Sie war im wesentlichen ein Torpedo, etwas über 2 Meter lang, mit einem Sprengkopf von 96 Pfund TNT mit Kontaktzünder. Unter Wasser blieb sie etwa fünfzehn Minuten aktiv und steuerte dabei mit 12 Knoten auf ihr Ziel los, schneller, als die meisten U-Boote damals unter Wasser fahren konnten. Während Taylor über der Abwurfstelle kreiste, konnten er, sein Funker und der Bordschütze in den Kopfhörern die Schraubengeräusche des alarmtauchenden Bootes hören, übertragen von der orangeroten Sonarboje irgendwo in der Dunkelheit unter ihnen. Genau drei Minuten nach dem Abwurf der Mk. 24 „war von der orangenen Sonarboje eine laute Explosion zu hören, die etwa eine Minute lang anhielt, gefolgt von einem Geräusch, das, wie der Pilot später sagte, sich anhörte, ‚wie wenn eine Blechdose zerdrückt wird‘. Der Funker meinte, es klang ‚wie Knacken von Zweigen oder Zerknüllen von Papier, aber schwerer und tiefer im Ton‘, während der Bordschütze es mit ‚Geräuschen von einem Haufen kleiner dürrer Zweige, wenn man drauftritt‘ verglich oder mit ‚Papier, wenn es zu einem Ball zusammengeknüllt wird‘. Alle Anzeichen von Schraubengeräuschen hörten nach der Explosion auf ...“ Das Original-Tonband wurde kürzlich in den US-Nationalarchiven gefunden, und darauf ist deutlich Taylors Stimme zu hören, wie er ruft: „Den Hurensohn haben wir erwischt!“

Inzwischen waren von der *Bogue* weitere Flugzeuge aufgestiegen, um sich an der Jagd zu beteiligen, und alle stellten ihre Funkgeräte auf die Sonarbojen ein. Mehrere der Heranfliegenden hörten dieselbe Explosion. Sie berichteten auch, daß die Explosion fünfzig bis sechzig Sekunden angehalten habe. (Nichts Ungewöhnliches bei Unterwasserexplosionen: Gleichgültig, ob nun auf die Detonation des FIDO sekundäre Detonationen der Munition im U-Boot folgten oder ob das Boot, nachdem es über die Tauchgrenze hinaus gesunken war, zu implodieren begann, würden die Bojen noch eine ganze Weile die Echos auffangen, die zwischen dem Meeresboden und der Oberfläche hin- und hersprangen.) Um 0 Uhr 22 meldete ein Pilot namens Hirsbrunner schwache U-Boot-Geräusche von der orangeroten und der gelben Boje. Lieutenant Gordon startete um 0 Uhr 28, mit dem zivilen Techniker Price Fish auf dem Bordschützensitz, und sie versuchten, durch den Motorenlärm und das Sprechfunkgekrächz hindurch die Bojen abzuhorchen. Um 0 Uhr 55 hörten sie beide Schraubengeräusche aus der gelben und der orangeroten Boje. Um 1 Uhr 25 waren die Geräusche lauter geworden, und Gordon und Hirsbrunner schätzten unabhängig voneinander den Kurs des U-Boots als genau Nord ein. Um 1 Uhr 54 warf Gordon seinerseits eine Mk. 24-Mine ab, die er um 2 Uhr 12 explodieren hörte. Sofort darauf sollen die U-Boot-Geräusche von allen Sonarbojen aufgehört haben.

Was war also geschehen? Das Knacken und Knistern nach der Detonation des ersten FIDO klang in sachkundigen Ohren unverkennbar wie das Bersten eines U-Boots. Aber wie konnte es dann sein, daß Hirsbrunner und Gordon über zwei Stunden später, bis zum Abwurf der zweiten Mine, immer noch Schraubengeräusche hörten? Stammten sie von dem deutschen Boot *U-530,* das verzweifelt aus der Kampfzone zu entkommen suchte? Dies erscheint unmöglich, nicht nur, weil das Boot davonkam, sondern auch weil es, wie das Logbuch angab, Kurs nach Süden genommen hatte, während die Schraubengeräusche Kurs nach Norden anzeigten. (*I-52* dagegen wäre in der Tat nordwärts gefahren, wenn der Kommandant Kameo seine Anweisungen befolgte, denn er hatte schon einen Funkspruch vom japanischen Marine-Attaché in Berlin erhalten, der besagte: „Treffpunkt 15.00N/

40.00W. Route nach dem Treffen: Sie folgen dem Längengrad 40.00W nach Norden.") Im schematischen Aufriß mit den Zeitangaben der verschiedenen Piloten und Schiffslogbücher lassen sich die verzeichneten Ereignisse nur schwer miteinander vereinbaren. Das Logbuch von *U-530* scheint den Vorgang allgemein zu bestätigen, denn um 2 Uhr 51 registriert es Geräusche von Fliegerbomben und einer Mine aus 10 bis 20 Meilen Entfernung nördlich. Das war fast mit Sicherheit Taylors erster Angriff, der nach den verschiedenen amerikanischen Aufzeichnungen am 23. Juni 23 Uhr 45 oder am 24. Juni um 0 Uhr 15 stattfand. Das Ganze wird nicht einfacher durch den Umstand, daß die Deutschen sich nach einem anderen Zeitsystem richteten als die US-Marine, wie es scheint, nach der Weltzeit, während die Amerikaner ihre Uhren auf die Zeitzone einstellten, in der sie sich jeweils befanden.

Solche Details nach mehr als einem halben Jahrhundert entwirren zu wollen, könnte man für Pedanterie halten, und in gewisser Hinsicht ist das auch richtig. Aber für ein Bergungsunternehmen geht es dabei um Daten, deren richtige Beurteilung die Koordinaten – oder zumindest einen eingegrenzten Suchbereich – für die Stelle ergeben müßte, wo das japanische U-Boot wahrscheinlich auf dem Meeresgrund liegt. Wenn die Angaben über dieses Nachtgefecht im Jahre 1944 schon nicht in allen Einzelheiten klar erscheinen, so machte der folgende Morgen die Sache für die späteren Berger nicht leichter. Im Gegenteil, im Tageslicht am 24. Juni wurde alles noch verworrener.

Um 8 Uhr am nächsten Morgen war die USS *Haverfield* auf 15.16N/40.11W an der vermuteten Kontaktstelle auf der Suche nach Trümmern. Weder sie noch die Flugzeuge der *Bogue,* die sich an der Suche beteiligten, fanden irgend etwas. Der Kommandant der *Haverfield,* Ltd. Cdr. Jerry A. Matthews, vermutete, daß die *Bogue* während des Gefechts in der Nacht einen Navigationsfehler gemacht und ihre Position zum fraglichen Zeitpunkt falsch angegeben habe. Es wäre wohl undiplomatisch gewesen, dies geradheraus zu sagen. Statt dessen holte Matthews per Funk von dem Flugzeugträger die Erlaubnis ein, Kurs nach Osten zu nehmen. Dort fand er, acht Seemeilen entfernt, den ganzen Satz der Sonarbojen. Das Suchgebiet wurde noch weiter ausgedehnt, und schließlich meldete ein Flugzeug von der *Bogue* einen großen Ölfleck weitere acht Meilen östlich von der *Haverfield*. Mittags war die *Haverfield* dort zur Stelle. „Wir fanden einen dicken braunen Fleck", schrieb Matthews ins Kriegstagebuch seines Schiffes, „kreisförmig und etwa 1400 Meter im Durchmesser, mit zeitweilig aufsteigenden Öl- und Luftblasen." Er setzte Boote aus, um nach Trümmern zu suchen, und sie fanden einige schwimmende Ballen Rohgummi, eine Planke, eine Gummisandale mit japanischen Zeichen und „etwas Fleisch, nach vorläufiger Untersuchung asiatischer Herkunft". Die Schiffe in dieser Zone, unter ihnen die USS *Janssen* und die *Haverfield* selbst, setzten die Suche an dem Ölfleck bis zum Dunkelwerden fort, fanden aber nichts mehr. Das Fleischstück wurde in Alkohol und Formalin eingelegt auf die *Bogue* gebracht. Der Schiffsarzt untersuchte es und identifizierte es als Gewebe aus einem menschlichen Oberarm, mit einer Impfnarbe. Er fand darin viele kleine Holzsplitter. Ein anderes Fundstück waren viele Strähnen „glattes, schwarzes, borstiges Haar", etwa 15 cm lang, die von einem Gummiballen abgenommen worden waren. Alle diese Indizien sprachen für eine starke Explosion. Kommandant Matthews schrieb: „Ich kam zu dem Ergebnis ..., daß ein japanisches U-Boot mit einer Ladung Rohgummi durch den ersten Luftangriff beschädigt und schließlich durch den zweiten versenkt worden war."

Allen beteiligten Amerikanern erschienen diese Funde angesichts der Größe und Beschaffenheit des Ölflecks als überzeugender Beweis dafür, daß sie ein japanisches U-Boot versenkt hatten. Daß man das Stück Oberarmfleisch als japanisch identifiziert hatte, schien alle Zweifel auszuräumen (doch hätte man statt dessen ein Stück von einem der drei Deutschen, die ja auch an Bord waren, gefunden, so wäre die Folgerung wohl gewesen, daß man das Boot *U-530* versenkt habe). Jedenfalls galt *I-52* von diesem Tag an offiziell als versenkt. Nur einmal entstand noch kurz ein Zweifel, nämlich als nach dem Krieg das Kriegstagebuch des Befehlshabers der U-Boote (BdU) ans Licht kam. Mehrere Eintragungen besagten, daß man am 30. und 31. Juli in der Bucht von Biskaya Funksignale von *I-52* empfangen habe. Doch dies wurde seither immer als Irrtum angesehen. Die möglichen Interessenten an einer Bergung waren ein wenig irritiert, aber niemand änderte deshalb seine Meinung. Die britische Kriegsmarine schloß sich natürlich der amerikanischen Auffassung an, nämlich daß *I-52* in der Nacht vom 23. zum 24. Juni ohne Wenn und Aber versenkt worden sei. Ein Konteradmiral schrieb 1956 an einen Kollegen in der historischen Abteilung der Admiralität, daß er keine Zweifel habe: „Asiatische Stempel und Schriftzeichen an manchen Trümmern machten ganz deutlich, daß das Opfer ein ‚Nip' war."

Ebenso klar ist, daß die Japaner selbst Ende Juli schon mit dem Schlimmsten rechneten, obwohl sie vom deutschen BdU sicherlich über die Signale unterrichtet worden waren, die man von dem Boot in der Biskaya empfangen zu haben glaubte. Zwei von den Alliierten abgefangene Mitteilungen ihres Berliner Marine-Attachés an den Kommandanten Kameo sind aus diesen Tagen erhalten. Die erste lautet:

> Obwohl die deutschen Geleitschiffe Sie am 1., 2. und 4. Aug. instruktionsgemäß am Treffpunkt vor LORIENT erwartet haben... haben sie Sie nicht angetroffen. Sie warten jetzt in LORIENT. Hat sich da nicht jemand geirrt? Bitte teilen Sie uns noch einmal Ihr voraussichtliches Ankunftsdatum am Treffpunkt mit.

Die zweite, vom 8. August, hat schon den schmerzlichen Ton einer Nachricht, von der man weiß, daß man sie an ein Gespenst richtet:

> Zwar haben wir noch keine Nachricht von Ihnen erhalten, aber wir beten für Ihre Sicherheit. Da es angesichts der sich rasch verändernden Kriegslage schwierig gewor-

den ist, LORIENT oder die anderen Häfen an der französischen Küste anzulaufen, fahren Sie weiter nach TRONDHEIM oder BERGEN in NORWEGEN. Wenn es geht, unterrichten Sie uns so bald wie möglich über Ihre Lage...

Einige Monate später, am 20. November, schickte der Attaché ein Telegramm nach Tokio, in dem er klarstellte, daß er *I-52* für versenkt hielt, und die drei unglücklichen Deutschen identifizierte, die erst kurz vorher an Bord gekommen waren. Der erste Mann stimmt nicht ganz mit dem im Logbuch des *U-530* genannten überein, aber das lag sicherlich an der Transkription der deutschen Namen ins Japanische, ihrer Chiffrierung und zuletzt der Dechiffrierung durch Amerikaner:

Lt. Alfer Schiefen (Verbindungsoffizier „Schäfer" nach dem Logbuch von *U-530*)
Oberbootsmann Schultze: Signalgast
Oberbootsmann Roik Behrendt: Lotse
Da die Mitwirkung dieses Verbindungsoffiziers, des Lotsen und des Signalgasts für die Fahrt japanischer Unterseeboote in der Bucht von Biskaya als unerläßlich betrachtet wurde, sollten den genannten drei Personen als Verlusten bei gemeinsamen japanisch-deutschen Operationen die gebührenden Auszeichnungen verliehen werden.

Man kann sich fragen, ob diese Anregung in Tokio je befolgt wurde. Bei dem schweren Verlust von vierundneunzig jungen Männern, einem nagelneuen U-Boot und einer überaus wertvollen Ladung war es nobel genug, an Auszeichnungen zu denken.

Neun

28.1.95

Die Russen haben von Orca nun alle Unterlagen über die Versenkung des japanischen U-Boots bekommen. Orca will damit unterstreichen, daß dies ein gemeinsames Vorhaben ist und nicht eines, bei dem das Schiff nur die Befehle der Charterfirma auszuführen hat. Es fällt schwer, dahinter nicht eine Spur von Herablassung zu vermuten, ein Gefühl, daß es ratsam sei, die Russen soweit wie möglich zu beteiligen, um ihr Interesse wachzuhalten, für den Fall, daß der Gedanke an den finanziellen Gewinn sie – unglaublicherweise – nicht hinlänglich motivieren sollte. Immer mehr wird deutlich, daß wir auf einem Schiff voller blitzgescheiter und tüchtiger Leute sind und daß Orca auf jeden Fall gut daran täte, sich ihre vereinten Talente zunutze zu machen.

Aber was immer die Russen denken mögen, bei Orca ist man nach vielen Tagen endloser und oft quälender Sitzungen längst zu einer festen Ansicht darüber gekommen, wo mit der Suche nach *Dolphin* am besten zu beginnen ist. Dazu hat man jederlei Hypothesen über die Psychologie des deutschen U-Bootkommandanten erörtert (gestützt auf die fast unleserlichen Fotokopien seiner Logbucheintragungen) und über die seines japanischen Kameraden (ohne solche Anhaltspunkte, da sein Logbuch natürlich nicht erhalten ist). Berücksichtigt wurden auch die Einsatzberichte der amerikanischen Piloten, die Logbücher der *Bogue*, von der sie aufgestiegen waren, und der *Haverfield*, die den Ölfleck, die im Wasser treibenden Gummiballen und die übrigen Trümmer gefunden hatte. Quentin hatte seine Auffassungen über die Aussagekraft der Sonar-Meldungen dargelegt, und ebenso über die Geschwindigkeitsdifferenz zwischen aus der Tiefe aufsteigendem, von der Strömung beeinflußtem Öl und einem vom Wind abgetriebenen Ölfleck an der Oberfläche.

Diese vielfältigen und einander oft widersprechenden Angaben wurden von Ralph White, unserem amerikanischen Fotografen, sauber zusammengestellt und auf einem großen Bogen Millimeterpapier eingezeichnet. Das Ganze wird nicht klarer durch den Umstand, daß die deutsche Kriegsmarine andere Uhrzeiten zugrunde legte als die amerikanische; obendrein gaben die Deutschen die Positionskoordinaten statt in den herkömmlichen Längen- und Breitengraden in einem komplizierten System von Chiffren für ineinander verschachtelte Quadrate an. Und schließlich platzt in diese Rekonstruktion einer Episode aus einem mehr als ein halbes Jahrhundert zurückliegenden Krieg noch eine Positionsangabe hinein, die Orca vor kurzem für 1500 Dollar von einem „mysteriösen Amerikaner" gekauft hat, der anscheinend zu einem „Maulwurf" in der US Navy Zugang hat. Dieser Mann behauptet nicht nur, die genauen Koordinaten zu kennen, sondern auch schon ein Foto des U-Bootwracks gesehen zu haben. Das klingt nicht sehr beruhigend. Es könnte sein, daß die US Navy, obwohl sie an herkömmlichen Bergungsoperationen kein Interesse hat, das japanische Boot rein zufällig bei der Vermessung des Meeresbodens in jener Atlantikzone gefunden hat, bei der Vorbereitung ihrer Anti-U-Boot-Abhöranlagen. Dieses System, SOSUS (Sound Surveillance System) genannt, wurde seit den 50er Jahren angelegt und umspannt nun den Erdball mit einem gutgestaffelten Netz von Mikrofonen, die durch 30000 Meilen Unterwasserkabel mit Küstenstationen verbunden sind. Es kann die Bewegungen einer Geräuschquelle über Tausende von Meilen hinweg verfolgen. Wegen Etatkürzungen schickt sich die amerikanische Kriegsmarine zur Zeit an, bis zu achtzig Prozent des SOSUS-Netzes stillzulegen. Ironischerweise bringt der Wandel der Zeiten es mit sich, daß dieselben Wissenschaftler und Umweltretter, die sich gegen den ungeheuer kostspieligen Aufbau des Netzes zu militärischen Zwecken am heftigsten gesträubt hätten, nun seine Erhaltung als wirksames Mittel zur Überwachung von Seebeben, Walwanderungen und Fischfangpraktiken propagieren. Tatsächlich hat SOSUS in letzter Zeit zu all diesen Zwecken gedient. Eine zivile Technologie der nächsten Generation wird vermutlich im GOOS, dem Global Ocean Observing System, Gestalt annehmen, einer Idee, die unmittelbar aus der Umwelt-Gipfelkonferenz von Rio de Janeiro im Jahr 1992 erwachsen ist. Dazu müßten über hundert Nationen sich an einem gemeinsamen ozeanographischen Unternehmen beteiligen, das, wie schon der Name besagt, den Globus umspannen sollte, unter Einsatz von Transponder- und Satellitennetzen zur Messung eines großen Bereichs von Meeresvariablen.

Wenn das U-Boot, wie der mysteriöse Amerikaner meint, noch ganz ist und nicht, wie Orca hofft, über ein Trümmerfeld verstreut, könnte diese Information dann nicht vielleicht schon vor Jahren insgeheim weitergegeben und von einem kommerziellen Unternehmen längst zur Bergung des Goldes genutzt worden sein? Dies hält man bei Orca für nahezu unmöglich. Die Welt der Tiefseebergungen ist sehr klein. Es gibt zur Zeit nur zwei oder drei Firmen, die es wagen könnten, an ein solches Unternehmen überhaupt zu denken, und auch ihnen fehlt die nötige Ausrüstung. Jedenfalls gibt es jetzt kein Zurück mehr. Da schwimmen wir nun irgendwo vor der nordafrikanischen Küste, mit Kurs nach Südwesten, und die Koordinaten dieses mysteriösen Amerikaners fallen tatsächlich mit unheimlicher Präzision in das von Orca berechnete Suchgebiet. All diese Informationen haben nun auch die Russen bekommen, damit sie selbst ihre Schlüsse ziehen können. Heute vormittag nun haben sich beide Seiten geeinigt, wo die Suche beginnen soll und welches die Zone mit der höchsten Fundwahrscheinlichkeit ist, die wir mit den Sonargeräten absuchen werden.

Wie sich herausstellt, ist die Quadrateinteilung des deutschen kartographischen Systems doch zu etwas gut. Quentin schlägt vor, jeder solle auf eines der winzigen Quadrate setzen, und wer das richtige gewählt habe, bekäme dann einen Preis. („Die Linse vom Kopf des Periskops", schlägt er vor. „Einen Goldbarren", sagt Sagalewitsch mit einiger Entschiedenheit.) Ganz ähnlich dem Schatzsucherspiel, wie man es von Parties kennt, wo ein Tablett in kleine numerierte Quadrate unterteilt wird, deren eines eine Münze enthält, die man nicht sehen kann, weil das Ganze mit Sand bedeckt wird. Jeder kauft sich ein Kärtchen mit der Zahl, von der er glaubt, daß sie die Stelle bezeichnet, wo der Schatz vergraben liegt... Daß die Suche zum Gegenstand einer Wette gemacht wird, verrät schon, daß man der Mannschaft der *Keldysch,* obwohl (oder weil) jeder davon auf seinem Gebiet sehr tüchtig ist, keinen echten Glauben an das Projekt zutraut und deshalb glaubt, sie ein wenig bei Laune halten zu müssen. Ein professionelles Bergungsteam auf dem Schiff der eigenen Firma hätte wohl solche Appetithäppchen nicht nötig. Man kann nur raten, ob ein Vorhaben wie dieses besser mit habgierigen Strebern oder mit gescheiten, doch nicht allzu begeisterten Leuten auszuführen ist. Mit wem man aber lieber an Bord zusammensein möchte, ist nicht schwer zu sagen; die Spinner sind allemal interessanter. Wahrscheinlich wäre die Entscheidung nicht ganz so einfach, wie ich es mir jetzt vorstelle.

Am späten Nachmittag geben die Russen an Deck ein Fest zum Geburtstag der *Keldysch:* heute vor vierzehn Jahren wurde sie in Dienst gestellt. Noch sechs von der ersten Mannschaft sind an Bord, unter ihnen der Erste Ingenieur. Anatoly hält eine Rede, von der wir wissen, daß sie den ersten von vielen Wodka-Toasts einleiten wird. Ein randvolles Glas mit etwas, das wie Wasser aussieht, in der Hand, verbreitet er sich über ihren Weltruhm als ozeanographisches Forschungsschiff. Er vermeidet es, Orca namentlich zu erwähnen, und spricht nur von „unseren lieben Gästen", denen er auf ihrer Kreuzfahrt „Erfolg" wünscht. Das Wort „Gold" geht niemandem über die Lippen; Wodka dafür um so mehr. An Deck sind Tische aufgestellt, mit Salatplatten, Brathähnchen und Fruchtsafttüten. In zunehmender Ausgelassenheit steht die ganze Schiffsgesellschaft durcheinander herum, und das Orca-Team, zu erkennen an den nagelneuen Orca-T-Shirts (die später an alle Mitfahrenden verteilt werden), fängt erste, tastende Gespräche mit den Russen an. Ralph White manövriert sich in Stellung, einen Camcorder auf der Schulter, wie ein ergrauter Pirat mit einem schwarzen Papagei. Es ist der erste rein gesellige Anlaß. Mehrere Frauen, schön zurechtgemacht, tauchen auf, die wir uns nicht erinnern können, je gesehen zu haben; und aus entlegenen Winkeln des Schiffes sind etliche Mann von der Besatzung heraufgekommen, in steifen Jeans mit blanken Nieten.

Die MIR-Piloten sind augenscheinlich die soziale Elite: hochqualifizierte Techniker mit eisernen Nerven, meist in Kampfanzügen der ehemaligen Sowjetarmee, die wie maßgeschneidert aussehen. Im Kino würden sie alle von Tom Cruise gespielt. Das sind die Männer, deren Pulsfrequenz nicht steigt, wenn sie in fünftausend Meter Tiefe ein *Psss!* hören und ein nadelfeiner Strahl Salzwasser aus einem Dichtungsloch springt. Sie wissen, sie brauchen drei Stunden, um wieder an die Oberfläche zu kommen, und sie wissen, das Leck wird unaufhaltsam den Luftdruck in der Tauchkapsel erhöhen, bis zu dem Punkt, wo die Trommelfelle platzen, und dann immer weiter, auch noch über den Moment hinaus, wenn die Schreie verstummen und man tot ist. Aber sie wissen auch, wenn man sie findet, werden sie immer noch vor den Armaturen sitzen, mit ausdruckslosem, blutvertrieltem Gesicht und werden ihr Bestes getan haben, mit allen erdenklichen Tricks und Manövern das Unvermeidliche noch ein wenig hinauszuzögern. Sie haben Hunderte von Stunden auf den Meeresböden in aller Welt zugebracht, haben mit eigenen Augen schwarze Schlote gesehen, Sedimente und Röhrenwürmer, Wracks von Atom-U-Booten. Sie essen einen Happen von einem Pappteller und blicken aufs Meer hinaus, das heute, wegen der Wolkendecke, metallisch und ein wenig tückisch aussieht.

Der an Bord bei weitem häufigste soziale Typus ist der gemeine „Nerd“, der Technomane. Ich werde mit Roman Pawlow bekanntgemacht und bin sofort überwältigt von seiner herzlichen Liebenswürdigkeit. Ich erinnere mich gehört zu haben, er habe noch mehr Genie als Nik Schaschkow. Als wir in Falmouth lagen, wurde ein Drucker für das Seitensonargerät an Bord genommen. Eine seiner Besonderheiten ist, daß er vierundsechzig verschiedene Grautöne drucken kann. Roman fand gleich, daß sich das Ding für den besonderen Zweck, zu dem er es brauchte, erheblich verbessern ließe, und programmierte es an einem einzigen Vormittag vollständig neu, ohne auch nur eine Interface-Karte zu benutzen. „Ich bin Künstler", sagt er spitzbübisch. „Ich will Sie kennen, weil man sagt, Sie sind auch Künstler. Wir Künstler." Er legt ein fettiges, angebissenes Stück Hähnchen auf den frisch gestrichenen Rand des Schwimmbeckens. „Maschinen sind dumm. Ich schaffe für sie neuen Geist. Schaffen ist Künstlerwerk, OK?"

Je mehr ich mit Wissenschaftlern zu tun habe, desto unhaltbarer erscheint mir der herkömmliche Monopolanspruch der „Kunst" auf Schöpfertum und Phantasie. Faszinierend fand ich vor kurzem ein Forschungsvorhaben am Scripps-Institut für Ozeanographie in La Jolla. Drei Physiker suchen dort nach einer Möglichkeit, unter Wasser zu „sehen", ohne gewöhnliches Licht einzusetzen (das vom Wasser schnell absorbiert wird) oder Schallwellen auszusenden (die die eigene Position verraten und in der Nähe befindliche Lebewesen stören könnten). Der phantasievolle Gedankensprung war der Einfall, die Hintergrundgeräusche der Umgebung, von denen auch unter Wasser immer einige vorhanden sind, auf dieselbe Weise zur „Beleuchtung" der Gegenstände zu benutzen, wie die Gegenstände an Land vom Tageslicht beleuchtet werden. So erhielte man eine vollkommen passive „Licht"-Quelle. Dies, unter der Bezeichnung ADONIS (acoustic daylight ocean noise imaging system), erscheint mir als eine überzeugende und schöpferische Idee, die den durchschnittlichen Grundeinfall zu einer Romanhandlung oder einem Lyrikbändchen weit hinter sich läßt. Wir Schriftsteller haben allen Grund zur Bescheidenheit.

Also steht nun in einem der Labors unter Deck dieses Geisteskind einer amerikanischen Firma, von Roman kreativ „verbessert", so daß es jetzt wohl 128 verschiedene Graubrauntöne drucken und außerdem noch als Kaffeefilter dienen kann. Roman hat eindeutig recht: Er ist wirklich ein Künstler, ein mutwilliger Genius, der kein Computersystem ansehen kann, ohne es umbauen zu wollen (und zu können). Eigentlich ist er der Gott, weil er über *die* Sprache verfügt, die unschreibbare und unsprechbare Sprache, die all die anderen belanglosen Dialekte (Basic, Fortran, C, Pascal usw.) transzendiert. Das Wort des Herrn geht jeder Maschine zu Herzen, die er anrührt, und siehe da, die Maschine übertrifft sich selbst und leistet mehr, als ihr Bauplan vorsieht! Was wäre dies anders als ein untrügliches Zeichen göttlicher Macht, so wie Generationen von Theologen sie definiert haben?

Wo ich auch hinhöre, reden alle von Wissenschaft. Eine Dame ereifert sich über Bathymetrie, und eine andere, die wie eine kokette Schwester von Iris Murdoch aussieht, erklärt eines ihrer Spielzeuge, das sie auf dem Brückendeck aufgestellt hat: eine große grüne Blumenvase aus Fiberglas, die alle vier Sekunden *ping!* macht. Es wäre gefährlich, die Hand darüber zu halten, sagt sie. Ein Laserstrahl schießt für eine Nanosekunde nach oben und prallt von der Wolkendecke ab, und deshalb kann sie das Ausmaß der atmosphärischen Verunreinigung erkennen, indem sie den Streueffekt der Teilchen mißt, die der Strahl auf seinem Weg berührt. Und wenn einem dabei noch kein Loch durch den Leib gebohrt wird, dann könnte einem das Radar in dem großen weißen Golfball auf einem Träger gleich daneben inzwischen die Hoden gebraten haben. Erschreckend, aber die Wissenschaft ist soviel interessanter als die Literatur! Ein kleines, augenzwinkerndes Kerlchen mit buschigem Vollbart, Baskenmütze und Ringelhemd hält sich im Hintergrund des Gesprächs. Er sieht aus, als wollte er sich um die Rolle eines der Anarchisten in einer Verfilmung von Conrads *Geheimagent* bewerben. Fehlt nur noch die runde schwarze Bombe mit glimmender Zündschnur. Wer das wohl ist? Etwas Anziehendes strahlt von ihm aus: Tüchtigkeit, Selbstbeherrschung? Vielleicht. Jedenfalls ist er keiner von den Nerds.

Bomben und Sprengstoffe kommen gleich ein paar Minuten später zur Sprache. Ich rede mit einem der Ingenieure von der MIR-Gruppe. Abstinent trinkt er seinen Fruchtsaft und schaut aufs Meer hinaus, benutzt aber die Gelegenheit, sein Englisch mal an einem Schriftsteller zu erproben. Er hat Orcas Dokumentation über die *Dolphin* gelesen und weist mich darauf hin, daß in manchen Avengers, die beim Startversuch von der *Bogue* abgestürzt waren und sanken, die Bomben explodierten, obwohl sie nicht scharf waren. Die geretteten Piloten hatten berichtet, die Erschütterungen seien äußerst unangenehm gewesen; daß sie aber überhaupt mit dem Leben davongekommen waren, könne wohl nur bedeuten, daß die Bomben erst in großer Tiefe detoniert waren. Er erklärt mir, daß Sprengstoffe in großen Wassertiefen unberechenbar werden, ohne daß man genau wüßte, warum. Es stellt sich heraus, daß er zu dieser Frage Spezialkenntnisse besitzt, denn mit Sprengstoffen lassen sich Löcher in den Rumpf eines Wracks bohren, und dies war eine der Möglichkeiten zur Bergung des Goldes, die sie in Moskau damals erörtert (und verworfen) hatten. In der Regel, sagt er, müßten Sprengladungen, je tiefer man damit arbeite, um so sorgfältiger plaziert und geformt werden. Eine Sprengung bewirkt, daß plötzlich eine gewaltige Menge Gas erzeugt wird. Das Gas muß irgendwohin, und darum löst es eine Schockwelle aus. In großer Tiefe jedoch, unter dem Druck einer ungeheuren Wassermenge, ist das Volumen des Gases bei weitem geringer, und darum zeitigt die Sprengung oft keine Wirkung. Um dieses Problem zu umgehen, steckt man die Ladung in einen druckfesten Behälter, dessen Form genau der Metallfläche angepaßt ist, in die ein Loch gesprengt werden soll. In dem Behälter bleibt zugleich ein beträchtlicher luftgefüllter Spielraum, in den die Gase sich ausdehnen können. Richtig angebracht kann die Ladung so ein sauberes, zehn Zentimeter großes Loch in die Stahlblechhülle eines Schiffsrumpfes sprengen. Leider ist diese Methode äußerst kostspielig. Das Objekt muß zuerst von bemannten oder ferngesteuerten Tauchbooten vermessen werden, damit ein Behälter hergestellt werden kann, der der Metallfläche genau anliegt. (Natürlich braucht man für jede Sprengung einen neuen Behälter.) Eine Ladung zum Beispiel in 5000 Meter Tiefe mit der nötigen Präzision anzubringen, wäre eine langwierige und komplizierte Angelegenheit, selbst abgesehen von den sechs Stunden Tauchfahrt für den Ab- und Aufstieg. Und wegen der Unberechenbarkeit der Sprengstoffe unter Wasser wäre es obendrein gefährlich... Der Experte lächelt und nimmt einen großen Schluck Fruchtsaft. *„Njet problem"*, sagt er; Orca wird nur mechanische Schneidegeräte einsetzen, um die Wracks zu öffnen. Sprengstoffe haben wir gar nicht an Bord. Um so besser, meint er. Als IFREMER versucht hat, die *John Barry* aufzusprengen, ging das vollkommen schief.

Irgend jemand, vermutlich einer von Orca, hat an der Schiene über dem Deck, wo die Party stattfindet, einen großen Jolly Roger aufgehängt, die Totenkopfflagge der Piraten. Ein peinlicher Mißgriff, denn das sind hier alles seriöse Wissenschaftler, die sich wahrscheinlich nicht gern daran erinnern lassen, daß der Kurs ihres Forschungsschiffs mehr oder weniger von einer Bande britischer Bukaniere bestimmt wird. Kommerzielle Auftragsforschung mag ja noch hingehen, aber eine Schatzsuche ist jedenfalls unter dem Niveau dieser hochqualifizierten und hochangesehenen Männer und Frauen, von denen die meisten über dreißig und einige – wie Juri Bogdanow – schon längst in Amt und Würden ergraut sind. Trotzdem, der Erste Maat hat ein Dart-Brett aufgestellt, das die Umrisse des nun abgesprochenen Suchgebiets für das japanische U-Boot wiedergibt. Mit Tusche aufgemalte Ovale von verschiedener Größe und in einer Anordnung, die ein wenig an die Grobskizze eines Teddybären erinnert, bezeichnen die einzelnen Zonen mit den Abstufungen der Wahrscheinlichkeit, daß das Wrack dort gefunden wird. Jeder wirft einen Pfeil, und wer der Stelle, die sich später als die richtige erweisen wird, am nächsten kommt, soll einen Preis erhalten. Vielleicht weil der Erste Maat den Teddybären gemalt hat und das ganze Spiel auf russisch erklärt wird, fliegen die Pfeile alkoholisch gut gelaunt. Einer von den Nerds verfehlt das Brett (etwa 90 mal 60 cm) ganz und gar und trifft die Bank, an die es gelehnt steht, sehr zur allgemeinen Belustigung. Hin und wieder fange ich einen Blick von Sagalewitsch auf und versuche mir vorzustellen, wie vieler Herren Diener er sein muß. Man kann nur darüber spekulieren, ob die Russische Akademie der Wissenschaften den wahren Grund für diese Kreuzfahrt der *Keldysch* kennt, die fünfunddreißigste Fahrt des Schiffs, welches der Stolz ihrer Forschungsflotte ist. Sollte das ehrenwerte Gremium wirklich den Einsatz seines ruhmreichen Schiffs für ein Privatunternehmen ausländischer Schatzsucher gebilligt haben, mitsamt frivolen Bordfesten? Für wahrscheinlicher halte ich, daß die Kreuzfahrt als wissenschaftliche Expedition ausgegeben wurde, bei der vielleicht nebenbei noch ein paar Ausländer auf eigene Verantwortung ein verrücktes Bergungsprojekt betreiben könnten, die Akademiemitglieder aber gewiß sein dürften, daß dergleichen Allotria niemals die seriöse Forschung behindern würden ...

Solche Fragen stellen sich besonders dann, wenn das Thema des Schleppkabels für das Seitensonargerät zur Sprache kommt. Dies ist das Kabel, das in Falmouth an Bord kam. Das Sonarkabel der Russen war abgenutzt und unzuverlässig, darum hatte Quentin durch das Ozeanographische Institut in Godalming (heute das Southampton Oceanography Centre) ein Kabel für Orca billig erwerben lassen. Es ist aus zweiter Hand, aber garantiert gut erhalten. Orca gab sich entrüstet über den Preis (15 000 Pfund, von denen aber, bevor sich das Kabel bewährt hat, erst 5000 bezahlt sind), obwohl es neu über 80 000 Pfund gekostet hätte. Es ist vier Meilen lang und wiegt elf Tonnen. In wenigen Tagen werden wir in Gewässern sein, die tief und ruhig genug sind, um es in der vollen Länge auszulassen. Dies geschieht teils zur Prüfung der elektrischen Leitungen, durch die die Sonardaten vom einen Ende zum andern fließen müssen, teils aber auch, um es durch sein Eigengewicht in der ganzen Länge unter gleichmäßige Spannung zu setzen, bevor der Sonarschlitten daran befestigt wird. Dies ist sehr wichtig. Wenn die innersten Windungen des Kabels auf der Trommel ohne Spannung bleiben, zwängen die gespannten äußeren Schichten sich zwischen sie ein und verklemmen sich. Ein vier Meilen langes Stahlkabel unter Spannung ist nicht ungefährlich. Wenn es ganz aufgerollt ist, kann der Druck auf die Trommel manchmal die Winde sprengen.

Nun macht die Geschichte die Runde, daß Sagalewitsch, weil er durch Verlangsamen der Fahrt keine Zeit verlieren möchte, das Kabel bei acht Knoten zu entrollen gedenkt. Quentin sagt, das könnte fatal werden, denn bei der Geschwindigkeit – selbst wenn die *Keldysch* sie mit dieser Schlepplast aufrechterhalten könnte – würde das Kabel, wegen der schraubenförmigen Spiraldrehung der Drähte, sich verdrallen. Wenn das Schiff dann plötzlich einmal Fahrt verlieren oder von einer Welle zurückgeworfen würde, so daß die Kabelspannung nachließe, könnte das Kabel im Handumdrehen eine Schleife bilden, sich verknoten und an der Stelle reißen. Auf mehr als dreißig ozeanographischen Forschungsfahrten hat er schon öfter erlebt, wie Kabel verlorengingen. Wenn wir dieses verlieren, kann Orca einpacken, bevor die Suche begonnen hat. Aber Quentin beschließt, lieber nichts zu sagen. Auch die Russen sind ja keine Neulinge. Sagalewitsch hat selbst hundertemal Sonarschlitten im Schlepptau gehabt; er weiß selbst genau, daß es bei anderthalb Knoten gemacht werden muß. Was aber (frage ich mich), wenn er mit *Absicht* das Kabel reißen lassen will? Stünde es ihm dann nicht frei, Kurs nach Westen zu nehmen, zu den schwarzen Schloten, die er und sein Forscherteam unbedingt sehen wollen? Ein zynischer Gedanke, den ich lieber für mich behalte; eine finstere, doch komische Hypothese, die Clive – aber ihn kenne ich noch nicht so gut –, der an Bord die Interessen der Investoren vertritt, wohl kaum lustig fände. Jedenfalls könnte dieses Achtknotengerücht ja auch eine von Sagalewitsch vorsätzlich ausgelegte Schlinge sein, um Verwirrung zu stiften, nicht so sehr für das Kabel als vielmehr für diese gräßlichen Störenfriede an Bord seines Schiffs. Daß solche Spekulationen überhaupt aufkommen können, verrät schon eine gelinde Form von Paranoia in einer geschlossenen Gesellschaft.

Morgen überqueren wir den Wendekreis des Krebses. Kein Gedanke an Henry Miller. Alles fürchterlich korrekt, soweit man sieht, aber wer weiß, was in den heißeren Zonen des Schiffs los ist? Es heißt, die alte Tradition der sowjetischen Marine, wonach jedes Besatzungsmitglied in den Tropen täglich seinen Becher Wein haben muß, gelte auch auf der *Keldysch*. Soll Medizin sein. Aber wir verbringen unsere Tage ja auch nicht gerade abstinent.

Noch etwas ist merkwürdig. Unten in Ralph Whites „Kommissars"-Kabine steht ein tragbarer, telefongroßer GPS-Empfänger, den Ralph mitgebracht hat. Jedermann, vom Yachtskipper bis zum Wochenendwanderer kann sich heute einen solchen Global-Positioning-System-Empfänger kaufen, der ihm dank einem Netz von Satelliten in geostationärer Umlaufbahn bis auf hundert Meter genau sagen kann, wo er sich befindet. Das US-Militär jedoch, dem die Satelliten gehören, ist ein eifersüchtiger Gott und möchte sich den höchsten Genauigkeitsgrad des Systems (10 Meter) für den eigenen Gebrauch vorbehalten. Deshalb verunreinigt es die Signale, die alle anderen empfangen, durch einen eingebauten Flimmer- oder „Wackel"-Effekt, der die Genauigkeit auf hundert Meter herabsetzt. In Falmouth kamen zwei Experten von Oceonics an Bord, um ein teures und kompliziertes Zusatzgerät zu installieren, das dem GPS-System des Schiffs die 10-Meter-Genauigkeit geben soll. Dieses Gerät kann die ungenauen „zivilen" GPS-Daten mit einem Fixpunkt abgleichen, dessen Position zentimetergenau bekannt ist, in unserem Fall einer Sendestation in Lagos. Auf diese Weise lassen sich die kleinlichen Beschränkungen der amerikanischen Militärs umgehen. Das alles wäre unnötig, könnten wir über ihren sogenannten „P-Code" verfügen, durch den GPS auf zehn Meter genau wird. Ralphs kleine Trickkiste nun, wie sich herausstellt, hat den P-Code; also besitzt er das genaueste Navigationsgerät auf dem ganzen Schiff und übertrumpft bei weitem das ganze Zeug von Oceonics. Wer ist dieser Typ?

Zehn

Wer ist dieser Ralph White? Zunächst einmal ist er ein amerikanischer Kameramann – das einzige nicht-englische Mitglied der Orca-Gruppe – und soll die Expedition filmen. Zu sagen, daß er hervorragend qualifiziert ist, wäre untertrieben. Unter allen auf diesem Schiff ist er derjenige, der schon überall gewesen ist, alles gesehen, mitgemacht und überlebt hat, so daß er nun davon erzählen kann – was er nicht ungern tut. Ralph Bradshaw White kam, sah und siegte. Zwei Absätze aus seiner Kurzbiographie, so wie er sie gelegentlich hat drucken lassen, geben einen Eindruck:

> Seine ersten professionellen Filmaufnahmen machte White als Fallschirm-Kameramann für die Ivan-Tors-Serie „Ripcord". Er diente als Spähtruppführer im Marine Corps und nahm als Mitglied des US Marine Corps Team und des United States Parachute Team von 1964/65 an Fallschirmspringer-Wettbewerben teil. Er war Captain bei den Los Angeles County Sheriff's Reserve Forces und schied nach 18 Jahren als einer ihrer höchstausgezeichneten Offiziere aus dem Dienst aus.
>
> Er ist Ritter des Konstantinsordens und des Heeres- und Hospitaliterordens des hl. Lazarus. Mitglied und ehemaliger Ortsgruppen-Vorsitzender des Explorers' Club und ehemaliger Präsident des Adventurers' Club. Die Underwater Society of America verlieh ihm den renommierten „NOGI"-Preis für sein Lebenswerk auf dem Gebiet der Unterwasser-Fotografie. Er ist sehr gefragt als Vortragsredner über die *Titanic* und seine vielen anderen aufregenden Abenteuer.

Das *LA Times*-Magazin vom 27. Oktober 1985 zitiert Ralph mit einer Klage über seine Vornamen: „Ich hab mir immer einen Spitznamen wie Rock oder so ähnlich gewünscht." Bradshaw sei „zu unmännlich".

Die meisten Leute geben anfangs nicht viel von sich preis, und man kann sich nur langsam ein Bild von ihnen machen, das sich dann bei näherer Bekanntschaft vielleicht als richtig erweist. Ralph kommt im Gegenteil gleich klar umrissen daher, unüberhörbar, wie eine voll ausgeformte Romanfigur. Der wohlwollende Fremde kann nur versuchen, diese Selbstdarstellung zu durchlöchern, um einen Eindruck von der interessanten Person zu gewinnen, die Ralph tatsächlich ist. Öffentlich gibt sich Ralph so prall und überlebensgroß wirklich, daß man unwillkürlich mißtrauisch wird und ein paar Schritte zurücktritt. Wenn man aus Hemingway und Superman eine Figur zusammensetzte und das Ergebnis in einen einteiligen schwarzen Springeranzug voller *Titanic*-Aufkleber steckte (der Traum jedes richtigen Jungen), dann hätte man das Bild von Ralph White, das er der Welt darbieten möchte. „Ich bin ein begeisterter alter Marine... Wenn du nicht bei den Marines gewesen bist, dann hast du deine Wehrpflicht noch nicht erfüllt." Der Rest der Welt ist daher von vornherein entschieden im Nachteil.

Soviel vorausgeschickt ist zweitens an ihm zu bemerken, daß er freundlich und umgänglich ist, daß er für jeden Zeit und ein Glas Beefeater-Gin hat und echte Kenntnisse auf fast allen Gebieten besitzt, die an die waghalsigeren Spezialitäten von Wissenschaft und Technologie angrenzen. Außerdem ist er ein vorzüglicher Fotograf. Die Schwierigkeit zwischen uns beiden ist, daß wir zu zwei so grundverschiedenen Kulturen gehören: etwas, das mich gar nicht stören würde, wenn er Nigerianer oder Chinese wäre. Er kommt mir vor wie verstrahlt von der Welt der spektakulären Risiken, an deren kalifornischer Front er so lange seinen Lebensunterhalt hat verdienen müssen. Dabei wird der Vertrag nicht ganz redlich ausgelegt, den jeder mit seiner Sterblichkeit hat. Ralph hat es zum Beruf gemacht, seine Haut zu riskieren: im Fallschirmgurtzeug drei Meilen hoch, im Tauchboot drei Meilen tief, in Druckausgleichkabinen bei dreifacher Schallgeschwindigkeit und so weiter, das Auge am Sucher der Kamera, während er mit einem Messer in der freien Hand einen großen weißen Hai abwehrt. Diese Lebensweise verschleißt gewisse Seiten der Phantasie. Das furchtsame, schmerzempfindliche, desillusionierte Geschöpf, wie es die meisten von uns sind, scheint sich aus Ralphs Person zurückgezogen und in einem harten Kern mathematischer Wahrscheinlichkeiten verkapselt zu haben, die ihm lakonisch sagen, daß dies nicht ewig gutgehen kann. („Wurde irgendwie mulmig da oben, und da hab ich mir wohl gesagt, na, du alter Sack, es ist nur 'ne Frage der Zeit.")

Noch etwas, das mir an Ralph aufgefallen ist: Er hat seinen Kopf für sich. Rauchend sitzt er in seiner geräumigen „Kommissars"-Kabine (in der immer noch das KGB-Safe und der Schußwaffenschrank sind) und arbeitet seine Karten und Analysen der *I-52*-Daten durch, seinen hübschen kleinen GPS-Empfänger vor sich aufgebaut, den Lautsprecher hinter sich leise auf den BBC World Service eingestellt. Er geht zu allen Sitzungen, verschwendet aber wenig Zeit mit Verbrüderungen. Dies waren eigentlich die ersten Züge des Bildes, das ich mir von ihm mache: Ralph, der „alte Hase", jemand, der schon oft auf diesem Schiff mitgefahren ist, der Anatoly schon seit 1988 kennt (länger als Mike Anderson), jemand, der seinen eigenen Willen hat. Als ich sagte, auf der Party habe er mit der Videokamera auf der Schulter wie ein Pirat ausgesehen, meinte ich einen beherrschten, kühl beobachtenden Piraten, ein Selbstbewußtsein, das teils aus dem professionellen Status und teils daraus erwächst, daß man genug erlebt hat, um nicht allzuviele Dinge mehr ernst zu nehmen (wir sind beide bis auf wenige Monate gleich alt). Er ist reserviert auf eine Weise, die es ihm gestattet, unverschämt extrovertiert zu sein, genau wie ich mir einen Piraten vorstellen würde. Ich bin froh zu erfahren, daß der Jolly Roger, der neulich über der Party wehte, von ihm stammte. Also hatte ich mich geirrt: Es war keine peinliche Taktlosigkeit eines überschwenglichen Briten, sondern ein Ralphismus, viel zu absichtlich und naßforsch, um als diplomatischer Faux-pas gelten zu können. Aber im Augenblick suche ich nur nach einer Möglichkeit, an seiner gut abgeschotteten Selbstdarstellung vorbeizukommen; darum schlage ich einen Umweg ein und frage ihn nach Anatoly. Er flüchtet sich in einen Gemeinplatz. „Du mußt dir mal klarmachen, Anatoly ist ein Renaissancemensch.“

Ob es wohl irgendeine Hoffnung gibt, daß dieses Klischee mal außer Kraft gesetzt wird? Natürlich ist Anatoly ein gescheiter Ingenieur, der fähig ist, andere mitzureißen. Daß er außerdem noch Gitarre spielt, eigene Lieder singt und den Jazz liebt, sagt mir als Europäer nur, daß er nicht fern von aller Kultur lebt. Ich versuche es noch mal, und nun sagt Ralph schon etwas mehr.

„Anatoly kommt sich vor wie auf dem Strich. Du mußt verstehn, die Wissenschaft – und speziell die Technologie – ist ihm Herzenssache. Er hat sich noch nicht damit abfinden können, daß nun überall auf der Welt die Geldquellen für die reine Wissenschaft austrocknen. Sogar ein so berühmtes ozeanographisches Institut wie Woods Hole ist knapp bei Kasse. Wenn Anatoly sauer ist, dann deshalb, weil er weiß, auch er muß sich verkaufen, um zu überleben. Irgendwie muß er einen ehrenhaften Weg finden, Wissenschaft mit Kommerz zu mischen.

Außerdem sieht er sich als Opfer einer Intrige. 1990 wurde ihm gesagt – sagen wir mal, von gewissen kanadischen und US-amerikanischen Stellen –, wenn er jemals kommerzielle Aufträge annähme, würde er der wissenschaftlichen Reputation der *Keldysch* schaden. Tatsächlich waren diese Leute deshalb so drauf aus, ihn abzuschrecken, weil sie ihn nicht als Konkurrenten haben wollten. Ich meine, die hatten ihre eigenen Pläne. Kannst du drauf wetten! Jedenfalls, Anatoly wurde von der mexikanischen Regierung für die Suche nach einer spanischen Galeone gechartert, die *Nuestra Señora del Juncal,* die 1631 mit einer Gold- und Silberladung vor Veracruz untergegangen ist. Die Mexikaner schickten ihn in einen vollkommen falschen Suchbereich, gaben 1 400 000 Dollar aus und fanden nichts. OK, aus Anatolys Sicht war es eben ein Job, aber weiter half ihm das auch nicht. Klar, er sähe ’s gern, wenn Orca Erfolg hätte, aber ihm ist bange, was bei all dieser Schatzsucherei aus der Reputation seines Schiffs werden soll, um von seiner eigenen gar nicht zu reden. Er will nicht als Kapitän eines Bergungsschiffs bekanntwerden, egal wieviel Geld dabei rausspringt. Seine letzte reine Forschungsfahrt liegt schon fünf Jahre zurück. Seit damals, 1990, hat er nur ein paar kurze Forschungsaufträge aus dem Ausland gehabt, z. B. 1994 die Fahrt zur Transatlantischen Geotransversale (TAG) für die Cambridge University/NERC, aber die größten Aufträge waren die *Titanic* (1991), *Komsomolets* – der einzige aus Rußland –, der von der mexikanischen Regierung und jetzt Orca."

In der Beurteilung von Anatolys Situation mag dies zutreffen oder nicht. Jedenfalls stimmt es unstreitig mit all dem überein, was unter den Orca-Teilnehmern auf dem Schiff als ausgemacht gilt. Es verrät nicht viel darüber, wie Ralph selbst zu Anatoly steht – was doch sicher interessant wäre, denn er erzählt mir ja, daß dies nun schon seine neunte Fahrt mit der *Keldysch* ist und daß er die Bankverbindungen des Schiffs in den USA betreut. Ich wechsle zu einem angenehmeren Thema über und bitte ihn, mir die russischen MIR-Tauchboote ein wenig in den internationalen Kontext zu rücken, durch eine Übersicht über den heutigen Stand der Tauchtechnik. Er wird gleich munterer und geht prompt eine schematische Liste durch, wobei er die einzelnen Punkte an den Fingern abzählt. Das ist ein Thema nach seinem Gusto. Nach meinem auch, und ich gebe wieder, was ich von ihm erfuhr:

1) *Wasserspiegel bis 200 Fuß* (ca. 60 m): Scuba-Taucher, mit Atemgeräten mit gewöhnlicher Luft.

   200–700 Fuß (60–210 m): Taucher mit einer Atemmischung aus Sauerstoff, Helium und etwas Stickstoff.

   1000 bis 2000 Fuß (300–600 m): Taucher mit Atemgemischen aus „exotischen" Gasen, darunter Wasserstoff. Die Mischungsverhältnisse dieser Gase müssen unbedingt exakt bemessen werden. Schon kleine Abweichungen können tödlich sein.

   Mit der neuesten Technik ist es für *ungeschützte* Taucher (d. h. ohne druckausgleichende Anzüge) heute möglich, bis auf 1300 Fuß (ca. 400 m) herunterzugehen, wenn sie physisch exzeptionelle Voraussetzungen mitbringen und gut trainiert sind. Ungeschütztes Tauchen von 1300 bis 2000 Fuß beschränkt sich auf Experimente und auf eine Handvoll ungewöhnlicher Menschen, die einen Druck von sechzig Atmosphären aushalten können. Ihre Schutzanzüge haben keinen Druckausgleich, sind aber mit Warmwasserröhren beheizt. Außerdem tragen sie einen Fiberglashelm, den sogenannten „rat hat" (nach dem Erfinder Bob Ratcliffe, der einen solchen Helm für Oceaneering International herstellte). Eine Nabelschnur liefert das Warmwasser und das exotische Atemgemisch. Natürlich muß darin der Druck hoch genug sein, um die Heizröhren und die Lungen des Tauchers vor dem Kollabieren zu bewahren, aber der Körper selbst ist dem gewaltigen Druck aus allen Richtungen ausgesetzt. (Vergleichsweise liegt der Weltrekord für freies Tauchen – d.h. mit einer Lunge voll Luft bei gewöhnlichem atmosphärischen Druck – heute bei etwas über 320 Fuß/ca. 100 m/, nahe bei dem Punkt, wo die menschliche Lunge unter dem Druck von 10 Atmosphären kollabiert.) Die Nabelschnur ist mit einer nahen Transfer-Kapsel, einer Art veredelter Taucherglocke, verbunden, in die der Taucher am Ende des Tauchgangs eintritt und in der er an Bord des Mutterschiffs hochgezogen wird. Gleich darauf verschwindet er in einer Dekompressionskammer, die er zwei Wochen nicht verlassen darf. (Dieser Teil der Operation scheint mir das ausschlaggebende Argument gegen dieses sogenannte „Sättigungstauchen" zu sein: zwei Wochen, in denen man nichts tun kann, als mit der vom Helium angegriffenen Stimme ins Telefon zu piepsen, zerfledderte Porno-Magazine durchzublättern und fernzusehen, während man allmählich „aufsteigt", d.h. daß der Druck in der Kammer dem normalen äußeren Druck angeglichen wird.)

Zweitausend Fuß sind für den ungeschützten menschlichen Körper die absolute Grenze, und auch sie ist nur für einen von einer Million erreichbar. Die komprimierten exotischen Gase stören das Zentralnervensystem und greifen radikal in die Chemie der zerebrospinalen Flüssigkeit ein. Bohrende Kopfschmerzen vom Druck auf die feingegliederten Schädelknochen (Neben- und Stirnhöhlen usw.) sind zu erwarten. Einem Taucher explodierten beim Aufstieg die Hohlräume in den Zähnen, so daß alle Zahnfüllungen herausgeschleudert wurden und ein Zahn zersplitterte. Hinzu kommt, daß die meisten professionellen Taucher im oberen Tonbereich viel an Gehör verlieren. Die Telefongespräche aus der Dekompressionskammer müssen daher eine ziemlich komische Angelegenheit sein, bei der die Stimmen von außen schwer zu hören sind, während die aus der Kammer sich wie Minnimaus anhören. (Man fragt sich: wozu das alles? Wenn man im Schutzanzug mit Druckausgleich sicherer und tiefer tauchen und dabei sogar noch Arbeiten verrichten kann, warum dann die Zahnfüllungen aufs Spiel setzen? Aber natürlich, man *könnte* ja auch die Feuerwehrmänner nackt zu Werke gehn lassen.)

2) Taucheranzüge mit Druckausgleich auf 1 Atmosphäre können bis in 2500 Fuß Tiefe (ca. 760 m) eingesetzt werden. Dies sind „sardinendosen"-artige, beheizte Anzüge im Astronauten-Stil, aus Spezialgeweben, mitsamt schweren Stiefeln.

3) Tauchboote. Diese lassen sich folgendermaßen einteilen:

a) *Conshelf-Boote* (Arbeitsboote): bis 3000 Fuß (900 m). Sie reichen im allgemeinen bis zu den Schelfrändern der Kontinente hinab.

b) *Boote mit mittlerer Tiefenreichweite:* bis etwa 12 000 Fuß (3700 m). Dazu gehören Boote wie die kanadischen *Pisces* (mit einem solchen, das jetzt im Schirschow-Institut wegen Geldmangel für die Betriebskosten eingemottet liegt, sind Ralph und Anatoly im Baikalsee getaucht), die schon etwas altertümliche *Alvin* (die von Robert Ballard bei der Suche nach der *Titanic* benutzt wurde), die *Turtle* (im Dienst der US Navy, verwandt mit der *Alvin*) und die *Cyana* (von der französischen Gesellschaft IFREMER betrieben, wäre 1994 beinah außer Dienst gestellt worden, weil es nicht genug Projekte für sie gab und die Wartungskosten direkt den Forschern aufgebürdet wurden).

c) *Sechstausendmeterboote:* bis etwa 20 000 Fuß. Von diesen gibt es auf der ganzen Welt nur fünf: die *Sea Cliff* der US Navy, Frankreichs *Nautile* (IFREMER), die japanische *Shinkei 6500* (betrieben von JAMSTEC, dem japanischen Institut für Meereskunde und Meerestechnik) und die beiden russischen MIRs.

d) *Maximaltiefenboote:* bis 36 000 Fuß (etwa 11 000 m) oder den tiefsten Stellen der Meere. Davon gibt es zur Zeit nur zwei, die *Archimède* und die *Trieste II.* Beide bestehen aus einer Stahl- oder Titankugel, der Passagierkapsel, wie sie alle Tiefseetauchboote haben, aber aufgehängt unter einem riesigen Tank mit 60 000 Gallonen Benzin. Weil Benzin leichter ist als Wasser, sorgt es für Auftrieb. Um sinken zu können, muß das Boot Ballast mitführen, der schwer genug ist, dem Auftrieb entgegenzuwirken. Wenn die Besatzung wieder aufsteigen will, wird Ballast abgeworfen. (Abgesehen von der Feuergefahr an der Oberfläche durch eine solche Menge brennbarer Flüssigkeit in einem dünnen Behälter erscheint das System nach modernen technischen Maßstäben seltsam primitiv. Es handelt sich dabei im wesentlichen immer noch um einen Unterwasser-Ballon wie bei Auguste Piccards erstem Bathyskaph FNRS 2 aus dem Jahr 1948.)

Diese Kurzübersicht von Ralph läßt mich auf eines der im Gespräch mit ihm – im Text wie im Subtext – immer wiederkehrenden Themen aufmerksam werden: *Druck*. In seinen Anekdoten wimmelt es von Männern in Raumkapseln angesichts eines tödlichen Vakuums oder in Tauchbooten, denen die Implosion droht. Der Grund, warum dies ihn so beschäftigt, wird vielleicht mit der Zeit noch klarer werden.

Ralph hat keine reguläre wissenschaftliche Ausbildung, und seine beachtlichste Leistung scheint mir womöglich darin zu bestehen, aus sich jemanden gemacht zu haben, der trotzdem bei wissenschaftlichen Unternehmungen nützlich ist. Als Kameramann, erklärt er mir, wurde ihm unangenehm deutlich, daß er bloß ein JUFO war („Just a Fucking Observer"), der anderen einen wertvollen Platz wegnahm. Darum ließ er sich als Kopilot für die MIR- und *Nautile*-Tauchboote anlernen. Normalerweise muß ein MIR-Pilot ein Universitätsstudium in Ingenieurwissenschaften, Elektronik oder Hydraulik vorweisen können. „Man kann diese Stufe überspringen, aber es kommt selten vor", sagt er. Auch dies sagt wieder einiges über sein Verhältnis zu Anatoly, ohne dessen Einverständnis niemand auch nur ins Innere eines MIR, geschweige denn an die Armaturen gelangt.

Ein zweiter Aspekt von Ralphs Leistung besagt mehr über seine intellektuellen Qualitäten. Bei vielen rein wissenschaftlichen Tauchfahrten – besonders bei den Amerikanern – hat er bemerkt, daß viele Daten links liegengelassen wurden, weil zum Beispiel Geologen die Zoologie nicht beachteten oder Biologen nicht daran dachten, die Strahlungsmeßgeräte oder die Temperatur-Sensoren anzuschalten.

(Das entspricht meinen Beobachtungen unter ähnlichen Umständen: Die Weigerung mancher Wissenschaftler, irgend etwas zu beachten, was nicht in ihr enges Spezialgebiet fällt, erinnert an alte zünftlerisch-gewerkschaftliche Abgrenzungen von der kleinlichsten Art.) Ralph fand heraus, daß er, weil er Kameramann und Kopilot zugleich war, einen „Überblick" über vielerlei verschiedene Daten registrieren konnte. „Schließlich begriffen sogar Wissenschaftler, daß es nicht nur der Forschung guttat, wenn sie mich und Emory Kristof (Fotograf vom *National Geographic*) hinunterschickten, sondern auch der Berichterstattung im *National Geographic,* die ja auch nicht zu ihrem Schaden war." Seine Arbeitsgemeinschaft mit Emory bezeichnet er als „das Sonderkommando der Unterwasser-Fotografie".

Als nächstes geht er auf einen Gedanken ein, den Anatoly geäußert hat: daß die IMAX-Expedition mit der *Keldysch,* bei der die *Titanic* gefilmt wurde, 1991 obendrein noch einiges an soliden Forschungsdaten erbracht hat. Die Biologen, sagt Ralph, konnten einundzwanzig Tierarten identifizieren, die man noch nie zusammen in einem künstlichen Tiefsee-Habitat gesehen hatte. Was noch mehr war, Geologen und Metallurgen konnten zwei neue Phänomene näher untersuchen, die man erstmals am Rumpf der *Titanic* bemerkt hatte: die sogenannten Rostbäche und Rostzapfen. Die „Rostzapfen" haben die gleiche Form wie Eiszapfen oder Tropfsteine, lange rötlichbraune Gewächse, die von Stahlflächen herabhängen; die „Bäche" fließen, der Schwerkraft folgend, eher wie Schlamm- oder Lavarinnsale an den Metallflächen hinab und über den Meeresboden. Einer Expedition des Woods-Hole-Instituts war es Ende der 80er Jahre nicht gelungen, Proben dieser Erscheinungen heraufzuholen. Diese Schwierigkeit der Probenentnahme aus solcher Tiefe ist in fast allen Fällen (und besonders bei empfindlichen Bioten) ein großes Hindernis für die Tiefseeforschung. Es besteht ein hohes Risiko der Kontamination durch andere Bestandteile der Wassersäule oder der Zustandsveränderung während des Heraufholens. Es waren russische Wissenschaftler von der *Keldysch,* denen es zuerst gelang, Proben dieser neu entdeckten Rostgebilde unversehrt zur Analyse an die Oberfläche zu bringen. Das Ergebnis war die Identifizierung einer Bakterie, die eisenhaltiges Metall frißt und Eisenoxyd und Schleim ausscheidet. Der Schleim wirkt als Bindemittel in den Rostzapfen und als Gleitmittel in den Bächen.

Einige Jahre vorher, 1979, hatte Ralph an der Expedition teilgenommen, bei der die schwarzen Schlote entdeckt wurden. Dies war auf dem ostpazifischen Rücken, und dort wurde zum erstenmal eine Lebensform entdeckt, deren Stoffwechsel nicht auf Photosynthese, sondern auf Chemosynthese beruht. Der wichtigste chemische Gehalt in diesen Heißwasserkaminen war Schwefel in Form von Schwefelwasserstoff, mit einer starken Beimischung von Eisen, und viele der Bakterien dort hatten Stoffwechselsysteme, die auf Schwefel statt auf Sauerstoff beruhten. Dies war damals unerhört; nach herrschender Lehrmeinung hätte eine so giftige Heißwasser-Chemie niemals Leben ermöglichen dürfen. Unter vielen anderen Entdeckungen fand sich dort auch eine Bakterie, die von Eisen lebte und die das unterste Glied der Nahrungskette bildete, denn Muscheln und Krabben lebten von ihr. Diese wiederum wurden von Krebsen gefressen, und ein unheimlicher, anderthalb Meter langer Krake mit weißlichgrauer Kappe lebte von den Krebsen. Viele von diesen hochspezifisch angepaßten Lebewesen sahen äußerlich wie Albinos aus, aber das Fleisch der Muscheln war hellrot und außerdem radioaktiv, weil es Radium enthielt. Die Krabben hatten zwar Augen, waren aber blind und richteten sich nach einem Infrarot-Sensor in einem Streifen auf ihrem Rükken, der sie davon abhielt, in die Säulen von ca. 400 °C heißem Wasser, das aus den Schloten kam, zu schwimmen und lebendig gekocht zu werden.

Diese Entdeckung führte weiter zu anderen hydrothermalen Schloten entlang dem 45 000 Kilometer langen „Feuerring", der die Ränder der tektonischen Platten kennzeichnet, aus denen die Erdkruste besteht. Ein gutes Beispiel befindet sich bei etwa 25° N/42° W, auf halber Strecke zwischen Florida und Afrika, die transatlantische transversale Bruchstelle (Transatlantic Geotraverse, TAG). (Die Stelle des mittelatlantischen Rückens, welche die russischen Wissenschaftler lieber aufsuchen würden, wenn sie nicht nach dem U-Boot suchen müßten, wurde von Juri Bodganow selbst 600 Meilen südlich der TAG entdeckt.) An der TAG ist ein großes vulkanisches Gebilde etwa von der Form und Größe des Houstoner Astrodroms gefunden worden. Es enthält alle drei Haupttypen der hydrothermalen Schlote: „schwarze Raucher", „weiße Raucher" und „Sprudler" (Säulen von klarem, von Konvektionsströmungen sprudelndem und schimmerndem Wasser). Dieser Kegel, so wird angenommen, ist entweder eine Pustel in der Erdkruste, verursacht durch von unten heraufdrängendes Magma, oder ein Überbleibsel eingestürzter Schlote und Kamine. Es wird vermutet, daß die eisenfressenden Bakterien an solchen Stellen dieselben sind wie die bei der *Titanic* gefundenen, doch diese Hypothese konnte bis jetzt noch nicht geprüft werden. Sie zu bestätigen, ist eines der Vorhaben, welche die Russen mit der Orca-Expedition gern verbinden möchten.

Manches daran, wie Ralph all diese Informationen vor mir ausbreitet, hält mich davon ab, ihn zu einigen Punkten nach näheren wissenschaftlichen Erklärungen zu fragen. Ich will nicht, daß er ins Stottern kommt, und er ist keiner, dem es leichtfiele, eine Frage mit „weiß ich auch nicht" zu beantworten. Hin und wieder glaube ich den Ton des „gefragten Vortragsredners" herauszuhören, der von wundervollen Dingen zu berichten weiß (und das sind sie in der Tat). Daß mir sein Ton bekannt vorkommt, liegt daran, daß ich selbst in mancher Hinsicht auch so einer bin wie er: Egal, wie kompetent wir jeder auf seinem Gebiet werden mögen, in gewissem Maße bleiben wir doch professionelle Zuschauer, er mit seiner Kamera, ich mit meinen armseligen Notizblöcken. Er ist ungeheuer mutig in einem Maße, wie ich es nie sein könnte; aber manchmal frage ich mich, ob er es wohl mit den Fakten immer ganz genau nimmt, wozu ja eine andere Art Mut gehört. Solche ultramaskulinen Männer, die es schon bedenklich finden, wenn ihr Vorname nicht männlich genug klingt, begeben sich nicht gern auf intellektuell neutralen Boden, wo eine Tatsachenbehauptung untersucht und bezweifelt werden kann, ohne daß gleich die ganze Person sich in Frage gestellt fühlt. Ich befürchte, wenn ich sagen würde: „Moment mal, Ralph, Schwefelbakterien wurden nicht erst an den hydrothermalen Schloten entdeckt; die gibt es in jederlei Meeres-Habitaten in flachem wie in tiefem Wasser, und das war schon lange bekannt", so würde das sehr herausfordernd klingen. Ebenso halte ich es für besser, der Geschichte mit den explodierten Zähnen nicht weiter auf den Grund zu gehen. Sie klingt zu authentisch, als daß sie einfach erfunden sein könnte, aber die Einzelheiten passen nicht recht zusammen. Sind die Zähne vielleicht *im*plodiert, weil ein unfähiger Zahnarzt kleine Luftlöcher in den Höhlungen nicht ausgefüllt hatte? Oder sind sie *ex*plodiert, weil Meerwasser durch Risse in den Füllungen eingedrungen war und dann, als der Außendruck nachließ, zusammen mit der eingeschlossenen Luft nicht schnell genug wieder austreten konnte? Aber so abrupt hätte der Außendruck gar nicht abnehmen können, ohne daß der Taucher getötet worden wäre; und den „Aufstieg" hätte er ja sowieso bei kontrolliertem Druck in der Transfer-Kammer und anschließend, über zwei Wochen hin, in der Dekompressionskammer gemacht. Irgendwas kann da nicht stimmen. Ich will schon glauben, daß etwas dergleichen passiert ist, wüßte aber gern, wie und was, und bin nicht sicher, daß Ralph es mir sagen könnte. Also sage ich nichts, mache mir Notizen und bestaune diesen echt seltsamen und vielseitigen Typ, der seinen Vater zum erstenmal gesehen hat, als er schon fast fünf war, denn der Mann hatte das Pech gehabt, wenige Wochen vor Pearl Harbor in Geschäften nach Hawaii zu fahren, wo ihn der Krieg völlig aus der Bahn schmiß.

Kein Zweifel, Ralph hat die Orca-Gruppe längst als einen Haufen Amateure eingestuft, und ich kann es ihm nicht verübeln. Wenn man das Äußere zum Maßstab nehmen will, dann sieht wohl niemand weniger profihaft aus als Quentin oder ich, wenn wir an den meisten Abenden zum Funkraum hinaufschwanken, mit Plastiktüten voller Modems und elektronischem Krimskrams, verlegen grinsend und lose Drähte nachschleifend. Hier in Ralphs großer Kabine, mit den Karten und der Ausrüstung, den Instrumenten und allem Zubehör in sauberen Lederetuis, dem Springeranzug voller Abzeichen und Logos im Schrank, verrät alles den Profi. Und dieser schmucke kleine GPS-Empfänger mit dem „P"-Code des Militärs?

„Ach, der? Den soll ich für die Hersteller testen. Er heißt Magellan."

Aber klar, wenn er für die CIA oder für das Pentagon arbeitet, wird er's nicht zugeben. Wie das mit den Sonderkommandos auch sein mag, für mich ist dieser einstige Marinesoldat nun der Oliver North der Unterwasser-Fotografie.

Elf

31.1.95

Heute früh haben wir den Wendekreis des Krebses überquert. Wo bleibt das Gelage?

Das Sonarkabel ist unter Spannung gesetzt und wieder verstaut worden. Die Leistungsfähigkeit der Winde und der Techniker, die sie bedienten, hat Quentin so sehr imponiert, daß er sich vorgenommen hat, in Erfahrung zu bringen, wo die Winde hergestellt wurde. Er kehrt heute den Geschäftsmann heraus und schmiedet Pläne als Lieferant für ozeanographische Ausrüstungen. Geotek Ltd., seine Firma, entwickelt geophysikalische Instrumente und Sensoren und stellt sie her.

Am Abend des 2. Februar sollen wir das Suchgebiet für *Dolphin* erreichen. Das Kommunikationschaos bei Orca hält an. In den Kabinen und auf den Korridoren wird unablässig und zunehmend gereizter über ein sich selbst verstopfendes Programm diskutiert, das die einzelnen Botschaften nicht löscht, nachdem sie gesendet worden sind, so daß nun Tag für Tag jede Nachricht zu den vorigen Nachrichten hinzugefügt wird. Orca wird eine Telefonrechnung von der Art bekommen, wie sie jene europäischen Eltern kennen, die entsetzt herausfinden, daß ihre gelangweilten Kinder transatlantischen Telefonsex mit New York oder San Francisco getrieben haben. Nur daß Orca für sein Geld bisher auch nichts halb so Aufregendes bekommen hat, auch wenn Simons Mitteilungen allmählich einen gewissen herrischen Gestus anzunehmen beginnen, um so mehr, je weniger Clive seinerseits mit der Entschlüsselung ihrer Schulzeitungs-Chiffre zu Rande kommt.

Die Sauna ist stark besucht, das Schwimmbecken voll. Es ist eigentlich mehr ein Abkühlungsbecken für die Sauna, ein Tank, etwa fünf Meter lang und zweieinhalb Meter breit, in dem richtiges Schwimmen so gut wie unmöglich ist. Wer will, kann sich einen elastischen Gurt anlegen und „auf der Stelle schwimmen" wie ein angeschirrter Frosch. Nach dem Mittagessen um 11 Uhr 30 kommen dienstfreie Matrosen und Wissenschaftler einzeln oder zu zweit in Badekleidung heraus. Es sind verhältnismäßig viele ältere Leute auf dem Schiff, bei deren Anblick wir uns melancholisch an die Schwächen der eigenen fleischlichen Hülle erinnert fühlen – mancher mehr, mancher weniger, und am wenigsten gewöhnlich diejenigen, die am meisten Grund hätten, befangen zu sein. Zu den jüngeren Schwimmern gehören die MIR-Piloten, die rücksichtsvoll warten, bis die stattlichen Biologinnen prustend herausgestiegen kommen und der Wasserspiegel ihr nylonbespanntes Unterteil platschend und schwappend freigibt. Dann lassen sich diese schlanken jungen Männer – ebenso muskulös wie nur irgendein Rambo aus Amerika, aber nicht so eitel und nicht so kamerabewußt – geräuschlos auf den Grund des Beckens sinken und verharren dort regungslos fünf Minuten lang. Der eine hat eine Flügeltätowierung auf dem Oberarm, vielleicht ein Gelöbnis unverbrüchlicher Kameradentreue unter der Fallschirmjägerelite in Afghanistan oder irgendwo anders; es sieht aus wie ein Regimentswappen. Ein kleiner Kerl, der mehr Gold im Mund hat, als vermutlich in der *Dolphin* zu finden sein wird, ist ein ehemaliges Mitglied eines Spezialkommandos der Roten Armee. Das ist „Klein-Lew", wie er genannt wird. Er steuert die *Koresch,* das Begleitboot, das den MIRs beim Start und bei der Wiedereinholung behilflich ist. Das ist eine wichtige, manchmal gefährliche Aufgabe; das Leben der erschöpften Aquanauten, die nach einer langen Tauchfahrt in den schlingernden MIRs sitzen, liegt für eine Weile in seinen Händen. Über ihn geht das Gerücht, er könnte, wenn nötig, einen Mann mit dem kleinen Finger töten. Ralph zieht es vor, von ihm Abstand zu halten. Ich ertappe mich dabei, wie ich ihm distanziert zulächle und dabei hoffe, daß er's nicht mißverstehen wird. Er kommt mir ganz freundlich vor, spricht nur eben nicht allzugut englisch. Warum sollte er auch?

Die meisten anderen Badenden sehen wie Nerds aus, ein weiterer Beweis dafür, daß dieses Merkmal erblich und vom jeweils abgelegten Gefieder unabhängig ist. Dies ist eine bedeutende anthropologische Erkenntnis. Es ist doch nett, sich die Russen zum Vorbild zu nehmen und bei Gelegenheit einer Schatzsuche (ich muß mich wirklich dran gewöhnen, immer „Bergungsoperation" dazu zu sagen) nebenher ein bißchen harte Forschung zu treiben. *Homo nerdus* ist eine Gattung für sich. Vielleicht sollte ich die Neuigkeit an Richard Leakey faxen, wenn man zur Zeit irgendein Fax herausbekäme – aber dazu müßte man selber ein Nerd sein.

Immer noch keine fliegenden Fische. Offenbar ist das Wasser nicht warm genug. Allerlei Geräte werden jetzt an Deck ausgebreitet, vom Bug bis achtern. Piepsende Meßgeräte und Transponder werden bereitgelegt, Ladebäume ausgeschwenkt und geölt. Wissenschaftler schleppen die Sonden und Antennen für ihre Experimente herauf. Ein Meeresbiologe macht ein großes Planktonnetz bereit. Die Meteorologin hütet ihren Bienenkorb über der Brücke, einen weißen Schrank mit Jalousietüren. Eine Art gemütliches Durcheinander wie auf jedem betriebsamen Forschungsschiff. Lange, dünne Hängematten, vertikal zu beiden Seiten des Vormasts aufgespannt, sieben Partikel aus der Atmosphäre. Etwas größere Partikel werden unterdessen über Bord geworfen, darunter auch die bunten Fruchtsaftkartons von der Party. Sie flattern im Wind und bleiben von den Wellen geschüttelt achteraus zurück. In jeder Kabine hängt ein Schild mit Verhaltensvorschriften, von denen eine lautet: „Es ist *verboten,* Streichhölzer, Zigarettenstummel oder anderen Abfall über Bord zu werfen." Genauso war es 1990 an Bord der *Farnella.* (Dazu erzählt mir Quentin, daß die arme *Farnella* seither verlängert worden ist: Sie wurde buchstäblich in zwei Hälften zersägt, bekam in der Mitte ein vorgefertigtes 20 m langes Teil eingesetzt und wurde dann wieder zusammengeschweißt. Sie wurde umgetauft und steht nun als Charterschiff für die Offshore-Bohrindustrie zur Verfügung.) An Deck spielen die Russen nun Volleyball unter einem großen, an einem Ladebalken aufgehängten Netz.

Warum nehmen die Russen ihre Sonnenbäder im Stehen? Ich glaube, dies war mir schon einmal auf einer alten Ansichtskarte von einem Schwarzmeerstrand aufgefallen. Ist dies die Nachwirkung irgendeines Lehrsatzes aus den 50er Jahren über die Gesundheit des Sowjetmenschen?

Gegen Abend erscheint der Anarchist auf dem Brückendeck. Er trägt ein einfarbiges T-Shirt und sehr kurze Shorts. Er hat einen runden, muskulösen Hintern, dessen Backen sich mit dem Rollen des Schiffes wölben und spannen. Die Augen eingekniffen zwischen Bart und Baskenmütze blickt er voraus, direkt in die Schmelzbahn der untergehenden Sonne. Sein Gesicht ist traurig und bestrickend.

1.2.95

Die rüttelnde Düsternis der Bucht von Biskaya verblaßt in der Erinnerung. Der Wind ist immer noch stark, aber das Wasser scheint hier weniger zu wiegen oder leichtsinniger aufzusprühen, wenn die Wellen im Vorüberrauschen ihre Gischtschleier schwenken. Der Ozean ist von einem vollen, leuchtenden Blau, wie man es in nördlichen Breiten nicht kennt. Binnen fünf Minuten sehen wir einen Pottwal sechsmal seine Fontäne blasen und dann, in einiger Entfernung, mit einem krachenden Schlag seiner Schwanzflosse steil abtauchen. Die ersten fliegenden Fische schnellen sich über die Wellentäler. Die Sonne flutet herab, und auf dem Schiff macht sich eine sommerliche Behaglichkeit breit. „Ausspannen! Viel Spaß!“ ruft Anatoly mit grimmigem Lächeln und läßt sich wie eine Bombe ins Becken plumpsen, daß wir naßgespritzt werden.

Plötzlich kommt uns das Wetter wie ein Geschenk vor, eine Erlösung aus dem tiefen Winter, den wir hinter uns gelassen haben. Wir sind keine Engländer, Amerikaner oder Russen mehr, nur noch Tiere, die nach dem Winterschlaf die Glieder strecken, „halbirr nach hellrem Licht“ (wie es Tennyson einmal von seiner jugendlichen Begierde nach sonnigeren Tagen als denen in Lincolnshire gesagt hat). An solchen Tagen scheint die Menschheit ganz unteilbar, durch und durch homogen zu sein, unbeschadet der kleinen örtlichen Besonderheiten der Hautfarbe oder Kultur. An anderen Tagen ist sie wie zerstückelt, für immer getrennt durch Abgründe zwischen den Denkweisen, die alles Wissen und Erleben in Kategorien aufteilen, in denen es unkenntlich wird. Keines dieser beiden Verhältnisse ist richtig, keines ist falsch. Beides gehört in den Bereich des für gewöhnlich Unentscheidbaren, das oft plötzlich nach der einen oder anderen Seite scharf ausschlägt, ohne daß etwas Schwereres in die Waagschale gefallen wäre als ein Tag mit strahlendem Wetter.

Die Vorträge um 6 Uhr abends sind eine ernsthafte Angelegenheit. Heute gibt es eine Vorbesprechung, die bewirken soll, daß wir alle das technische Vorgehen begriffen haben, wenn wir morgen das *Dolphin*-Suchgebiet erreichen: was zu geschehen hat und in welcher Reihenfolge.

Es wird fast nur Russisch gesprochen, und es wäre die denkbar beste Zeit, um sich mit einem Gin-Tonic auf die Brücke zu setzen und den Sonnenuntergang zu betrachten. Trotzdem macht diese Sitzung es schwer, die Leute nicht zu mögen, sogar die Nerds, wenn sie einer nach dem andern aufstehen und zu ihren Kollegen sprechen, ebenso wie zu diesen undurchschaubaren Ausländern in ihrer Mitte. Todernst, während der ganze Raum aufmerksam zuhört, sprechen diese offensichtlich unterbezahlten Wissenschaftler über das Geflüster des Geochemikers hinweg, der für uns dolmetscht. Sie haben große Karten und Diagramme dabei, sorgfältig mit Filzschreibern ausgearbeitet, und heften sie hinter sich an die Tafel. Dann und wann deutet einer mit der Hand darauf. Wir sehen strubbeliges Haar, ausgefranste Hosen, brombeerfarbene Socken hinter den Riemen ihrer Kaufhaussandalen.

Quentin bemerkt, wer zur See fährt, würde zu einer Uhr, die immer mehr von der zentralen Zeit abwiche. Wenn man wieder an Land geht, ist man im Ungewissen, in einer anderen Zeitzone, verquer zur Ortszeit. Wie soll man da je nachkommen? Aus den internationalen Nachrichten der BBC wissen wir, daß in Holland zur Zeit Überschwemmungen herrschen, die auch das übrige Nordeuropa bedrohen, aber das kümmert uns nicht wirklich. Dieses Schiff ist die ganze Welt. Ein Schiff auf Fahrt mit seinen Regeln, Bräuchen und Arbeitsrhythmen ist ein eigenes Hoheitsgebiet. An die Namen von Menschen und Orten an Land kann ich mich kaum mehr erinnern, und dabei sind wir kaum zehn Tage auf See. Ein merkwürdiges Phänomen, das zu allen Zeiten bekannt war. (In Patrick O'Brians Seegeschichten ist oft davon die Rede.) Weib und Kind, Verwandte und Geliebte sind aus dem Kopf des Seemanns weggewaschen, als wäre alles Wasser des Meeres darüber hingespült. Vom Oberdeck aus gesehen ist der Horizont etwa fünfzehn Seemeilen weit entfernt. Seit Falmouth sind wir zweihundertmal über den Horizont gefallen.

Es stellt sich heraus, daß Clives Ärger über Simons angebliche Panne mit ihrer Schulzeitungschiffre unangebracht war. Tatsächlich waren die Zahlenkolonnen, die er jeden Tag auf seinem Bildschirm fand und die er fleißig in gutes Englisch zu übersetzen versuchte, die vom Computer geleistete hexadezimale Kodierung ganz normaler Beschwerden über unsere verschwenderischen Ausgaben für eine Kiste Madeira usw. Mit anderen Worten, Clive hatte versucht, DOS oder etwas dergleichen zu entschlüsseln. Als ich dies bei einem großen Glas von besagtem Madeira erfuhr, konnte ich mich nur noch schlaff gegen eine Wandluke lehnen, während die untergehende Sonne sich über den ganzen Horizont ausschüttete. Es gibt eine tiefe selbstgeschaufelte Grube elektronischer Finsternis, in die sich Scharen von Menschen freiwillig und unter begeistertem Gebrüll hineinstürzen, eine Art umgedrehten Turm von Babel. Oben im gewöhnlichen Tageslicht blickt ein zufällig Vorüberkommender in das Durcheinander hinab und hört ein geheiligtes Wort, das wieder und wieder aus dem Stimmengewirr heraufdringt: „Kommunikation!“ Der Passant (sofern er kein Trottel ist, der gerade ein Buch schreibt) fühlt sich zu einem philosophischen Reduktionsschluß verlockt, zu dem Gedanken, daß Kommunikation in Wahrheit nicht nur unnötig, sondern auch unerwünscht ist. Kurt Vonneguts Harmoniums, selbstgenügsame Lebewesen, die sich tief in den Höhlen des Merkur an die Wände schmiegen, beschränken ihre Kommunikation auf zwei mögliche Botschaften, von denen die zweite die automatische Antwort auf die erste ist: „Hier bin ich, hier bin ich, hier bin ich“, und: „Wie schön, wie schön, wie schön.“ Mehr ist nicht nötig. Ich für mein Teil gäbe mich gern mit „guten Morgen“, „guten Abend“ und „tschüß“ zufrieden. Quentin, der *Die Sirenen des Titan* noch nicht gelesen hat, aber von der Vorstellung dieser friedlichen, stillen Geschöpfe ganz begeistert ist, erzählt mir, daß Mike Somers, Physiker am Ozeanographischen Institut von Southampton und kürzlich zum Officer of the Order of the British Empire ernannt, den Ausdruck „Communaholics“ geprägt hat, als Bezeichnung für die handytragenden, tastenhämmernden, internetsurfenden, modemkompatibilisierenden und E-mailenden Bürger der neuen Demokratischen Republik Nerdien. Ich erinnere mich an Mike Somers, wie er auf Hawaii an Bord der *Farnella* kam, um als Leiter des Sonar-Teams eine Etappe der geologischen Vermessungsfahrt für die US-Regierung mitzumachen. Er hatte keinen Computer bei sich und machte alle seine Aufzeichnungen in Langschrift. „Er verabscheut Kommunikation als eine Form der Einmischung ins einsame Erleben einer Seereise“, sagt Quentin voller Bewunderung. Und voller Neid.

Aber Clive... Clive Hayleys Persona ist so bestrickend, wie seine Position an Bord der *Keldysch* umstritten zu sein scheint. Ich war ihm nie begegnet, bis wir uns in Simon Frasers Haus in London kennenlernten, während wir darauf warteten, daß die Kaliningrader Mafia den Treibstoff für das Schiff freigab; aber seltsamerweise hatte ich das Gefühl, ihn schon lange zu kennen. Sein verstorbener Vater war Psychoanalytiker, der heißgeliebte Supervisor zweier meiner besten Freunde, und über den alten Tom Hayley hatte ich im Lauf der Jahre einiges an rührenden und lustigen Geschichten gehört. Offenbar war er einer jener geistreichen Exzentriker gewesen, die England früher so oft hervorbrachte: Beamter der britischen Kolonialverwaltung in Indien, ein Bezirkskommissar, dessen Propaganda für die Kriegsanstrengungen seinen Gegnern, den Führern der Kongreßpartei, soviel Eindruck machte, daß sie ihn nach der Unabhängigkeit als Berater für die landwirtschaftliche Entwicklung in Assam zurückholten. Er scheint geholfen zu haben, den indischen Widerstand gegen Nationalisten wie Subhas Chandra Bose zu organisieren. Nach dem Krieg wandte er sich der Psychoanalyse zu und war mit James Strachey, Freuds englischem Übersetzer, befreundet. Seine Witwe betreibt heute noch anthropologische Feldforschung.

Das war so gut wie alles, was ich über Clive wußte, bevor ich ihn kennenlernte, nicht viel, aber genug, daß er mir nicht völlig fremd war. Wir saßen noch fest in Falmouth, als Quentin von einem Einkaufsbummel mit Clive und Jean Anderson erzählte. Jean hatte Clive gefragt, in welchem Kaufhaus er seine Reisevorräte kaufen wolle, ob bei Tesco oder Sainsbury. „Egal“, hatte Clive freundlich geantwortet, „ich glaube, bei beiden bin ich noch nie gewesen.“ Bei jedem andern hätte sich das nach Vornehmtuerei angehört; bei Clive stimmte es vermutlich, denn es war noch nicht lange her, daß er aus dem Familienwohnsitz im Londoner West End, seinem Geburtshaus, ausgezogen war, und dort hatte er über dreißig Jahre in Verhältnissen gelebt, in denen es wohl nicht oft nötig wurde, daß er selbst einkaufen ging. Man trifft heute nicht alle Tage jemanden, der sein Londoner Büro im gleichen Haus hat, in dem er geboren ist, und noch seltener jemanden, der sein Leben lang noch nie bei Sainsbury oder Tesco gewesen ist. Ihr Besuch dort, von dem Quentin erzählte, muß sehr belustigend gewesen sein, denn Clives befremdete Ahnungslosigkeit vor den gewöhnlichsten Haushaltsartikeln war augenscheinlich echt. Jean Anderson sagte, es sei gewesen wie ein Einkaufsbummel mit einem afrikanischen Stammeskrieger.

Auch jetzt, wo ich ihn erst allmählich näher kennenlerne, weiß ich doch, daß es ein böser Irrtum wäre, aus diesem Eindruck von Weltfremdheit den Schluß zu ziehen, daß Clive entweder ein verträumter Intellektueller oder ein kauziger Bonvivant sein müsse. Tatsächlich ist er von hellwachem Verstand und hat Freude an guten Dingen. Er hat einen ausgeprägten Sinn für zynischen Humor, oft auf Kosten der eigenen Person. (Niemand, der sich selbst übermäßig ernst nimmt, würde mit einem alten Aston Martin in der Stadt herumfahren – James Bonds Modeschlitten von vor dreißig Jahren.) Man darf nicht vergessen, daß Clive ein erfolgreicher Rechtsanwalt ist: Das allein sollte genügen, jeden Verdacht auf Lebensunkundigkeit zu zerstreuen. Trotzdem scheint dies den Eindruck, den er auf manche Menschen macht, nicht korrigieren zu können, denn der Anwaltsberuf gehört – ähnlich wie Politik oder Journalismus – bei aller Furcht vor den Schlägen, die er auszuteilen vermag, zu den zutiefst verachteten Berufen. Sagalewitsch zum Beispiel mißtraut ihm gründlich, wobei allerdings zu sagen ist, daß Mißtrauen Anatoly im Blut liegt wie dem Vogel der Nestbau. Auch Mike und Andrea haben jeweils ihre Gründe, ihm gram zu sein. Vielleicht hat dies weniger mit seiner Person als mit seiner Stellung als Interessenvertreter der Investoren zu tun. Sie sind die alten Goldsucher mit der Karte und dem langgehegten Traum und geben nur widerwillig zu, daß man erst einmal Geld braucht, um zu Geld zu kommen. Mike hat noch einen anderen, aktuelleren Grund zur Unzufriedenheit. Ich glaube nun, es waren Clive und Simon, die summarisch entschieden haben, ihn kraft höherer Gewalt aus seiner Luxuskabine auszuquartieren. Sicher haben sie geltend gemacht, daß die große Kabine den wichtigen Besprechungen und folgenreichen Entscheidungen in einer Kommandozentrale für die gesamte Expedition angemessener sei. Wenn das so ist – und wenn wir das Gold *nicht* finden –, dann wird allein schon diese Maßnahme, denke ich mir, im weiteren Verlauf der Fahrt ein beträchtliches symbolisches Gewicht erlangen.

Aber all dies kümmert mich wenig. Ich mag Clive, weil er auf seine Weise auch ein Bohemien ist. Mir gefällt seine belustigte, unsentimentale Auffassung von der allen Menschen (auch ihm selbst) angeborenen Kriminalität, sein Verständnis für die Anarchie in unseren echten Wünschen und für die verdeckten Absichten im Weltgeschehen, das mit dem halbamtlichen Bild vom Leben, wie es uns die Medien präsentieren, so wenig Ähnlichkeit hat.

Sein Freund Simon dagegen trug einen ganz anderen Charakter zur Schau, als ich einige Nächte unter seinem gastfreundlichen Dach in Holland Park verbrachte. Bei all seinen Geschäftsverbindungen in der City wirkt er immer noch wie der Marineoffizier, der er für kurze Zeit einmal war: forsch und korrekt, mit einem kühlen Blick, der ermahnen und strafen kann. Wenn Clive manche Leute verunsichert, weil er sozial schwer einzuordnen und zu durchschauen ist, so scheint Simon – auf den ersten Blick – einen geläufigeren „Typ" darzustellen. Ich denke, der Kontrast zwischen beiden ist einfach Spiegelbild ihrer sehr unterschiedlichen Erziehung. Es ist kein Unterschied der Klasse, sondern des Milieus. Clive ist der Sohn eines exzentrischen Intellektuellen, während Simon, soweit seine Persönlichkeit zutage liegt, eine feste Verwurzelung im Konventionellen erkennen läßt, obwohl er zu intelligent ist, um der Konvention viel Beachtung zu schenken. Wie sich herausstellt, verbindet mich auch mit ihm eine freilich dünne Beziehung, denn sein Vater hatte in seiner Arztpraxis einen Partner, der der Gynäkologe der Königin war, und mit ihm hatte meine Mutter gelegentlich als Anästhesistin zusammengearbeitet. In der Liga der Sonderlinge rangieren Hofgynäkologen allerdings wesentlich niedriger als Psychoanalytiker.

Ebenso wie es falsch wäre, Clive für weltfremd zu halten, wäre man im Irrtum, sähe man in Simon einen Spießer. Auch in ihm steckt noch etwas Unbändiges, als hätte sich der halsbrecherische Leichtsinn seiner Studentenzeit (Hanggleiten in den Alpen) fortgepflanzt und in eine zulässige Form des Geschäftssinns verwandelt, die Begeisterung für risikoreiche, ungewöhnliche Projekte. Er hat einen scharfen Blick für gewinnträchtige Unternehmungen, bei denen dieselbe Art Druck ins Spiel kommt, die auch Ralph liebt: Rennwagen, Tiefseebergung und dergleichen. In dieser Hinsicht haben Clive und Simon überraschenderweise eine ausgeprägte Vergnügungslust gemeinsam, eine Haltung, die nicht einsehen will, warum man sich beim Geldverdienen nicht auch noch amüsieren dürfte. Wenn sie zusammen auftreten, kann es scheinen, als spielten sie ein gut/böses Duo von Slapstick-Polizisten, mit Clive in dem übermütig komischen und Simon in dem strengeren und grimmigeren Part – eine Paradenummer: Scheinbar unachtsam, erfassen sie doch alles, worauf es ankommt, und vergessen nichts, wobei Simon einen ebenso regen Witz beweist wie Clive, mit viel Sinn für den trockenen Seitenhieb.

All dies erklärt wohl, warum sie jeder so verschieden aufgefaßt werden, und vielleicht auch, warum Anatoly sich nicht scheut vorzuschlagen, daß Simon, wenn er in Dakar an Bord kommt, eine Strafe verdient hat – eine Strafe dafür, daß er Simon ist, die ihn, wie Anatoly mit freudigem Unterton zu verstehen gibt, bei der Äquatortaufe ereilen soll. Der arme Simon! Er ist in Abwesenheit für Sagalewitsch zum Stein des Anstoßes geworden, zum Brennpunkt seines Abscheus vor all den City-Haien, westlichen Kapitalisten, Gaunern in Nadelstreifen, Geldzählern und Drahtziehern der neuen Welt, in der er sich gefangen sieht. Daß er Simon, der nichts von alledem ist, damit grotesk ungerecht beurteilt, schreckt ihn überhaupt nicht. Unausgesprochen wird deutlich, daß Anatoly ihn von Anfang an nicht mochte, und Anatolys Bundesgenossen wie Ralph versäumen nicht, in allen Einzelheiten zu schildern, was Simon zu erwarten hat, wenn er vor das „Gericht" zitiert wird, in dem Sagalewitsch den König Neptun spielt. Genüßlich verbreitet Ralph sich über die gewalttätige Zeremonie, die er schon so oft an Bord der *Keldysch* miterlebt hat: Wie Leute über Bord geworfen wurden (vom Brückendeck bedeutet dies einen Sturz von 18 Metern: nicht wenig!); wie einer so ungenau ins Schwimmbecken geschleudert wurde, daß sein Kopf auf den Beckenrand krachte – laut genug, daß man es noch auf jemandes Video-Aufzeichnung hörte; wie ein Stoßtrupp von ehemaligen *Spetsnats*-Männern das Schiff bis in den letzten Winkel nach Drückebergern durchsuchte; wie ein verängstigter Russe unter seiner Koje vorgezerrt werden mußte, ehe er sich zu König Neptuns Lustbarkeit einfand. (All dies scheint mir Grund genug, das Schiff in Dakar zu verlassen.)

Unterdessen gewinnt Clive, von dem sich Anatoly zu Beginn dieser Reise vermutlich ein ebenso finsteres Bild machte wie von Simon, allmählich Sagalewitschs widerwilligen Respekt, womöglich deshalb, weil ihn das kriegerische Gebaren der Russen bei den öffentlichen Sitzungen nicht im mindesten aus der Fassung bringt. Konfrontationen sind ja auch seine Spezialität. Quentin sagte neulich, Clive sei eigentlich der geborene Straßenhändler; und dies war bewundernd, nicht geringschätzig gemeint. Clive, als Anwalt, versteht es glänzend, Dinge zu verkaufen. Er mischt sich gern unter die Leute und manipuliert sie – nicht unbedingt in böser Absicht, aber wenigstens teilweise zu seiner inneren Genugtuung über die Unverschämtheiten, die er sich erlauben kann. Aufmerksam und spottlustig, wie er ist, erwartet er, daß jeder andere intelligente Mensch sich ähnlich verhält wie er selbst. Mir ist nicht klar, ob Simon, der einige Zeit in der Wall Street verbracht hat, auch nur annähernd so viel Vergnügen daran findet, menschliche Schwächen, einschließlich seiner eigenen, zu beobachten. Deshalb, zugleich aber auch wegen seines eher versteckten Humors, ist Simon von beiden der augenscheinlich leichter Verwundbare. (All dies ist natürlich nur, was ich glaube beobachtet zu haben, bei sehr flüchtiger Bekanntschaft. Wie so viele Schriftsteller – wahrscheinlich die meisten – bin ich kein großer Menschenkenner.) Bei Gelegenheit gibt Mike offen seine Skepsis in bezug auf Simon zu erkennen. Es sei ja möglich, sagt er, daß Simon mal eine Weile in der Royal Navy gedient habe, aber was solle man davon halten, daß er neulich, als die *Keldysch* noch in Kaliningrad aufgehalten wurde, ihn, Mike, gefragt habe, wie viele Gallonen Treibstoff das Schiff denn brauche? „Gallonen!" rief Mike voll Verachtung. „Das weckt echt Vertrauen! Da sieht man mal, was der Mann von der Seefahrt versteht. Und der soll in Dakar an Bord kommen und für Orca alles regeln." Und allmählich kann ich mir nun auch von Mikes innerem Zustand eine Vorstellung machen. Es würde mich nicht wundern, wenn Simon ihn bei der Gelegenheit aufs Glatteis geführt hätte.

Zwölf

3.2.95

Wir sind nun vor Ort. Die Bathymetrie wurde begonnen und abgeschlossen. Über Nacht hat das Sonar-Team anhand von Echolot-Daten ein Meeresbodenprofil des Suchgebiets für *Dolphin* gezeichnet, damit der Sonarschlitten, wenn er ausgefahren wird, nicht versehentlich an eine Erhebung stößt und Schaden nimmt. Das Gebiet erweist sich als beinah ideal: gegliedert genug, um der Navigation Anhaltspunkte zu bieten – für den Fall, daß wir das U-Boot finden –, aber nirgendwo hoch genug, um den Sonarschlitten ernstlich zu gefährden; etwa zu 10 Prozent Gestein, zu 90 Prozent Sediment. Also besteht eine zehnprozentige Chance, daß das U-Boot auf nacktem Basalt liegt und auf den Sonar-Bildern nicht zu sehen sein wird. Nach der vereinbarten Einteilung der Suchgebiete nach Prioritäten befinden wir uns nun in einer Zone mit 68prozentiger Wahrscheinlichkeit. Zum Glück sind in dieser Tiefe und Position die Strömungs- und Ablagerungsgeschwindigkeiten zu gering, als daß zu erwarten wäre, daß das Wrack schon nach fünfzig Jahren mit Sedimenten bedeckt ist.

Wie man mit Sonargeräten ein detailliertes Bild vom Meeresboden gewinnt, ist im Prinzip leicht zu verstehen, wenn man sich Sonar als eine Art Unterwasser-Radar vorstellt, bei dem Schall- statt Funkwellen reflektiert werden. Die technische Ausführung allerdings ist nicht so einfach. Der ZVUK-Schlitten, den wir verwenden, ist insofern hausgemacht, als er vom Schirschow-Institut entwickelt wurde, dem auch die *Keldysch* gehört. Der rechteckige Rahmen aus rostfreiem Stahl, etwa zwei Meter lang, einen Meter breit, wird langsam (bei ein bis zwei Knoten) hinter dem Schiff hergeschleppt, am Ende eines Kabels, das lang genug ist, um ihn bis dicht über den Meeresboden herabzulassen. In so tiefem Wasser wie hier kann das eine Kabellänge von 7 Kilometern bedeuten; der Schlitten ist also nicht nur tief unter, sondern auch ein gutes Stück weit hinter dem Schiff. An beiden Seiten des Schlittens befindet sich eine Reihe nach außen gerichteter, leicht nach unten abgewinkelter „Pinger", die einmal pro Sekunde einen fächerförmigen Schallstrahl aussenden. Der Fächer hat nur eine geringe Dichte, dafür aber eine Reichweite von bis zu 750 Metern nach beiden Seiten. Jede Sekunde fangen diese Umwandler das akustische Echo auf und übermitteln es in Form elektronischer Impulse durch das Kabel auf die Computerschirme des Sonar-Labors, wo sie Linie für Linie ein Bild erzeugen. Die Interpretation dieser Bilder ist insofern ähnlich wie bei fotografischen Luftaufnahmen, als die Gegenstände Schatten werfen. Das „Lesen" der Bilder ist an sich nicht schwer zu erlernen, aber Erfahrung ist hier unentbehrlich. Dies wird besonders deutlich, wenn die langen Ausdruckstreifen nebeneinandergelegt werden. Geologische Merkmale, die erkennbar über die Ränder hinausreichen, lassen sich nicht immer ohne weiteres mit ihrer Fortsetzung auf dem benachbarten Streifen zusammenfügen.

Darin wird schon die größte Schwierigkeit aller Seitensonar-Messungen deutlich: zu wissen, wo man sich befindet. Da die Orientierung unauflöslich mit der Navigation verbunden ist, muß eine ganze Reihe Variablen berücksichtigt werden. Theoretisch könnte das Schiff den Sonarschlitten bei konstanter Geschwindigkeit in vollkommen geraden Linien hinter sich herziehen, so daß Reihen von ein wenig überlappenden Streifen entstünden – eine Technik, die man daher auch „Rasenmähen" nennt. Praktisch geht das natürlich nicht. Bei so wenig Fahrt ist es schwer, mit dem Schiff einen geraden Kurs zu halten: Immer wieder wird der Bug von einem Windstoß, von einer Querströmung oder von Wellen ein wenig in die eine oder andere Richtung abgelenkt. In jedem Augenblick muß das Schiff genau „wissen", über welchem imaginären Punkt auf der Erdkruste unter ihm es sich befindet; und dazu bedarf es des GPS und anderer Navigationsgeräte. Dieses elektronische Wissen wird in den Computer der Sonaranlage eingespeist, damit er Dinge wie Abdrift und wechselnde Fahrgeschwindigkeit automatisch korrigieren kann.

Das Sonarbild aber zeigt im gleichen Augenblick ein ganz anderes Stück Meeresboden, einige Kilometer hinter der Position des Schiffes und – wenn eine Strömung es so will – mehr oder weniger seitab. Das ist schon schlimm genug. Wenn aber das Schiff am Ende einer Bahn kehrt macht, um einen genau parallelen Streifen in entgegengesetzter Richtung abzufahren, müssen alle Variablen umgekehrt werden, obwohl sich natürlich in der Zwischenzeit der Wind gedreht haben kann. Darum versenkt man, bevor die Suche mit dem Sonargerät beginnt, ein Netz von Transpondern, die, dicht über dem Grund befestigt, ein Gitter von Fixpunkten vorgeben und jeder auf einer eigenen Frequenz senden, ähnlich wie die farbkodierten Baken, die der amerikanische Pilot abwarf, bevor er das japanische U-Boot versenkte. All dies zeigt wohl die Kluft zwischen einer ganz einfachen Theorie und der Praxis. Die ganze Operation kann leicht in ein alptraumhaftes Durcheinander von Schwierigkeiten beim Führen des Schlittens und widersprüchlichen elektronischen Daten ausarten, wenn die vom Schiff aus aufgenommenen „Bilder" mit denen des Schlittens nicht übereinstimmen. Es kann sein, daß ein Sonarbild, ohne erkennbar verzerrt zu sein, mit dem benachbarten einfach nicht zusammenpassen will, wenn die Ausdruckstreifen nebeneinandergelegt werden. Falsche Entfernungsangaben, die auf dem Ausdruck geringfügig erscheinen, können später dazu führen, daß ein Tauchboot, das außerhalb seines kleinen Lichtkreises ja blind ist, ein nur wenige Meter entferntes, interessant aussehendes Objekt vollkommen verfehlt. Dies ist der Grund, warum Tiefseebergungen eine so verzwickte Angelegenheit sind. Allzu oft nur kommt dabei das jedem Schatzsucher vertraute Gefühl des „Wenn doch..." auf. Wenn doch der Spatenstich 45 Zentimeter weiter links angesetzt worden wäre...! Wenn doch das U-Boot nicht ausgerechnet hinter einer Basaltklippe niedergegangen wäre, die seine Konturen so exakt verdeckte ...!

Es ist ein dunkler, verhangener Morgen, und die *Keldysch* läuft nun mit weniger als zwei Knoten durchs Suchgebiet, zum erstenmal mit dem voll ausgefahrenen ZVUK-Schlitten im Schlepptau. Vor nicht ganz einundfünfzig Jahren hätte man dieses Gebiet voller graugestrichener Kriegsschiffe und Trägerflugzeuge gesehen, die die Kampfzone absuchten: die *Bogue,* die *Haverfield* und die übrigen. Öl hätte auf dem Wasser getrieben, Fleischfetzen und Rohgummiballen. Drei Meilen unter uns, irgendwo zwischen niedrigen Hügeln und Mulden muß nun *I-52* liegen, ohne die vierundneunzig japanischen und die drei deutschen Seeleute. Es ist leicht, sich im Gedanken an sie einer diffusen Melancholie zu überlassen, aber nicht so leicht, an der Schicksalsstätte irgend etwas denkwürdig zu finden. Das Schlachtfeld ist ja nicht mehr vorhanden. Das merkmallose Wasser ist nicht dasselbe merkmallose Wasser, das diese kleine Kampfhandlung in einem längst vergangenen Krieg erlebt hat. Nichts ist mehr dasselbe, nur dieses ruhelose Dahinfahren auf der Wasserfläche, mit einem Dieselgeruch in der Luft, umgeben von leise bebenden warmen Metallwänden. Nichts ist geblieben; die See macht keine Gefangenen. Unten wird es keine Skelette mehr geben, nicht nach einem halben Jahrhundert in dieser Tiefe und bei diesem hydrostatischen Druck. Nicht mal das Opium kann noch dasein; das Harz muß sich längst aufgelöst haben. Fast drei Tonnen Rohopium wären nicht so gut wie zwei Tonnen Gold, aber für gute Laune hätten sie gewiß sorgen können.

Plötzlich scheint alles an diesem Unternehmen trivial zu sein, an dieser langen Ereigniskette, die so weit in die Vergangenheit zurückreicht und deren anderes Ende nun hier auf diesem Stück Ozean schwimmt. Die grenzenlose Vergeudung menschlicher Intelligenz im Kriege, die Vergeudung von Leben, Liebe und Zeit; die Belanglosigkeit von Macht; der Eindruck, daß Gold selbst nur komprimierte

Leere ist, ein Gemeinplatz der Träume. All dies trägt bei zu einer Melancholie, die uns auf dieser Reise niemals ganz fern ist und wie ein dunkler Rauchschwaden dicht über dem Horizont hängt.

Wir sind nun etwa noch zwei Stunden weit von den Koordinaten, die der mysteriöse Amerikaner vor kurzem angegeben hat. Die Spannung steigt, sofern eine Spannung steigen kann. Russische Techniker in Blauen Antons stehen dicht beisammen im Sonarlabor, unter ihnen auch einer, dem Clive den Spitznamen „Brains" angehängt hat, nach einer Marionettenfigur aus der Fernsehserie „Thunderbirds". Sie verfolgen die Spur auf dem Monitor oder mustern die Ausdrucke. Aber vielleicht hat das gar nichts mit der steigenden Spannung zu tun, sondern nur mit der normalen Neugier professioneller Ozeanographen, wenn ihr kostbares Instrument endlich unten ist und frische Daten heraufschickt. Ab und zu blickt einer auf die rechte Seite des Schirms, wo die Höhe des Schlittens über dem Meeresboden angezeigt wird, und gibt eine Anweisung über Sprechfunk. An Deck werden dann ein paar Meter Kabel mehr von der Winde gespult, damit der Schlitten noch etwas tiefer geht, eine Idee näher zu der unbekannten Landschaft unter uns. Im Moment schwebt er in seiner optimalen Höhe von ungefähr hundert Metern über den Boden.

Zur Teestunde (15 Uhr 30) finden wir jeder einen Becher Eis an seinem Platz und einen Literkarton spanischen Rotwein, vermutlich eine lebenswichtige Ergänzung unserer Diät auf Anordnung des Schiffsarztes. Dieser, ein mächtig dicker, bärtiger Mann, die Hände voller Ringe, sieht aus wie Holbeins Heinrich VIII. und nimmt seine Medizin offenbar selbst in großen Mengen. Der Wein hat nur 10 Prozent Alkohol, immerhin mehr als Bier, aber weniger als Grog. Übrigens vergeht kein Tag an Bord der *Keldysch* ohne irgendeine freundliche Bizarrerie. Einmal gibt es zum Tee große Teller mit unangemachtem Quark, ein andermal Porridge.

Man kann an Bord gut essen, aber hauptsächlich zwischen

den Mahlzeiten. Bittet man den Koch um eine Kleinigkeit, als Grundlage für die Getränke, so stellt er sehr appetitliche Häppchen auf den Tisch: Käse, gewürzte Wurst, Oliven und so weiter. Ich möchte nicht, daß dieser Koch, ein sehr entgegenkommender und nicht selten nüchterner Mensch, sich durch meine Bemerkungen herabgesetzt fühlt. Man baut nur mit den Steinen, die man hat. Ich denke mir, daß das sparsame Institut in Moskau zu strengen Urteilen über das süße Leben an Bord seiner Forschungsschiffe neigt und die Verpflegung entsprechend knapp bemißt. Und es würde mich auch nicht wundern, wenn es dort Vorschriften für die richtige Ernährung der wissenschaftlichen Staatsdiener gäbe, die das tägliche Minimum an Vitaminen, Proteinen, Kalorien usw. genau festlegen, ohne auf lebenswichtigere Quotienten wie Erfindungsgeist, Geschmack und Genießbarkeit irgendeine Rücksicht zu nehmen.

Inzwischen hat Andrea, unsere Rechercheurin, das Geheimnis des dicken Doktors herausbekommen. Er haust zusammen mit einem Kater namens Kisulkin (was anscheinend „Kätzchen“ bedeutet) in einer Kabine, die Andrea als eine „Müllgrube“ bezeichnet. Kein Leiden kann so schlimm sein, daß es einen bewegen könnte, sich den Händen dieses Metzgers anzuvertrauen. Der Kater ist erst ein Jahr alt, aber nach dem Geruch zu urteilen, der den ganzen Flur 5 des Schiffes durchdringt, müssen seine kleinen Drüsen schon in bester Verfassung sein. Andrea sagt, der Gestank in der Kabine sei beängstigend. Das Tierchen hat in London das Licht der Welt erblickt; möglicherweise hat es sich sein Leben einmal ganz anders vorgestellt – der Doktor, andererseits, vielleicht auch. Mehr und mehr erscheint er uns als eine Anomalie an Bord der *Keldysch.* Die Schiffsbesatzung ist auch sonst eine bemerkenswerte Ansammlung von Charakterköpfen, aber die meisten scheinen ernstzunehmende, tüchtige Leute zu sein, die morgens an Deck ihre Gymnastik machen. Der Arzt dagegen, so liebenswert er im übrigen sein mag, ist unbezweifelbar eine Niete. Man fragt sich, auf welchen krummen Wegen er wohl zu seinem Pöstchen gelangt ist. Irgendeinen dunklen Hintergrund wird es wohl geben, wie immer auf See.

Da wir bisher nicht eine Mahlzeit eingenommen haben, in der nicht viele Händevoll Petersilie enthalten gewesen wären (ich möchte wetten, daß es in den medizinischen Lehrbüchern des Doktors als eine reiche Vitaminquelle empfohlen wurde), riskierte Andrea die Hypothese, daß die Russen das Kraut in riesigen Wasserkultur-Behältern unter Deck anbauen. Viktor Browko, der nette Ingenieur, unser Tischgenosse bei den Mahlzeiten, wußte davon nichts, konnte uns aber sagen, daß Petersilie auf russisch *petruschka* heißt. Es wäre ein hübscher Name für ein Ballett.

Es fällt schwer zu glauben, daß wir nun wirklich angefangen haben, nach dem U-Boot zu suchen, daß wir methodisch piepsend die schwarzen Ozeankilometer direkt unter uns abhorchen. Wir können nichts tun als warten, also gehen Mike, Clive, Quentin und ich nach dem Tee wie an den meisten Nachmittagen im Sportraum Pingpong spielen. An den Wänden stehen moderne Folterinstrumente aufgereiht: Rudermaschinen, Hanteln, Gewichte, Klettergerüste und ein kompliziertes, unheimliches Ding mit schwarzen Lederpolstern, Flaschenzug und verchromten Handgriffen. Es sieht aus wie eine Kreuzung aus Zahnarztstuhl und Schleudersitz. Wir spielen Doppel, einer gegen drei, oder zu beliebig vielen, je nachdem, wer gerade noch dazukommt. Überzählige fühlen sich, sobald die anfängliche Befangenheit nachläßt, zu ein paar Übungen verpflichtet, bei denen ihnen der Pingpongball um die gespreizten Beine tanzt. Den Langeweile-Faktor beim Stemmen von Gewichten kann man gar nicht hoch genug einschätzen. Es ist würdelos, schmerzhaft und manchmal auch übelriechend. Pingpong ist nach allgemeiner Ansicht die weitaus bessere Leibesübung und außerdem lustiger, während man bei einsamen Anstrengungen an der Sprossenwand wenig zu lachen hat und keine Freunde gewinnt.

Ziemlich oft kommt, während wir spielen, ein Berg von einem Russen mit freundlichem rundem Gesicht herein und läßt eine Kanonenkugel an einem Griff lässig um seinen Kopf kreisen. Er erinnert an „Mr. Clean", einen berühmten amerikanischen Küchenbodenreiniger. Außerdem erinnert er mich auch an eine Figur aus einer längst verschollenen Seegeschichte, einem dieser Kriegsbücher von Alistair Maclean oder Nicholas Monserrat, die ich mit elf gelesen habe. Auf einem schwer mitgenommenen britischen Kriegsschiff ist ein Lukendeckel verklemmt, und nur einer kann ihn losmachen, ein Schwede, der – wie in allen Büchern aus jener Zeit, in denen Schweden vorkommen – ein Hüne namens Larsen ist. Man ruft nach Larsen, und Larsen kommt, in einer Hand ein Bündel schwere Brechstangen, als wären es Grissini. Das ist nun unser Mr. Clean. Aber wie sich herausstellt, heißt er für gewöhnlich „Captain Zodiac", denn er steuert den Zodiac, das Schlauchboot, das beim Starten und Einholen der MIRs eine Rolle spielt. Er soll der stärkste Mann auf dem Schiff sein. Ab und zu unterbricht er sich in seiner Bewegung, um uns einen versprungenen Ball zurückzuwerfen. Er schaut auf die winzige Kugel, die in seiner Hand aussieht wie ein Zaunkönigsei in der Schüssel des Funkteleskops von Jodrell Bank, und sagt „Rrrussisch Ball *njet* gut!" Aber er wäre auch die geborene Nebenfigur in einem frühen James-Bond-Film. Sportliche Anmerkung: Auf einem fahrenden Schiff Tischtennis zu spielen, ist nicht einfach.

Nachher gehen wir aufs Deck über der Brücke, um unsere Weinkartons dort zu trinken. Wir sind umgeben von Antennen, Funkpeilschleifen und kreisenden Radarschirmen, die uns vermutlich sterilisieren, während wir da sitzen. Clive erzählt von einem britischen Pressemagnaten, der bei seinen weiblichen Angestellten „Gefickt-oder-gefeuert" heißt, nach seinem wichtigsten Kriterium für Einstellungen oder Entlassungen, während Quentin uns mit Geschichten aus einem Porno-Laden in Soho traktiert, wo er als bettelarmer Student einmal gearbeitet hat. Zusammen mit einem Freund hatte er sich einen raffinierten Geschäftsplan ausgedacht – aber bisher noch nicht in die Tat umgesetzt –: Diskrete Anzeigen in den Kontaktspalten für die Dienstleistungen der

Firma Penisvergrößerung GmbH. Der Einführungskurs kostet nur 15 Pfund, obendrein mit Garantie der Rückerstattung bei Mißerfolg. Sobald das Geld eingegangen ist, schickt die Penisvergrößerung GmbH es zurück, aber mit einem Scheck von so obszöner Aufmachung, daß niemand sich getrauen würde, ihn dem gepflegten Schalterfräulein in seiner Bankfiliale vorzulegen. Abgesehen von einem aussagekräftigen Bildmotiv im Hintergrund trüge er auch noch einen in großen Buchstaben aufgedruckten Vermerk „Kostenrückerstattung für mißlungene Penisvergrößerung". Es besteht nicht die Spur einer Gefahr, meint Quentin, daß irgendwer jemals versuchen könnte, den Scheck einzulösen, womit die Firma von jeder Haftpflicht nach dem Kaufvertragsrecht entbunden wäre. Und wegen lumpiger 15 Pfund würde sowieso niemand Krach schlagen wollen. In der leichten Erhitzung unserer Gemüter durch den spanischen Gesundheitstrank erscheint uns die Idee ganz plausibel und so originell, wie sie nur ein Bruder von Englands erstem (doch nicht einzigen) „Literaldemokraten" hervorbringen konnte. Jedenfalls gibt sie uns Anlaß zu Betrachtungen darüber, wie die jahrelange Beschäftigung mit den Sedimentationsquoten in abyssischen Meerestiefen Quentins Seelenleben in Mitleidenschaft gezogen hat.

Eine Beobachtung von ihm scheint jedoch für die eigenwillige Bahn des Schiffes von Belang zu sein, die uns jetzt offenbar unvermeidlich eine Meile zu weit nördlich an dem Punkt vorbeiführen wird, den uns der mysteriöse Amerikaner mit seinen magischen Koordinaten bezeichnet hat. Aus langer Erfahrung weiß Quentin, daß ein Schiff, wenn es beim Abfahren der Gitterstreifen für eine Sonarvermessung mit hoher Genauigkeit seinen Kurs einhalten muß, alle vier Stunden für zwanzig Minuten auffällige Anomalien in den Positionsdaten aufweisen kann. Das kommt daher, sagt er, daß dann jedesmal eine neue Wache auf die Brücke kommt, die alles auf ihre Weise handhabt und sich erst nach zwanzig Minuten eingewöhnt hat. Anscheinend gibt es das auf Schiffen jeder Art. Damit wären auch manche sonst unbegreiflichen Anomalien in den Logbucheintragungen der amerikanischen Kriegsschiffe über das Gefecht zu erklären, in dem sie *I-52* versenkten. Für den Neuen auf Wache ist es verlockend, sich auf die vorigen Eintragungen einen Reim zu machen, indem er sie mit den neuesten Ablesedaten über Kurs, Geschwindigkeit usw. in Einklang bringt und damit seine eigene erzählerische Version findet.

Dies zieht weitere Überlegungen zu manchen Verfahrensweisen an Bord der *Keldysch* nach sich, vor denen es Quentins in britischer Manier geschultem wissenschaftlichen Verstand zuerst graute, die er nun aber sehr originell und zweckmäßig findet. In vieler Hinsicht haben Rußland und „der Westen" in den letzten dreißig Jahren deutlich getrennte Entwicklungen genommen. Die Russen haben genau dieselben wissenschaftlichen Probleme gelöst, aber auf ganz andere Weise. Und was sie machen, funktioniert. „Alles gute Arbeit", sagt Quentin. Ihr ZVUK-Seitensonarschlitten hat eine Gummiverkleidung rings um die Ränder der Transponder-Bänke. Vor fünf Jahren noch, meint er, hätten das Pentagon und die Marine-Nachrichtendienste der NATO-Länder jeden Mord dafür begangen, nur dieses eine Gerät in Augenschein nehmen zu dürfen, das bis heute morgen auf dem Achterdeck lag, so daß jeder, der wollte, sich draufsetzen und Notizen machen konnte. „Wie es funktioniert, verstehen *die* selbst nicht genau. Aber es funktioniert und stellt manche von unseren besten Sachen in den Schatten." Quentin hält manchmal Vorträge für die Atom-U-Bootbesatzungen der Royal Navy; es ist anzunehmen, daß er weiß, was er sagt.

Später beim Abendessen müssen wir alle dem Genius der russischen Wissenschaft Tribut zollen, weil die Suppe den Beweis enthält, daß es gelungen ist, ein gentechnisch manipuliertes Huhn zu erzeugen, das nur noch aus Hals und Füßen besteht. Während wir essen, macht Sascha, der Funkoffizier, eine dröhnende Durchsage, des Inhalts, daß alle Telefongespräche vom Schiff nach Moskau von nun an 1 Dollar pro Minute kosten. Als das übersetzt wird, schauen die Orca-Leute sich ungläubig an. Einen Dollar die Minute! Wir haben zehn Pfund für drei Minuten gezahlt, bei Gesprächen, die nur selten durchkommen, aber trotzdem berechnet werden. Niemand getraut sich auszurechnen, wieviel Orca bisher für mißlungene Kommunikationsversuche ausgegeben hat, trotz all der schicken kleinen Boxen und Drähte. Und da kommt dieses russische Hochleistungs-Funksystem von anno 1948 und schaufelt sich die Bahn durch die Ionosphäre, damit Oleg über 4000 Meilen hinweg mit seiner Ludmilla schwätzen kann. Warum steigen sie nicht in die Konkurrenz mit Inmarsat ein und machen sich ihre schiere altmodische Verläßlichkeit zunutze, um in diesem Geschäft den Rahm abzuschöpfen?

Dreizehn

4.2.95

Die *Titanic* soll viermal verfehlt worden sein, auch als die richtigen Positions-Koordinaten schon bekannt waren und obwohl sie viel größer ist als *I-52* und 1200 Meter flacher liegt. Der Gedanke an die *Titanic* verfolgt uns nun allmählich auf dieser Fahrt. Nicht nur ihr Wrack selbst, sondern auch die Suche nach ihr hat für das Bergungsgewerbe offenbar mythische Bedeutung. Unablässig ist davon die Rede, wie sie wieder verlorenging und noch einmal gefunden wurde: eine Art Mantra der Berger. Wenn die *Titanic* zu finden war, dann doch auch so ein verdammtes U-Boot; wenn die *Titanic* wieder verlorengehen konnte, hat man eine Entschuldigung dafür, daß man hier gar nichts findet. Die Morgenröte bringt ein Gefühl des Gegenteils von Fortschritt mit sich, was immer das sein mag. Die *Keldysch* kriecht über eine ruhige schwärzliche See, während hinter Wolkenhaufen am östlichen Himmel allerlei Farbflecken auftauchen. Unter den Wolken, Hunderte von Meilen weit weg, liegt Afrika. Auf der anderen Seite des Schiffs, noch weiter weg, liegt Amerika. Seit Madeira haben wir nicht ein einziges Schiff mehr gesehen; wir sind sicherlich ein Stück weit abseits aller normalen Routen. Die *Keldysch* kommt kaum vom Fleck; am Vormast flattern schwarze Symbole: Kreis, Rhombus, Kreis – das internationale Flaggensignal, das andere darauf hinweist, daß wir nicht manövrieren können. Taedium der Schatzsuche!

Bei der alltäglichen Besprechung um 9 Uhr morgens erfahren wir, daß während der Nacht das Schleppkabel bei 7000 Metern beschädigt worden ist. Die Aufspulvorrichtung an der Winde ist wohl doch nicht so gut, wie Quentin glaubte. Anscheinend zieht sie die Kabelwindungen so fest, daß sie gegeneinanderschleifen. Ein Strang ist gebrochen. Wenn an der gleichen Stelle noch zwei brechen, müssen sie womöglich den Schlitten einholen und die ganze Operation abbrechen. An Bord gibt es keine Technik, mit der sich die Enden eines Kabels, das unter mehreren Tonnen Spannung steht, zusammenschweißen ließen, und ohnehin würde die Hitze des Schweißbrenners wahrscheinlich die elektronischen Leitungen im Innern des Kabels beschädigen. Andererseits hat das Sonar-Team heute nacht ein Ziel gefunden, das in der Größe etwa mit *I-52* übereinstimmt. Wenn also die Sonaranlage außer Gefecht gesetzt werden sollte, hätten die MIRs wenigstens etwas zu untersuchen. Anatoly ist skeptisch. „Vielleicht hat jemand eine Ladung alte Kühlschränke ausgekippt", sagt er. Er und seine Russen sind gegen das Ganze so abgebrüht, daß kaum eine Spur von Erregung zu bemerken ist.

Höchstwahrscheinlich ist dieses „Ziel" nichts weiter als ein Felsrücken, der über das umgebende Sediment hinausragt. Niemand hat es bei der Besprechung auch nur erwähnt. Ich habe erst zwei Stunden später zufällig von Quentin etwas davon gehört. Oder ich habe es vorher nicht kapiert. Tatsächlich erinnert er mich jetzt an den Zettel, den er mir beim Frühstück gezeigt hat; darauf waren von Hand ein paar Koordinaten geschrieben worden und, ich weiß nicht in welchem Piraten-Englisch, die Worte: „There you are, me 'andsome. 'Ere be gold, loike." Aber begreiflicherweise hatte ich das für einen seiner Späße gehalten. Clive, der den Investoren in die Augen schauen muß, wenn er nach Hause kommt, ist bereit, diese erste echte Chance, das U-Boot zu finden, einigermaßen ernst zu nehmen, ebenso Mike, der sich vom Ertrag dieses Projekts eine Farm kaufen möchte, und ebenso auch Andrea, die als freiberufliche Forscherin nicht auf Rosen gebettet ist und sich einen Gewinnanteil erhofft. Wir anderen, einschließlich der über neunzig Russen, halten die Sache eher für komisch und glauben an die Ladung alter Kühlschränke. Unten im MIR-Labor zeigt ein Computer die Position des Schiffs als weißen Fleck auf einer schwarzen, von dünnen Koordinatenlinien durchkreuzten See. Irgendein Witzbold hat das Wort GOLD in goldenen Lettern so einprogrammiert, daß es abwechselnd an verschiedenen, beliebig über den ganzen Schirm verstreuten Positionen aufleuchtet, oft meilenweit außerhalb des Suchbereichs. Quentin merkt, daß Nik Schaschkow die Hand im Spiel gehabt hat, dem wir soviel Humor gar nicht zugetraut hätten, und uns beiden werden diese Russen immer sympathischer.

Trotzdem, daß Quentin eine Nachricht, die für Orca doch ziemlich wichtig und ermutigend ist, so leicht zu nehmen scheint, sagt mir allerhand. Es kommt mir vor wie ein Indiz für jenen alten Fachegoismus, die instinktive Neigung einer Priesterkaste, den Uneingeweihten im richtigen Moment ein Körnchen Information hinzuwerfen, mit dem zerstreuten Gehabe, als sagte man: „ach, tut mir leid – wußten Sie denn das noch nicht?" oder: „ach so, dieses U-Boot – ja, das haben wir doch schon vor Stunden entdeckt".

Noch etwas war vorher an diesem Morgen geschehen, wovon ich zu dieser Zeit auch nichts wußte: Das Sonar-Team hatte einen Moment den Atem anhalten müssen, als der Schlitten auf Grund fuhr. Wenn das passiert, kann man eigentlich nur zweierlei tun: Entweder soviel Kabel wie möglich auslassen, das Schiff stoppen und zurücksetzen. Sogar bei anderthalb Knoten dauert es seine Zeit, bis das Schiff zum Halten kommt, besonders wenn es mit Wind und Strömung fährt. Oder aber man fährt einfach weiter und hofft, daß der Schlitten sich losreißt, und so war es bei dieser Gelegenheit geschehen. Zum Glück scheint er keinen Schaden genommen zu haben, denn er schickt immer noch seine Signale herauf. Es ist ähnlich wie beim Angeln: Man muß wissen, wie stark man an der Schnur ziehen soll, wenn vielleicht ein Baumstumpf oder irgendwas, das man nicht sehen kann, dran hängt. Nur daß in unserem Fall der Angelhaken eine halbe Million Pfund Sterling wert ist.

Nun, weil heute Sonnabend ist, dispensieren sich Clive und Quentin nach dem Mittagessen von der Monitorbeobachtung, um sich das Rugby-Match England–Frankreich im

World Service anzuhören. Die Szene auf dem Deck über der Brücke um 2 Uhr nachmittags: Dosen kaltes McEwan's, zwei Teller mit Käse und Salamischeibchen mit Oliven, ein Kurzwellen-Radio, plötzliche Aufschreie. Mitten auf dem Atlantischen Ozean hört man rauhe Schlachtgesänge aus Twickenham, in die Clive und Quentin einstimmen. Geheimnisvolle Namen schwirren durchs Sonnenlicht, übertragen von einem Spielfeld unter bedecktem Himmel in 2000 Meilen Entfernung: Jeremy Guscott, Rory Underwood, Rob Andrew ... Es wird ein triumphaler Sieg für England, das auf seinen dritten Grand Slam binnen fünf Jahren zusteuert. Die Frogs werden vom Platz gefegt. „I vow to Thee, my country ..."

Gerüche von Rülpsern und Sonnenöl, davongeweht über das Meer, das so blau ist wie auf Malereien von Kindern. Ein merkwürdiger Anblick: der wahre Ursprung einer Konvention. Das normale britische Grundschulkind hat wohl noch nie ein wirklich blaues Meer gesehen, aber beim Malen trifft es genau den tropischen Farbton. Im Fernen Osten habe ich mal einen Sonnenaufgang gesehen, bei dem die Sonnenstrahlen genau wie Speichen aus einer Radnabe hervorkamen, so wie ein Kind sie malen würde: auch dies wieder ein Lichteffekt, den die meisten britischen Kinder kaum je gesehen haben können und der in der alten japanischen Kriegsflagge stilisiert wurde.

Wir hören, daß das Schiff in acht Minuten genau über den Punkt fahren wird, wo nach den Koordinaten des mysteriösen Amerikaners *I-52* liegen soll. Aber erst in zwei, drei Stunden werden wir wissen, ob es dort wirklich liegt, denn so weit bleibt der Sonarschlitten bei dieser Geschwindigkeit hinter dem Schiff zurück. Als der Zeitpunkt näher rückt, steigt das ganze Orca-Team die Treppe hinunter zum Sonarlabor, wird aber von den Russen abgewimmelt, die sich nicht ablenken lassen wollen, weil sie befürchten, ihr kostbares Gerät könnte dann noch mal den Grund rammen. Mit diesen unruhigen, übereifrigen Ausländern haben sie wenig Geduld. Mike geht nach backbord und steht mit bedrückter Miene an der Reling. Auf den Ausdrucken ist anscheinend jetzt ein

Schatten zu erkennen, der tatsächlich ein Trümmerfeld anzeigen könnte: wieder etwas, das die MIRs sich werden ansehen müssen, wenn wir in drei Tagen mit der Sonar-Erkundung fertig sind. Dann aber, an der Stelle mit den magischen Koordinaten, ist nichts zu sehen – nur eintöniger Sedimentboden. Allmählich sieht es so aus, als ob Orca um die 6000-Dollar-Prämie für den Amerikaner herumkommen wird.

Ohne sich drum zu kümmern, spielen unbeschäftigte Mannschaftsmitglieder auf dem Oberdeck mit Sagalewitsch Volleyball, eine luftbereifte Frau tollt im Schwimmbecken herum, und ein Mann, den wir Vaseline nennen – er sieht piratenmäßiger aus als jeder kostümierte Statist in einem Douglas-Fairbanks-Film –, rennt in orange fluoreszierendem Ölzeug immer um die Decksaufbauten. Soviel Schweiß rinnt von ihm herab, daß seine Bahn durch eine Spur nasser Kleckse auf den Planken markiert ist. Man spürt Ferienstimmung. Wer würde nicht lieber zu Abenteuern auf einem tropischen Meer fahren, als im düsteren britischen oder russischen Februar in einem Büro zu sitzen? Der unausgesprochene Konsens lautet: Dies ist das wahre Leben.

Später am Abend schaut sich Quentin im Sonarlabor die zwei langen Rollen mit den ZVUK-Ausdrucken näher an. Jeder weist einen leeren Streifen in der Mitte auf und zu beiden Seiten Ausblicke über etwa anderthalb Kilometer Meeresboden. Romans umprogrammierter Drucker gibt jede Abtastlinie getreu in vierundsechzig verschiedenen Grautönen wieder. Es sieht aus wie lange, schmale Bilder von der Oberfläche eines unbekannten Asteroiden, aufgenommen von einem vorüberfliegenden Raumschiff. Ich habe einen vagen Eindruck von Hügeln und Kratern, aber Quentins Augen sehen einiges mehr. Manchmal duckt er sich und betrachtet die Szene wie aus einem Blickwinkel von unten, liest sich in die Geologie und Geographie ein, so daß er für einen Moment selber wie auf dem Meeresgrund ist und einen klaren Blick auf die Kuppen und Hänge gewinnt. Für diese Interpretationsaufgabe wurde er von Orca engagiert; darin gilt er als einer der besten. Es scheint eine anachronistische Fertigkeit zu sein, denn es erinnert stark an das „Lesen" von Luftaufklärungsfotos im Zweiten Weltkrieg. Wo der naive Betrachter nichts Besonderes erkennen kann, da läßt Quentin minutenlang seinen schrägen Blick ruhen, ohne etwas zu sagen. Es kann sein, daß er ein Bruchstück aus dem Zweiten Weltkrieg ins Auge faßt.

„Siehst du, hier?" sagt er. „Das könnte gut ein Trümmerfeld sein, und das sind knallbumms die Koordinaten von diesem Amerikaner. Vorhin haben wir uns geirrt . . . Diese schwarzen Punkte? Das sind Schatten von einzelnen Objekten, Felsbrocken oder was auch immer. Nein, schau, das Sonarsignal kommt hier von links aus dem Bild, darum sind die Schatten alle rechts. Die Russen behaupten, der ZVUK kann eine Auflösung auf einen Meter bekommen, aber ich würde schätzen, die kleinsten sichtbaren Objekte hier haben etwa fünf Meter. Dies ist eindeutig ein Ziel für die Inspektion. Sie sollen es mit einem Gitter von Transponder-Signalen markieren und dann den Schlitten so niedrig wie möglich über den Bereich führen, um eine Nahsicht zu bekommen. Dann haben die MIRs Koordinaten, nach denen sie steuern können, wenn sie runtergehn, um nachzusehen, was da ist . . ."

Noch ein mögliches Ziel wird gefunden: ein weißlicher Klumpen, von dem man sich nur allzu leicht vorstellen kann, es seien die Umrisse eines U-Boots. Es wäre ungefähr 80 Meter lang, was etwa stimmen würde. Auch hier wird man nachsehen müssen.

Die eben entdeckte Koinzidenz von Quentins Trümmerfeld mit den magischen Koordinaten ist für das Orca-Team eine echte Aufmunterung. Es wäre schon wunderbar, das U-Boot intakt zu finden, einen winzigen Metallzylinder auf dem Grund des riesigen Atlantiks; aber daß es in handliche Stücke auseinandergebrochen sein könnte, ist fast mehr, als man zu hoffen wagt, selbst wenn man die Wirkung der mächtigen Explosion in Rechnung stellt, von der die amerikanischen Piloten berichteten. Dieböseste Ironie, vor der besonders Mike sich seit langem fürchtet, läge darin, wenn wir sowohl das U-Boot als auch die *Aurelia* fänden, aber an das Gold nicht herankämen. Nun besteht immerhin eine dünne Chance, daß dies nicht nur ein Haufen Felsgeröll, sondern ein Trümmerfeld aus den Überresten des japanischen U-Boots ist, wo die Goldkisten griffbereit zwischen der übrigen Ladung auf dem Meeresboden liegen und nur darauf warten, aufgelesen zu werden.

Quentin beendet diese Musterung mit ehrlicher Anerkennung für Roman Pawlow und die anderen Russen, die müde an ihren altbackenen elektronischen Geräten sitzen. Es freut sie sichtlich; offenbar sind sie froh, es mit jemandem zu tun zu haben, der in ihrem Metier so beschlagen und kenntnisreich ist. Später sagt er noch, wie erstaunlich er es findet, daß sie so gute Bilder mit einer Bord-Elektronik zustande bekommen, die nach „westlichen" Maßstäben, verglichen etwa mit dem britischen TOBI-System, vorsintflutlich erscheine. Die Wahrheit ist: sie sind nicht nur als Wissenschaftler und Techniker ebensogut oder besser als die besten der „unseren", sondern sie lieben auch ihre Arbeit und haben seit Jahren gelernt, Forschung mit vergleichsweise bescheidenen Mitteln zu betreiben. In ihrer Welt können Instrumente nicht sofort ersetzt werden, sobald etwas Neues auf dem Markt ist. Was auf den ersten Blick wie ein Durcheinander von Drähten und Oszilloskopen aus alten Heeresbeständen aussieht, das funktioniert tatsächlich; sie verstehen es und können es fast unbegrenzt modifizieren. Wer nicht darauf vertrauen kann, daß immer genug Geld für den neuesten Schnickschnack da ist, muß sich notgedrungen etwas einfallen lassen und improvisieren. Wie jemand später fragte: Was wäre dir lieber bei einer Panne in der Sahara – ein alter Land-Rover mit einem guten Werkzeugkasten oder ein schicker japanischer Geländewagen voller Computerchips und mit elektronisch regulierter Treibstoffzufuhr? Natürlich soll diese rhetorische Frage nur unser Vertrauen auf alles andere stärken, was die Russen an Ausrüstung noch mitführen. Denn der Augenblick rückt nun näher, wo manche von uns in ihren MIRs mit abtauchen werden. Jeder weiß, daß das Schirschow-Institut chronisch knapp bei

Kasse ist, und auch die MIRs sind nun bald zehn Jahre alt. Sagalewitsch sagt zwar, sie seien letztes Jahr in Finnland gründlich überholt worden; sogar die Kugelhälften seien auseinandergeschraubt und auf Risse untersucht worden. Trotzdem... Unten in 5000 Metern Tiefe, unter dem Druck von 500 Atmosphären und zwischen 50 Millionen Jahre alten Felsen und Gräben, die noch kein menschliches Auge je erblickt hat, da gibt es keine leichten, reparablen Defekte, sondern nur fatale Fehler. Schon ein einziges Härchen, das in eines der vielen Löcher geraten wäre, die in die Hülle des Druckkörpers gebohrt sind, könnte ein winziges Leck mit fürchterlichen Konsequenzen verursachen.

Dies ist natürlich das unausgesprochene Hintergrundwissen in jeder der täglichen Subgruppensitzungen um 8 Uhr morgens. Die Orca-Leute nehmen selten teil, bis auf Mike und Andrea. Für Anatoly Sagalewitsch scheinen diese Zusammenkünfte in mancher Hinsicht das Herzstück des Tages auszumachen. Sie ersparen ihm für eine Weile den Aufenthalt in seiner Kabine, wo er mit seiner Partnerin Natalja über Bankvereinbarungen, Kontrakte und Budgets feilschen muß, als wäre er ein Geschäftsmann und kein Wissenschaftler. Die Sitzungen sind seine geistige Heimat, wo seine geliebten MIRs auf dem Deck gleich vor der Tür stehen, festgezurrt in ihren Hangars aus weißgestrichenem Stahl.

6.2.95

Menschen und Maschinen werden nun für die ersten Tauchfahrten bereitgemacht. Die Sonarsuche hat mehrere Ziele ergeben, die direkt inspiziert werden müssen. An diesem Morgen drängt sich die Schiffsaristokratie ins Labor: die Piloten und Techniker, die jedes Schräubchen an den beiden Tauchbooten kennen. Einem, der kein Russisch versteht, kommt die Atmosphäre vollkommen demokratisch vor. Alle scheinen mitreden zu dürfen – Mitbestimmung am Arbeitsplatz, vielleicht, aber darin schwang noch etwas mit, das selbst über die Kameradschaft hinausging, wie sie die Piloten der alten Königlichen Fluggeschwader einst mit ihren Ausrüstern und Mechanikern verband. Denn der Raum ist voller Menschen, die immer wieder ihr Leben in die Hände der anderen legen. Wenn es an Bord eine Elite gibt, dann ist dies unzweifelhaft die MIR-Gruppe; die Geldleute und die Ausländer sind es nicht, auch nicht die reinen Wissenschaftler. Die Ingenieure sind es, deren Können es möglich macht, sich in den für Menschen abschreckendsten Lebensraum auf diesem Planeten zu begeben. Selbst ein international bekannter Geologe wie Juri Bogdanow ist dort unten zwischen den Cañons und schwarzen Rauchern nur Passagier. Und schließlich sind es doch die beiden MIRs, denen die *Keldysch* ihren Ruhm verdankt.

Die Sonar-Erkundung ist einstweilen vorüber. Der Schlitten ist wieder eingeholt worden. Er hinterläßt milchteefarbene Pfützen auf dem Deck. Seine dreitägige Fahrt durch eine fremde Welt in drei Meilen Tiefe sollte Spuren hinterlassen haben, aber bis auf eine Halterung für das Kabel, die sich beim Aufprall auf den Grund verbogen hat, sieht er unverändert aus. Der Milchtee tropft aus den Röhren in seinen Kufen, die voller rötlichem foraminiferösem Schleim sind. Kalkartig, sagt mir Quentin. Die Farbe stammt zum großen Teil aus der Sahara, deren Staub seit Jahrtausenden über dem Atlantik niedergeht. Nach drei Tagen bei 4 Grad Celsius und in der Stockfinsternis beginnt sich der dicke Stahlrahmen in der Sonne zu erwärmen. Ich bemerke, daß in alle Röhren des Rahmens kleine Löcher gebohrt sind: damit das Wasser eindringen und den Druck ausgleichen kann. Jede hermetisch abgeschlossene Röhre würde mit solcher Gewalt eingedrückt, daß der ganze Schlitten dabei zerstört werden könnte.

Wie an jedem Tag vor einer Tauchfahrt wird zunächst ein Netz von Transpondern in genau berechneten Positionen ausgelegt. Diese großen orangeroten Baken werden über Bord geworfen, mit Gewichten beschwert, die sie in die Tiefe ziehen, bis sie wie Sperrballons etwa hundert Meter über dem Grund hängen. Sie geben den Tauchbooten Leitsignale, nach denen sie unten in der weglosen Finsternis navigieren können. Jeder MIR-Pilot hat eine bathymetrische Karte des

Bereichs, den er absuchen soll, und darauf sind die zu untersuchenden Ziele und die Positionen der Transponder markiert, die jeder auf einer anderen akustischen Frequenz senden. Sobald die MIRs von der Tauchfahrt zurückgekehrt sind, werden die Transponder wieder eingeholt. Auf ein akustisches Signal des Schiffes hin wirft jede der Baken ihren Ballast ab und steigt zur Oberfläche auf, wo ein Blinklicht aktiviert wird, das sie auch bei Nacht sichtbar macht. Weil sie eine Druckkapsel enthalten, die stark genug ist, um die Instrumente und Sendevorrichtungen zu schützen, sind sie überaus teuer. Zusammen mit der Schaumkunststoffumhüllung, die den nötigen Auftrieb gibt, kostet eine Bake mindestens 10 000 Pfund. Die Möglichkeit, eine zu verlieren, wird daher auf einem Schiff, wo man nicht aus dem vollen schöpfen kann, nicht auf die leichte Schulter genommen.

Ralph nimmt auf, wie die Baken über Bord geworfen werden; das gehört zu dem Dokumentarfilm, für den er von Orca engagiert worden ist. „Alles schon mal gesehen und geschossen", sagt er selbstironisch. Wer weiß, wie viele Meilen Videotape er im Lauf der Jahre schon mit identischen Szenen gefüllt hat. Als Schriftsteller könnte man unter solchen Umständen immer noch sagen: „Gesehen schon, aber noch nie bemerkt, daß..." Wie Transponder ausgesetzt werden, habe ich tatsächlich schon gesehen, aber noch nie beachtet, wie sorgfältig sie „armiert" werden: wie die lange, versiegelte Röhre des Blinklichts in die Spitze eingeschraubt und die automatische Auslöserschake am Fuß getestet wird. Ein Gutteil des Tages über läuft die *Keldysch* bei langsamer Fahrt auf minutiös berechnetem Kurs, während Trupps von Männern einen Transponder auf der Reling festhalten, bis das Funksignal von der Brücke kommt und sie ihn hinunterwerfen. Während er achteraus zurückbleibt, lassen sie die 100 Meter Ballastleine aus und werfen dann den Eisenklumpen hinterdrein (der nie wieder ans Tageslicht kommen wird). Er verschwindet mit einem lauten *Galuff!* Ein, zwei Minuten vergehen, bis er vertikal unter der nun schon weit entfernten Bake hängt, die dann ihrerseits verschwindet.

„Natürlich glauben Ozeanographen nicht an solches Zeug", schrieb ich vor etwas über zwei Wochen im Gedanken an den Aberglauben der Fischer in Cornwall und anderswo. Und heute abend:

Mike: Ich hab gehört, sie haben dir gesagt, du sollst das Pfeifen sein lassen.
Ich: Nein (wahrheitsgemäß). Niemand hat was gesagt.
Mike: Vielleicht ist es jemand anders. An Bord eines Schiffs soll man nicht pfeifen, nicht? Bringt Unglück. Weckt den Wind auf...
Clive: Klingt ganz typisch, muß ich sagen.

Morgen werden die MIRs zum erstenmal zu Wasser gelassen. Bei der Besprechung um 6 Uhr abends sind Anatoly, Genja und der Typ, der aussieht wie Burt Reynolds, allesamt in Overalls mit MIR-Aufnähern. Jetzt herrscht wirklich eine gespannte Erregung. Obwohl als Beobachter zwei Geologen mitfahren, Juri „Schwarzer Raucher" Bogdanow und „Mischa" (Michail), wissen die Orca-Teilnehmer um die theoretische Möglichkeit, daß morgen um diese Zeit das Wrack von *I-52* gefunden und *sogar* schon eine der Goldkisten mit heraufgebracht worden sein könnte. Orca beschließt, daß dies ein Grund zum Anstoßen ist – solche Entschlüsse fallen der Gruppe immer leichter als andere –, und Ralphs Beefeater wird ohne sein Wissen aus seiner Verwahrung geholt. Leider haben Clive und Mike unklugerweise acht Flaschen von unserem Gordon's als Beitrag zu der Deckparty der Russen gestiftet. Sie müssen gedacht haben, das sei nur recht und billig, eine nette Geste zu einer Zeit, als wir es dringend nötig hatten, uns beliebt zu machen. Aber das war, bevor uns klar wurde, daß Russen so gut wie alles trinken. In Falmouth hatten wir zwar eine Kiste Chivas Regal an Bord genommen, „für die Einheimischen", wie Clive dazu bemerkte, aber eben leider nur eine. Jedenfalls war es ein böser Fehler, unseren Gordon's für die Party zu opfern. Wir können nur annehmen, daß Mike, der selten etwas Stärkeres trinkt als ab und zu eine Dose lauwarmes Bier, sich über die Folgen seiner Tat nicht im klaren war. Immerhin, Ralphs Beefeater ist auch gut trinkbar, und der Rest des Abends verschwimmt im Nebel, abgesehen von einer Stunde im Funkraum, als Quentins Computer eine Nachricht aus England empfing, die ihn mehrere hundert Pfund gekostet haben muß.

Um 2 Uhr nachts werde ich wach vom Motorengeräusch eines Flugzeugs, das uns ganz tief überfliegt. Es hört sich an wie die US-Küstenwache – eine P3 Orion, wie sie vor Hawaii die *Farnella* umschwirrt hat. Ich stehe auf und gehe an Deck. Der Mond scheint nicht, darum ist es unmöglich, das Flugzeug zu identifizieren, das uns immer noch umkreist. Selbst wenn es keine hundert Meter hoch über uns hin fliegt, ist es nur eine Gruppe blinkender Navigationslichter. Ich steige zur Brücke hinauf, die im Dunkeln liegt. Der Erste Offizier versucht mit dem Piloten zu sprechen, der tatsächlich Amerikaner ist. Zwischendurch dolmetsche ich ein bißchen, denn der Erste Offizier kann nicht allzugut Englisch. Anscheinend behaupten die Amerikaner, Notrufe von einer wohl versehentlich nicht abgeschalteten Signalanlage auf der *Keldysch* aufgefangen zu haben. Das wäre nicht undenkbar. Über 90 Prozent der automatischen Notrufe von Schiffen seien falscher Alarm, behauptet der britische Seenotdienst. Aber in den frühen Morgenstunden auf der verdunkelten Brücke eines russischen Schiffs denkt man anders. „Hm, CIA“, sagt der Erste Offizier, und ein Zusammenhang mit irgendeinem militärischen Nachrichtendienst wäre in der Tat nicht ganz unwahrscheinlich. Das SOSUS-Unterwassernetz der US-Navy wird Signale von unseren Transpondern aufgefangen haben, und dann fragt die Navy bei den Ozeanographen von Woods Hole an, was ein russisches Forschungsschiff wohl hier zu tun haben könnte. Woods Hole antwortet vielleicht, daß in dieser Gegend, weitab vom mittelatlantischen Rücken, nichts ist, was für Geologen von Interesse sein könnte. Stutzig geworden beschließen die Amerikaner, uns mal näher ins Auge zu fassen. Der Pilot, was immer sein Auftrag gewesen sein mag, fliegt endlich wieder fort. „Einstweilen keine weiteren Fragen“, sagt er und braust los nach Barbados – über 1800 Meilen.

Vierzehn

7.2.95

Als ich den Orca-Teilnehmern erzähle, wen wir heute nacht zu Besuch hatten, stecken sie die Köpfe zusammen und reden über Codes und dergleichen. Wenn die MIRs heute tauchen, wird die US-Marine ihre akustischen Signale mithören können. Was wäre, wenn in ihren Gesprächen mit der *Keldysch* oder untereinander das gefährliche Wort „Gold" fiele? Wir haben schon immer vermutet, daß die Navy uns auf ihren Schirmen haben könnte, und nachdem es uns nun auf so elegante Weise bestätigt wurde, hat Orca Grund zu den schlimmsten Befürchtungen. Und so haben wir endlich auch die authentische Atmosphäre für eine Schatzsuche – gereizt, ein bißchen paranoid, konspiratorisch. Ohne so etwas geht es nicht ab, wenn man hinter versunkenem Gold her ist.

Der Start des MIR 1 wird dramatisch und bewegend. Die Bedingungen sind nicht ideal. Strahlend tropische Sonne mit Wolkenklümpchen, aber rollender Seegang. All die vertrauten Gesichter (der Anarchist, Mr. Clean, der Cowboy, Goldhändchen, Burt Reynolds und der stille Viktor Browko) werden plötzlich zu Figuren in einem kunstvollen und gefährlichen Ballett, das sie schon viele Male zusammen aufgeführt haben. Der Anarchist erweist sich als derjenige, der die Luke schließt und das MIR an den Kran anhakt. Er ist immer noch derselbe Typ mit Bart und Baskenmütze, sieht aber nun nicht mehr so subversiv, sondern eher mütterlich aus, als er sich auf das Kuppeldach des orangeroten Tauchboots hockt. (Wie blöd, daß man die Karikatur zu Hilfe nehmen muß, um jemanden zu individualisieren, wenn man seine Sprache nicht versteht!) Anatoly steigt die Leiter zum Rücken des MIR hinauf, winkt einmal lässig in die versammelten Kameras, streift die Pantoffeln von den Füßen und läßt sich in Socken und Blauem Anton in die Luke hinab. Bogdanow, der nicht mehr so rank und schlank ist, hat etwas Mühe, seine Teddybärenfigur durch das enge Einstiegsloch zu lavieren. Beim Schließen des ausgekehlten Deckels, in dessen stählerne Seitenflächen eine Art Kolbenring eingelassen ist, gibt es Schwierigkeiten und eine kleine Verzögerung. Drinnen müssen Sagalewitsch, Michail und Bogdanow jetzt schwitzen: In der Kapsel ist es zu Beginn einer Tauchfahrt in den Tropen meist heiß und stickig; und daß der Dekkel nicht glatt schließt, kann auch nicht gerade beruhigend sein. Endlich ist er zu, der Kran hebt das MIR an und schwenkt es außenbords. Von der Reling darüber gesehen ähnelt es einem dicken orangeweißen Helikopterrumpf ohne Kabine: Die runde Druckkapsel mit den drei winzigen Bullaugen ist verdeckt unter dem glatten Schwimmkörper aus Kunststoff. Rollend und schlingernd in der unruhigen See (es geht eine steife Brise) wartet unten die *Koresch*, Mikes ganzer Stolz, mit Klein-Lew am Steuer. Der Tender für die MIRs, erzählt Mike, wurde nach strikten Angaben in Falmouth gebaut; der Konstruktionsplan entstand hauptsächlich in einem langen Hin und Her von Fax-Briefen zwischen Moskau und Cornwall. Das Boot hat einen großen Volvo-Penta-Motor und einen extragroßen Propeller. Mehr als sechs Knoten macht es nicht, hat aber eine Zugkraft wie ein kleiner Schlepper. Es dient dazu, die MIRs, während sie ihre letzten Prüfungen vor dem Abtauchen vornehmen, auf sicheren Abstand vom Schiff und später, nach dem Wiederauftauchen, zu ihm zurückzuschleppen. *Koresch* soll ein russischer Kolloquialismus für „Freund" sein, aber ich denke dabei eher an das Oberhaupt der Davidianer-Sekte, die vor einigen Jahren in Waco, Texas, ein so spektakuläres Ende gefunden hat. In diesem biblischen Zusammenhang ist der Name übrigens die hebräische Form von *Kyros*, der sich wiederum von dem persischen Wort für „Thron" herleitet.

Nahe bei der *Koresch* wartet der muskulöse Captain Zodiac in dem Schlauchboot mit dem Suzuki-Außenbordmotor. Heute ist Lonja, der Kosake, bei ihm, in Badehose.

Als das MIR im Wasser neben dem Schiff ist, kommt der Zodiac herangefahren, und Lonja springt auf den Rücken des Tauchboots. Er geht in die Hocke, und mit einem mächtigen Abwärtsruck koppelt er das MIR vom Kran ab. Dann befestigt er ein Tauende von der *Koresch* am Bug des Tauchboots, springt ins Wasser und wird von dem Zodiac wieder herausgefischt. Er ist ein sehr gelenkiger junger Mann, und das muß er auch sein. Der ganze Vorgang dauert zwar nur einige Sekunden, aber bei einem solchen Seegang kommt alles darauf an, den richtigen Moment abzupassen, wenn das MIR in einer Aufwärtsbewegung ist und die Trosse sich ein wenig lockert, so daß sie ausgeklinkt werden kann. Für einen Augenblick, als er auf dem MIR hockte, war er vollständig untergetaucht, und wir sahen seinen Körper grün verschwimmen, während er mit dem Koppelmechanismus kämpfte. Nun zieht die *Koresch* das Schlepptau straff, und der schlingernde orangerote Rücken, mit der Heckflosse einem Flugzeug ähnlich, gleitet vom Schiff fort.

Die Stimmung in der Mannschaft und bei den Zuschauern ist wie in einer Familie, die besorgt einem Kind nachblickt, wenn es sich am Tag einer wichtigen Prüfung auf den Schulweg macht. Fast alle, die an Bord sind, schauen dem Start zu, denn es ist der erste seit vielen Monaten. Das erklärt die Spannung. Sie wird anhalten, bis beide Tauchboote wieder sicher zurückgekehrt sind (MIR 2 soll später ebenfalls gestartet werden). Niemand pfeift. Die meisten müssen das alles schon dutzendemal gesehen haben, und trotzdem schaut man immer wieder erstaunt zu, wie drei Männer sich in eine Druckkapsel einschließen lassen, die achtzehn Stunden lang nicht mehr geöffnet wird. In dieser Zeit werden sie einen der unzugänglichsten Punkte der Erde erreicht haben, eingezwängt in die totale Dunkelheit und umklammert von einer ungeheuren Menge Salzwasser. Was passiert, wenn auch nur das kleinste Leck entsteht? Ralph, der an der Reling lehnt, versichert uns, daß bei solchem Druck ein nadelfeiner Wasserstrahl einen Körper wie Laser durchschneiden würde. Und wenn ein Verschluß nachgibt und die Kapsel implodiert? „Du würdest nur noch ein Klicken hören. Dann würde die Schockwelle dich zu einer Art Fleischbrühe verflüssigen, und die Atmosphäre würde zur Größe und Temperatur einer weißglühenden Erbse komprimiert. Nachdem das andere MIR deines heraufgeholt hätte, würde man dich durch die Luke ausgießen. Vielleicht fände man noch ein paar Knöpfe oder einen Reißverschluß." Es wird begreiflich, warum die Orca-Teilnehmer mit einer angespannten Aufmerksamkeit zuschauen, die nichts von Schadenfreude an sich hat: Früher oder später (hoffen und fürchten sie) werden sie selber dabeisein.

Im Augenblick, wo ich dies aufschreibe, eine Stunde, nachdem der orangerote Wal grün geworden und verschwunden ist, haben Anatoly und seine zwei Begleiter erst ein Drittel des Wegs nach unten hinter sich, etwa eineinviertel Meilen, und sinken weiter in einem stetigen Tempo von 30 Metern pro Minute. Wenn ich mir vorstelle, wie sie zusammengekauert in diesem kalten, gepanzerten Golfball dort unten sitzen, kann ich nicht umhin, an die großen Pioniere zu denken: Beebe, Piccard, Cousteau. Das ganze Unternehmen hat etwas ungemein Großes, sogar Feierliches, das niemanden an Bord kalt läßt, am wenigsten die von Orca. Was bisher nur ein Projekt gewesen ist, wird nun zum Einsatz von Menschenleben. Wenn mancher nicht viel mehr als einen kostspieligen Jux darin gesehen haben mag, nun wird es ernst.

Drei Stunden später kommen die drei für das zweite MIR auf die Start-Plattform heraus, alle in sauberen Overalls, und wechseln einen Händedruck mit ihren Freunden, den Ingenieuren. Viktor Browkos Gesicht ist ein Bild angespannter Konzentration. Fast kann man sehen, wie er innerlich eine Prüfliste aller Funktionen des Tauchboots durchgeht. Er umarmt die drei Abfahrenden – eine echt russische Umarmung, mit beiden Händen fest auf den Schulterblättern. Die Abfolge ist exakt dieselbe wie beim ersten Start. Auf dem Dach des Tauchboots streifen die drei ihre Schuhe ab und werfen sie in einen Karton, auf dem mit Filzschreiber

„MIR 2“ vermerkt ist, wie Häftlinge, die bei der Einweisung in ein Gefängnis ihre persönliche Habe in Gewahrsam geben. Sie verschwinden im Innern; die Luke wird verschlossen und gesichert; der Auslegerkran schwenkt sie von Bord und setzt sie ins Wasser ab. Lonja wiederholt seine Wasserakrobatik. Nach einer Weile werden die Auftriebstanks geflutet, und unter einem Wölkchen wie vom Atem eines Wals sinkt MIR 2 außer Sicht. Währenddessen kommt Nachricht von MIR 1, daß es nach mehr als vier Stunden den Grund erreicht hat und sich nun in 5200 Metern Tiefe befindet, etwas über drei Meilen unter dem Schiff, auf dem wir nun stumm zum Mittagessen hinuntergehen.

8. 2. 95

MIR 1 ist um 2 Uhr früh zurückgekehrt. Das Wiedereinholen war wie eine Halluzination: Erwachen aus tiefem Schlaf, an Deck gehen, zwischen den starken Bordlichtern hinausblicken auf die schwarze Wand von Himmel und Meer. Dann, weit draußen die Positionslichter der *Koresch,* ein Anhalt für das Auge, Grenzzeichen im Meer, Gewöhnung der Augen an die Unterscheidung der Blinklichter von den blassen Konstellationen am Himmel. Hinter der *Koresch* kam eine Lichtpfütze zum Vorschein, wie grüne, wabbelnde Gallerte. Wir konnten nur erkennen, daß der Tender eine Wolke glühendes Protoplasma im Schlepptau hatte, die unablässig bald schwoll und sich streckte, bald schrumpfte und sich trübte und ab und zu ein leuchtendes Auge vorschob. MIR 1 hatte alle Lichter an. Als es dem Schiff näher kam, erinnerte es mich an einen verendenden Igelfisch, den Diodon, wie er von den Wellen auf den Strand gerollt wurde, aufgedunsen und hilflos, der Rücken tief unter Wasser, am Heck ein schwächliches Surren wie von kleinen Flossenschlägen.

Das Wiedereinholen einfach als Gegenteil des Starts zu beschreiben, gäbe ein falsches Bild, obwohl technisch gesehen richtig. Was dabei ausfiele, wäre das Moment des Heroisch-Geheimnisvollen, der Eindruck, daß dieser in der Nacht schlingernde Kanister nicht mehr ganz dasselbe Ding war, das man zuletzt vor dreizehn Stunden bei Sonnenschein hatte verschwinden sehen. Seitdem war es in einer anderen Welt gewesen und konnte sich nicht in jeder Hinsicht gleich geblieben sein, als es wiederkehrte. Vor vier Stunden hatte dieses dicke Objekt sich noch an Cañons und Felsen vorbeigetastet, die noch nie jemand gesehen hatte. Für einen Augenblick hatten seine Halogen-Scheinwerfer ein Stück Geographie beleuchtet, auf das seit 50 Millionen Jahren kein Sonnenstrahl mehr gefallen ist oder das vielleicht schon seit der Entstehung des Planeten kaum Licht gekannt hat. Dann zogen die Scheinwerfer vorüber, und für die nächsten 50 Millionen Jahre bliebe wohl alles wieder im Dunkeln. In den letzten dreizehn Stunden war das kleine orange-weiße Fahrzeug also an einem Ort ohne echte Koordinaten in der Wirklichkeit gewesen, einem Ort, der den Generationen vor uns noch als grauenhaft formlos, gottlos, als zu urweltlich für jeden menschlichen Bezug, als jenseits aller Moral und als ein Überbleibsel des Chaos erschien. Ein Fahrzeug aus dieser fremden Welt ins Tageslicht menschlicher Maße zurückkehren zu sehen, ist kein ganz und gar wirkliches Erlebnis. Wie der Krake steigt es geheimnisvoll aus der Tiefe auf, und wie er stirbt es dabei in gewisser Weise. Die grenzenlose, schwappende Dunkelheit umsäumt das Schiff und, im Mittelpunkt, das hell ausgeleuchtete Schauspiel mit dem Mann, der von dem Zodiac aufs Dach der Zeitmaschine springt, um die Krantrosse festzumachen. Es ist unwirklich, eine Verlängerung des Schlafes. In wichtigen Momenten wissen wir nie so recht, wo wir sind. Ebensogut könnte dies eine Hinrichtung sein, zu der man aus dem Bett geholt wird, vielleicht als Zeuge, vielleicht als Delinquent, ein traumbefangenes Ich, das ein wenig nachhinkt, immer am Rand eines Nichts.

Als der Anarchist raufklettert und die Luke aufmacht, strömt die Normalität wieder ein, erleichternd wie ein frischer Luftzug, klar zu erkennen in den Gesichtern der Mannschaft. Steifgliedrig kommen die drei Zeitreisenden wieder zum Vorschein, wie einst William Beebe auf jenem Schwarzweißfoto aus den 30er Jahren, eine müde, hagere Gestalt, die sich, aus einer Rekordtiefe aufgetaucht, ohne fremde Hilfe aus der engen Luke der Kapsel windet wie eine Made, die aus dem Ei kriecht. Als erster kommt der Kopilot, dann der Geologe Bogdanow, dann Anatoly selbst, der Kapitän, der sein Schiff als letzter verläßt. Während er seine Schuhe aus dem Karton nimmt, schwenkt er eine Hand zu den Zuschauern hin, unter ihnen seine Partnerin Natalja und das gesamte Orca-Team. Mit einem müden Lächeln, nicht ohne Zynismus, ruft er auf russisch: „Scheißgold da unten!" Dann klettert er die Leiter herab und wird unter Applaus von seinen Kollegen in die emporgestreckten Arme geschlossen.

Um sechs Uhr früh kehrt auch MIR 2 wohlbehalten zurück, ebenfalls ohne eine Spur von dem U-Boot gefunden zu haben. Gerüchte gehen um, können aber offiziell nicht vor der ausführlichen Nachbesprechung bereinigt werden, die natürlich erst stattfinden kann, wenn die MIR-Besatzungen geschlafen und gegessen haben. Es heißt, das angebliche „Trümmerfeld" in der von dem mysteriösen Amerikaner angegebenen Position sei nur Felsgerümpel. Es heißt auch, die MIRs hätten die Position ganz verfehlt oder auch umsteuert, weil ihnen geologische Proben wichtiger gewesen seien. In wissenschaftlicher Hinsicht war die Fahrt anscheinend ein großer Erfolg, und MIR 2 hat ausgezeichnete Proben heraufgebracht. Wurde die Orca-Mission zugunsten der Wissenschaft hintangestellt, sobald sich die dunklen Wasser über den Tauchbooten geschlossen hatten? Wir können nur abwarten.

In einem Roman ginge das alles so nicht, einmal weil die Höhepunkte nicht wie auf Bestellung eintreten, zum anderen, weil dort nicht jeder Protagonist ein anderes Ziel verfolgen dürfte, zumindest nicht in einem herkömmlichen Thriller. Aber auf der *Keldysch* scheint es ebensoviele Sonderinteressen wie Personen zu geben, besonders hinter den Verdunkelungen durch die Sprachbarriere. Nicht mal die Orca-Teilnehmer sind ganz einmütig – etwa in einem gemeinsamen Verlangen nach plötzlichem Reichtum –, denn jeder umgibt sich mit einer Schutzschicht von Skepsis oder trockener Kalkulation der Erfolgschancen. Sogar Mike und Andrea, die doch am längsten und mit dem stärksten persönlichen Einsatz versucht haben, die Fakten zu ermitteln – ob sie wirklich unbedingt daran glauben, daß da unten das U-Boot mit dem Gold liegt? Mike träumt von der Farm, die er sich kaufen möchte, und von den Schulden, die er abtragen muß; Clive hat seinen Spaß bei der Sache, muß sich aber vor einer Gruppe vermutlich humorloser Investoren verantworten; Ralph würde seiner Legende gern ein neues triumphales Wagestück hinzufügen. Quentin gedenkt alles, was das Glück ihm etwa zuträgt, für einen Anbau an seinem Haus zu verwenden, aber er zählt nicht darauf und nimmt das Ganze nicht allzu wichtig. Mit Orca hat er sich weniger des Goldes wegen eingelassen, als um Clives und Simons Geschäftsverbindungen kennenzulernen. Wie soll ein Geologe anders mit Leuten in Beziehung treten, die beträchtliche Geldmittel anzuzapfen verstehen? Als kleiner Geschäftsmann muß man sich da auskennen. Eines Tages möchte er vielleicht mal kurz eine Partnerschaft mit Clive eingehen, zur Verwertung irgendeiner wilden, ungeologischen Idee, die ihm durch den Kopf geht, während er an einer Ampel wartet oder seine Kinder badet. Denn Quentin ist ebenso einfallsreich wie überschwenglich. Man spürt, er ist einer, der eher selbst ein Vermögen macht, als daß er anderer Leute Gold auf dem Meeresgrund findet. Und Andrea... was will sie? Erlösung aus der Geldknappheit, warum nicht? Und, wie Mike, die Erlösung eines echten Höhepunkts nach so vielen Jahren der Vorbereitung auf dieses Unternehmen, die Gewißheit, daß ihre professionelle Plackerei sich gelohnt hat. Ich als einziger habe keinen Anteil an dem Gold, das die Expedition vielleicht findet. Ich würde dadurch um keinen Pfennig reicher. Andererseits bin ich beschenkt durch das Abenteuer, durch die Gelegenheit, hier zu sein, wo ich sonst nicht hingekommen wäre, Menschen zu begegnen, die ich sonst nie gesehen hätte, und all dies ist tausendmal besser als das bleierne Daheimbleiben in den eigenen vier Wänden.

Andreas Leben ist ziemlich abenteuerlich verlaufen, wodurch ihrem scheinbar muffigen und akademischen Beruf als Rechercheurin einiges an echter Erfahrung zugewachsen ist. Muffig jedenfalls ist sie nicht. Sie hat in Manchester Englisch und Philosophie studiert; im Scuba-Tauchen hat sie es bis zur Klub-Instruktorin (BSAC: British Sub-Aqua Club Instructor) gebracht. Das Tauchen nach Wracks wurde ihr Hobby, und von allen Orca-Teilnehmern hat sie daher mit Wracks am meisten Erfahrung. Außerdem hat sie auch eine Ausbildung als Anzug-Taucherin, mit Bleistiefeln und alldem.

In den 70er Jahren bewarb sie sich beim Rekrutierungs-Amt der Royal Navy in High Holborn und wurde mit unverhohlener Heiterkeit abgewiesen. Tief enttäuscht fand sie sich damit ab, sich „kommerziell" (wie sie es nennt) durchschlagen zu müssen, und bewarb sich um eine Stelle bei Greens Fotoladenkette, zu der auch mehrere Tauchsportartikel-Läden gehörten. Wieder wurde sie formlos abgewiesen. Dieses Mal war sie so wütend, daß sie sich zu einem richtigen Protest aufraffte und verlangte, wenigstens zu einem ordentlichen Vorstellungsgespräch zugelassen zu werden. Etwas an ihrer temperamentvollen Beschwerde muß die Verantwortlichen bewogen haben, diese Frau ernst zu nehmen, sei es auch nur, um sie davon abzubringen, daß sie mit ihrem Ärger an die Öffentlichkeit ging. Beim zweiten Vorstellungsgespräch ließ sich die Firma von ihr beeindrukken – so sehr, daß man ihr alle Tauchartikel-Läden übertrug, sowohl den Groß- wie den Einzelhandel. Nach der Übernahme Greens durch die Burton-Kette wurde die Wassersport-Abteilung erweitert. Dann wurde Burton wiederum von Debenham aufgekauft und der ganze Geschäftszweig vollkommen abgebaut und schließlich eingestellt. Andrea wurde zunächst als Sportartikel-Einkäuferin für Debenhams Laden in der Oxford Street übernommen. Binnen sechs Monaten wurde sie entlassen.

Mit einem Freund stellte sie eine Fabrik für Naßtauchanzüge in Battersea auf die Beine, die Seawolf Ltd. Sie verwendeten ein neues Herstellungsverfahren, bei dem das Neopren wie Gebäck nach einer Matritze ausgestanzt statt mühsam mit Scheren zurechtgeschnitten wurde. Die Firma gedieh, aber eine falsche Partnerschaft führte dazu, daß Andrea und ihr Freund James kaltgestellt wurden. 1978 wollten Andrea und James etwas Neues anfangen, ein internationales Bergungsunternehmen. Dazu gingen sie eine Partnerschaft mit einer Firma in Sri Lanka ein, und dieses gemeinsame Unternehmen bestand bis 1983. In dieser Zeit suchten sie das britische Kriegsschiff HMS *Diomede* vor Trincomalee, doch ohne es zu finden. Von der staatlichen Kriegsschaden-Versicherung in London kauften sie für 400 Pfund einen gesunkenen Tanker, die *British Sergeant*. Sie lag nur zwanzig Meter tief vor der Ostküste von Sri Lanka und bot gute Aussichten auf unkomplizierte Bergung von Nichteisenmetallen, z. B. der mangan-bronzenen Schiffsschraube. Sogar der Stahlrumpf wäre an eine ortsansässige Schmelzhütte zu verkaufen gewesen. Leider hatte Andreas und James' Geschäftspartner wieder einmal andere Pläne. Infolge eines Komplotts landeten sie beide für eine kurze, aber unangenehme Zeit in einem Gefängnis in Sri Lanka.

Tatsächlich waren sie die unschuldigen, aber leicht greifbaren Opfer einer verwickelten politischen Gaunerei. Daß sie schließlich mit Entschuldigungen freigelassen wurden, änderte nichts daran, daß Andreas Vertrauen in die örtlichen Geschäftsbedingungen nunmehr gestört war. Etwas schlotterig und angeschlagen flog sie zurück nach London und wurde 1983 freie Forschungsmitarbeiterin am britischen Staatsarchiv, am National Maritime Museum und an der Orient- und Indien-Sammlung der British Library. Es vergingen noch einige Jahre bis zu dem Tag, als Mike Anderson im Staatsarchiv auf ihren Namen stieß und seinerseits Erkundigungen über ihre Eignung für seine Nachforschungen einzuholen begann (aus naheliegenden Gründen sind Lebensläufe und Empfehlungen im Bergungsgewerbe nicht immer leicht zu bekommen). Andreas erster Auftrag von Mikes Firma Anderson Associates – damals britischer Vertreter für Subsal Inc. – war, wie schon erwähnt, nach einem urkundlichen Beweis zu suchen, daß die Goldladung der *Aurelia,* die Jock Walker gesehen haben wollte, wirklich existiert hatte.

Obwohl sie kein Aufhebens davon macht, versteht Andrea vom Bergungstauchen wahrscheinlich ebensoviel wie nur irgendein Russe auf diesem Schiff und mit Sicherheit bedeutend mehr als irgendwer sonst bei Orca. Außerdem kennt sie die Urkunden besser als jeder andere und weiß auch über alle damit zusammenhängenden Themen genau Bescheid. Noch erstaunlicher ist, daß sie sich, wenn auch mit Mühe, in den Kämpfen dieser Männerwelt behauptet hat, in der Frauen in Taucheranzügen wohl auch heute noch nicht gern gesehen sind. Ihre Ablehnung durch die Kriegsmarine ärgert sie nach all den Jahren noch immer, hat sie aber nicht verbittert, sondern entschlossener gemacht. Trotzdem ist sie keine sture Grabenkämpferin geworden, sondern eine Verteidigerin all jener, die wissen, was es heißt, belächelt und beiseite geschoben zu werden. Dies, zusammen mit einiger Lebensklugheit, Schlagfertigkeit und ausgezeichneten Rechtskenntnissen, hat es ihr erlaubt, nebenher noch unbezahlte Arbeit für eine Schwulen-Hilfsorganisation in London zu leisten. Sie ist eine großherzige Frau, und im Gespräch mit ihr wird mir klar, daß mir an der Orca-Gruppe vor allem eines gefällt: die schiere Mannigfaltigkeit ihrer Zusammensetzung, die weit auseinanderweisenden Vorgeschichten und Qualifikationen der einzelnen. Ist soviel Heterogenität in einem solchen Team eine Stärke oder eine Schwäche? Wer weiß? Aber es ist faszinierend, die getrennten Wege nachzuzeichnen, die sie alle hier auf diesem russischen Schiff zusammengeführt haben, das nun auf dem Atlantik seine Bahn zieht.

Am Tag nach den ersten Tauchfahrten macht sich auf dem Schiff eine sonderbare Tristesse breit. Das Sonarlabor scheint zu schlafen. Roman Pawlow und „Brains" bereiten sich in aller Stille darauf vor, die Suche mit dem ZVUK wiederaufzunehmen. Quentin meint, daß man kein Gold gefunden habe, würde die Leute doch stärker bedrücken, als sie erwartet hatten. Ich vermute, es hat weniger mit dem Gold zu tun als mit der unterschätzten Belastung durch die Tatsache, daß sie sechs Freunde und Kollegen in diese andere Welt geschickt und wieder zurückgeholt haben. Es waren ihre ersten Tauchfahrten seit vielen Monaten, und beim Start von MIR 1 war nicht alles glattgegangen. Nicht nur, weil die Luke geklemmt hatte, sondern auch, weil Klein-Lew in der *Koresch* das Tauchboot mit dem Heck gegen die Schiffswand hatte bumsen lassen, wobei ein Oberflächenschaden an der Fiberglasverkleidung des Hauptpropellers entstand. Dann hatte der Kranführer nach dem Ausklinken den Haken zu weit hochgezogen, so daß er sich im Windenwerk verklemmte, das darum vor dem zweiten Start erst einmal auseinandergenommen werden mußte. Hätte also MIR 1 die Tauchfahrt vorzeitig abbrechen müssen, so hätte es nicht sofort wieder an Bord gehievt werden können – bei dem hohen Seegang eine unangenehme Sache. Alles war nicht gerade perfekt gewesen, und neugierige Ausländer hatten es beglotzt und gefilmt. Diesen verfluchten Störenfrieden hätte man eine andere Vorstellung geben müssen; so war es, als hätten Fremde einen Familienkrach mit angesehen. Nutzlos, denen erklären zu wollen, daß nach den Maßstäben für solche Operationen, bei denen kostspielige Geräte auf See eingesetzt werden, der Start der MIRs wie übrigens bisher auch die ganze Fahrt mit wundersamer Präzision abgelaufen war. Daß der *Dolphin*-Suchbereich am vorgesehenen Tag erreicht wurde, ist ein Wunder; daß all diese Geräte eingesetzt und ohne Verlust oder Schaden wieder an Bord geholt werden konnten, verdient eine Prämie; und daß obendrein noch – wie geplant – brauchbare Daten über das Suchgebiet gewonnen werden konnten, ist schlechterdings unglaublich. Landratten, die an Fahr- und Flugpläne oder andere tägliche Abläufe gewöhnt sind, die so gut voraussagbar sind wie das Fernsehprogramm, können das nicht verstehen. Die sehen nur, ob etwas mehr oder weniger plangemäß läuft. Denen geht es nicht in den Kopf, daß die See keine Pläne kennt, daß wir nicht hierher gehören, daß wir für jeden Tag dankbar sein müssen, den wir uns über Wasser halten.

Die Orca-Teilnehmer hätten besser nicht zu der 17-Uhr-Sitzung im MIR-Labor gehen sollen. Von Anfang an war dies offenbar eine Art Totenfeier für die innere Gemeinde. Wir standen an den Schotten herum wie gutbetuchtes internationales Gesindel, das nicht an die Rückkehr in ein Dritte-Welt-Drecknest wie Kaliningrad denken muß. Ganz absichtslos fanden die Russen ein Mittel, uns weiter zu vergraulen, nämlich eine (unter lautem Gelächter gehaltene) Geburtstagshuldigung mit einer Flasche georgischem Champagner für Klein-Andrej, der heute 31 wird. Auch danach war alles auf russisch, das Anatoly zwei- oder dreimal mit ein wenig gereizter Höflichkeit für uns übersetzte: „... eben so technische Einzelheiten von den MIR-Fahrten gestern, Fehler und Probleme, mit denen wir fertigwerden müssen, bevor wir das nächstemal tauchen." Er fügte hinzu, daß noch eine Besprechung um 18 Uhr käme, wo man drüber reden könnte, wo die MIRs gewesen waren und was sie gesehen hatten. Inzwischen fühlte ich mich so grotesk fehl am Platze, daß ich mich leise zur Tür hinausschlich, zusammen mit Clive, Mike und Quentin, während Andrea mit funkelnden Brillengläsern allein dablieb. Was schließlich herauskam, war, daß keines der beiden MIRs in den letzten vier Jahren mehr 5000 Meter tief getaucht war. Kein Wunder, daß gestern die Nerven bloßgelegen hatten! Kein Wunder auch, daß japanische U-Boote und Goldbarren nicht das waren, was die Tauchfahrer in erster Linie interessierte. Sie waren hauptsächlich darauf bedacht gewesen, lebendig wieder heraufzukommen.

9.2.95

Heute morgen war der Anarchist an Deck, las gespannt in einem Band Gedichte und schien dann, den Blick gen Himmel gerichtet, zu bedenken, was er gelesen hatte, den Bart emporgereckt und die Baskenmütze im Nacken. Er ist umgeben von einer Aura von Bildung, Selbstgenügsamkeit und Kompetenz.

Bei der Orca-Besprechung, wie gewöhnlich heute morgen um 9 Uhr, fehlte es augenfällig an Einmütigkeit. Daß wir *I-52* nicht gleich bei den ersten Tauchfahrten gefunden haben und noch keine tropfnassen Edelmetallbarren an Deck stapeln können, macht die Sache nicht besser. Alle sind irgendwie entmutigt, was nur zeigt, was für optimistische – um nicht zu sagen phantastische – Erwartungen sie gehegt haben müssen. Vor noch nicht drei Wochen habe ich mich gefragt, was wohl im nachhinein als der Anlaß zu Disharmonien unter unseren Schatzsuchern erscheinen könnte, der eigentlich von Anfang an hätte kenntlich sein müssen. Die Besprechung nun zeigt, daß es der Mangel an einem echten Führer oder Projektleiter ist, der Orcas anglophones Element vertreten könnte. Gewiß, Clive hat sich mit allen Aspekten der Dokumentation zu den Suchzielen in höchstem Maße vertraut gemacht, ebenso wie mit den bei der Suche angewandten Techniken. Aber was er weiß, wird von den anderen als nicht so wichtig aufgefaßt wie das, was er ist: der Repräsentant der Geldleute und von Beruf Anwalt. Hätten wir einen Bergungsexperten als Leiter, würden die Russen uns mehr Respekt zollen. In gewisser Hinsicht ist Andrea die am besten Qualifizierte, weil sie am meisten „eigenhändige" Erfahrung mit der Arbeit an Wracks in vierzig Faden tiefem, kaltem, dunklem Wasser hat. Ich befürchte nur, vom Standpunkt russischer Männlichkeit aus würde man sich zwar mit einer Frau als hervorragender Wissenschaftlerin abfinden, aber nicht mit einer Frau als Leiterin einer Gruppe von Männern, denen sie im Tauchen etwas vormachen könnte. Mag sein, daß ich mich irre, aber dennoch ... Ich glaube, Clives umgängliche, kultiviert-demokratische Art, jede Meinung erst einmal anzuhören, erscheint den Russen als Zeichen von Schwäche. Ironischerweise verhält es sich so, daß der Operationsleiter für Orca gerade Anatoly Sagalewitsch ist, und zwar von Anfang an, ebenso wie er von Anfang an auch einer der Anteilsinhaber in bezug auf den Ertrag des Projekts ist. Seine offenkundige Frustration allerdings zeigt wohl, daß Anatolys offizielle Stellung mit Clives Anwesenheit als Vertreter der Geldgeber schwer zu vereinbaren ist.

Die Sitzung heute morgen diente scheinbar dem Zweck, eine Prioritätsrangliste für die nächsten Suchziele festzulegen – während noch immer neue Sonardaten eingehen und die Zeit knapper wird. Sagalewitsch saß streng und gebieterisch am Kopfende des Konferenztischs und hatte unanfechtbar das letzte Wort zu allem, was auf dem Schiff vorging. Die Orca-Teilnehmer hingegen verlangten neue Daten, Karten usw. und waren sichtlich unentschlossen in manchen Dingen, die sie sich besser vorher hätten überlegen und miteinander absprechen sollen, um den Anschein einer gemeinsamen Linie zu wahren. Die verschiedenen Karten, die mehrfach nach unseren neuesten bathymetrischen und Seitensonar-Daten umgezeichnet worden waren – schon jetzt die genauesten, die es für diesen Bereich irgendwo gibt –, lagen auf dem Tisch ausgebreitet. Bei Orca hatte man eine Ahnung oder wollte glauben, daß keines der MIRs die von dem mysteriösen Amerikaner genannte Suchzone wirklich hinreichend erkundet hatte. Sagalewitsch stellte klar, daß sein MIR nicht nur genau über die Stelle gefahren war, deren Koordinaten mit Orca abgesprochen waren, sondern daß auch die von dem Amerikaner bezeichnete Stelle nach Vornahme aller navigatorischen Feinabstimmungen etwa einen halben Kilometer davon entfernt in einer Zone lag, wo die Sonar-Ausdrucke gähnende Leere zeigten. Inzwischen war Andrea merklich verärgert, daß man Orca ins Unrecht setzte. Sie setzte zu einer bohrenden Nachfrage an, wie gut MIR 1 das vereinbarte Ziel tatsächlich untersucht habe. Unbekümmert schnitt ihr Anatoly das Wort ab, um Quentin nach seiner Meinung zu den Sonar-Ausdrucken zu fragen, und gleich darauf ging er völlig vom Thema ab und begann ein Geplänkel mit Clive, dem er vorhielt, man werde mehr Geld brauchen, um die Suche zu verlängern.

Es war eine empörende Unverschämtheit, aber niemand schien empört zu sein. Clive erging sich in gekonnten Anwaltsausflüchten, wie unmöglich es in diesem Stadium wäre, die Investoren noch mal um eine neue Finanzspritze anzugehen. Er sagte, er müsse gar nicht erst fragen, um zu wissen, daß es zwecklos sei. Meiner Ansicht nach hätte er Sagalewitsch lieber zur Ordnung rufen sollen, und zwar scharf. Als Anatoly plötzlich, während Quentin noch sprach, vom Geld anfing, gab er sicherlich zu verstehen – ob bewußt oder nicht –, daß ihm nicht klar war, an wen er sich bei Orca eigentlich halten solle, ob an den Wissenschaftler oder an den Finanzmann. Und das ist natürlich genau der verfluchte Zwiespalt, den er aus seiner eigenen akademischen Erfahrung daheim in Moskau nur allzugut kennt. Der arme Clive gerät dabei in die Schurkenrolle. In gewisser Hinsicht muß Sagalewitsch ihn hassen, einfach weil er während dieser Etappe der Repräsentant der Investoren an Bord des Schiffes ist. Und wenn dieses kleine Ablenkungsmanöver der plumpe Trick war, als der es mir erschien, so hat er dies damit peinlich klargemacht. Offensichtlich beginnt Anatoly nun in allem, was ihn interessiert, Quentin als den Sprecher der Orca-Gruppe zu behandeln, weil der als einziger mit den Russen über wissenschaftliche Belange mitreden kann. Die übrigen betrachtet er vermutlich als überflüssige Passagiere an Bord seines Schiffes – entweder Repräsentanten einer neuen Weltordnung, vor der es ihn ekelt – oder – wie in meinem Falle – inkompetente Hampelmänner.

Kein Zweifel, ich bin nicht gerecht. Er hat sicherlich Respekt und Sympathie für Mike, der schon seit einigen Jahren mit ihm befreundet und seinerseits ein vorzüglicher Kenner des See- und Bergungsrechts ist. Was er von Ralph hält, davon habe ich nicht die leiseste Ahnung; aber sie haben im Lauf der Jahre etliche Tauchfahrten zusammen gemacht, vor allem bei der *Titanic,* also wird da wohl eine Art Männerfreundschaft sein, zwei Machos unter 500 Atmosphären und dergleichen. Daß Andrea ebenfalls Wissenschaftlerin und sehr kompetent ist, muß Sagalewitsch klar sein, aber historische Nachforschungen sind wohl kein Fachgebiet, für das er viel übrig hat, schon gar nicht, wenn es für einen so unwürdigen Zweck wie die Goldsucherei als Hilfswissenschaft dient.

Später, als einige von uns in Clives Kabine beim Kaffee Trost und Rat suchen, findet Quentin, am vernünftigsten sei es, alles den Russen zu überlassen. Bisher haben sie sich schon als mehr denn kompetent gezeigt; also warum sollen wir sie nicht weiter so verfahren lassen, wie sie es für richtig halten? Wenn Orca schon fromme Sprüche macht, daß dies ein Gemeinschaftsprojekt sei, und wenn Sagalewitsch nun mal hier draußen mitten auf dem Atlantik die gesamte Ausrüstung kontrolliert, warum lassen wir dann die Russen sich nicht selbst den Kopf zerbrechen, wo das U-Boot sein könnte? Clive antwortet grimmig, Kooperation sei ja gerade, was er von Anfang an gewünscht habe, wenn Quentin sich doch bitte erinnern wolle, aber dieser verfluchte Sagalewitsch möchte eben beides, drüber jammern, daß Orca die falschen Suchziele ausgewählt habe, und dann noch berechtigt sein, sich zu beschweren, daß Orca nicht schon in Falmouth eine fix und fertige Liste aller zu untersuchenden Koordinaten mit an Bord gebracht habe. Jemand wirft ein, das sei gar nicht so widersprüchlich, sondern eher ein Zeichen, wie zutiefst erbittert der Mann ist, daß er eine Expedition leiten muß, die er verabscheut. „Dann hätte er den Vertrag nicht unterschreiben dürfen!" sagt Clive heftig. „Wir wissen alle, daß das nicht sein Ideal ist, was er hier tut, aber wir leben nicht in einer idealen Welt, und er muß sein Geld verdienen wie wir alle."

„Du meinst, er könnte wenigstens zu allem gute Miene machen", stichele ich.

„Nein, das meine ich verdammt noch mal nicht", sagt Clive, der auf jederlei Moral pfeift. „Er ist eben ein ewig unzufriedener Russki."

In diesem Augenblick denke ich, und das nicht zum ersten Mal, an die Lautsprecher in allen Kabinen. Aus reiner Neugier haben Quentin und ich den unsrigen aufgeschraubt, und nach unserem Eindruck waren etwas mehr Schaltungen vorhanden als nötig. Ob mit dem KGB-Kommissar wohl auch die Abhöranlagen verschwunden waren? Vielleicht werde auch ich nun langsam paranoid. Aber der Gedanke will mir nicht aus dem Kopf, daß die Russen mit all der technischen Kreativität, die sie hier an Bord versammelt haben, rein aus Gewohnheit dafür gesorgt haben könnten, daß sie diesen Fremden in ihrer Mitte immer einen kleinen Schritt voraus sind. Sagalewitsch ist ein kampferprobter Mann, den die Lebenserfahrung unter dem Sowjetregime sicher gelehrt hat, daß man seinen Rücken nie ungedeckt lassen darf.

Quentin meint, die Aussicht, Gold zu finden, sei wohl für die Russen immer noch Anreiz genug, um sie zu echten Anstrengungen zu bewegen, solange sie nur ihren Unglauben an das ganze Abenteuer aussetzen könnten. Ich weiß, er sieht keinen Grund, persönliche Verantwortung über das hinaus zu übernehmen, wofür er bezahlt wird – immer eine gesunde Einstellung. Orca hat ihn für die Aufgabe engagiert, die Sonardaten zu interpretieren und die ZVUK-Verfahren allgemein im Auge zu behalten. Aber nun machen sein Charme und seine außerfachlichen Fähigkeiten ihn unentbehrlich, und genau das, hat er sich geschworen, wollte er nicht werden. Ohne seine Geduld und stundenlange Nerderei hätten die meisten wichtigen Nachrichten für Orca nicht zur rechten Zeit gesendet werden können, und soviel zu lachen hätten wir auch nicht gehabt. Aber Quentin weiß selbst, was er tut. An den meisten Tagen verbringt er ein Gutteil seiner Zeit in seiner Kabine mit Arbeit für Geotek, nicht für Orca.

Später sage ich zu Roman Pawlow (von dem ich eben erfahren habe, daß niemand auf der *Keldysch* bei dem Moskauer Institut unter Vertrag steht, weil das Institut keine Verträge schließt, nicht mal mit Sagalewitsch), daß sich hoffentlich niemand fest darauf verläßt, daß wir Gold finden. Keine Sorge, sagt er, mit der Goldsucherei hätten sie ja schon etwas Erfahrung (er meint das mexikanische Unternehmen). Es geht nur darum, den Unterhalt für die *Keldysch* zusammenzubringen ... Wenn Anatoly nicht mal einen Vertrag mit dem Institut hat, ist es kein Wunder, daß er mit Orca nur schwer zurechtkommt. Der arme Kerl macht alles für sich selbst und für uns nicht leichter dadurch, daß er so *heavy* ist. Sein Ärger ist *heavy,* seine Bonhomie und seine gelegentliche gute Laune sind *heavy,* seine Taktik ist oft *heavy,* und auch sein Wodka-Konsum ist nicht gerade *light.* Zu seiner Entschuldigung ist zu sagen, daß seine Sorgen ebenfalls *heavy* sind. Sein Vaterland liegt am Boden, seine Frau ist vor drei Jahren an Krebs gestorben, sein Institut ist pleite, die Zukunft der *Keldysch* und der MIRs ist höchst ungewiß, ein Auge, das vor kurzem operiert wurde, macht ihm zu schaffen, daheim in Rußland ist er seines Lebens nicht sicher. Und so weiter.

Pläne, Nachrichten, Agenturen, Daten, Verträge. Ich glaube, die Zeit reicht nicht aus, um diese zwei Wracks zu finden, geschweige denn, die Ladungen zu bergen. Wer realistisch ist, denkt an dieses Mantra über die trotz genauer Koordinaten viermal verfehlte *Titanic.* Wie können Mike und die anderen nur meinen, ein womöglich zerstückeltes U-Boot aus dem Zweiten Weltkrieg zu finden, sei eine Sache von wenigen Wochen?

Der Geologe Mischa (Michail) erwähnt ganz nebenbei (jetzt!), daß MIR 2 neulich doch eine Blechbüchse gesehen hat, „scharfkantig und nur wenig verrostet", aber er hatte nicht weiter darauf geachtet, weil er sich ja nur für Gestein interessiert. Andrea erklärt, wenn das Ding wirklich scharfkantig gewesen sei, spräche das für die Herkunft aus dem Zweiten Weltkrieg, denn abgerundete Kanten für Dinge wie Benzinkanister seien meist erst in der Nachkriegszeit aufgekommen. Anscheinend hatte es etwa Ein-Gallonen-Format. Ich riskiere die Vermutung, daß auf dem Meeresboden hier wohl eine Menge solcher Dinge herumliegt, Kombüsenabfälle und allerlei Gerümpel von den amerikanischen Kriegsschiffen, die mit der *Bogue* tagelang in dieser Zone patrouilliert sind. Andrea meint, die Schiffe hätten strikte Anweisung gehabt, niemals Metallabfälle ins Wasser zu werfen, weil ein feindliches U-Boot sie auf dem Sonarschirm erfassen könnte. Ich weiß nicht; ich weiß nur, wie Leute sich auf See verhalten, selbst wenn man ihnen sagt, was sie nicht dürfen.

Heute abend hellt sich die Stimmung merklich auf. Quentin und Roman Pawlow haben unten im Labor mit den Sonarbildrollen gespielt, sie auf Abdrift korrigiert und hier und da elektronisch gereinigt. Sie haben sich auf das Objekt konzentriert, das von vornherein so plausibel aussah: der etwa 80 Meter lange weiße Block, den die MIRs nicht besichtigt haben, weil die nun diskreditierte Position des mysteriösen Amerikaners sie mehr interessierte. Dieses Bild haben sie mit allerlei Filtertechniken bearbeitet, so daß die Linien und das Relief deutlicher wurden, und nun sieht das Objekt in der Geologie der unmittelbaren Umgebung tatsächlich wie eine Anomalie aus. Die sehnsüchtigen Augen der Goldsucher können schon Einzelheiten erkennen. Für sie ist es das U-Boot, verbogen, aber intakt. Das ist doch der Mast, da... Wie hoch ist das Stück, Quent? Zwölf Meter? Das wäre doch genau richtig für den Kommandoturm...

Ralph kommt in die Kabine herunter und erklärt freundlich, als altem Hasen, der so lange über den Sonarbildern von der *Titanic* gebrütet habe, scheine ihm das gut auszusehen. Wenn dem so ist, dann muß er jetzt sein oft verlautbartes professionelles Urteil drastisch ändern, daß *I-52* katastrophal implodiert sei und daß wir jetzt nach einem Trümmerfeld suchen müßten. Er hat die Meinungsänderung schon eingeleitet: „Klar, ihr dürft nicht vergessen, der Rumpf von diesem Japs war nur vernietet, nicht geschweißt, o.k.? Wir reden hier von Weltkrieg-Zwei-Konstruktion. Das ist nicht wie bei *Thresher* und *Scorpion,* den beiden US-Atom-U-Booten, die in den 60ern gesunken sind und bei denen der Rumpf für 500 Meter gebaut war. Die maximale Tauchtiefe für den Japs waren 100 Meter. Da wären schon allerlei Lecks entstanden, bevor der Druck hoch genug geworden wäre, um ihn zu zerreißen. Außerdem ist er sicher von den zwei Mk. 24-Minen schwer beschädigt worden... “

Wir stehen alle um Quentins Computerschirm herum und

können auf dem Leuchtbild praktisch schon die Aufgehende Sonne schlaff vom Heck in der stillen Tiefe hängen sehen. Weil Menschen meistens sehen, was sie sehen wollen, ist Computerbildverstärkung, die das noch leichter macht, eine gute Freundin der Phantasie. Jedenfalls sind wir alle plötzlich wieder optimistisch.

Später muß Clive zugeben, daß er sich durch Pfeifen im Funkraum böse Blicke von Sascha, dem Funkoffizier, zugezogen hat. Aberglaube, Wunschdenken, die Traumbilder, die verführerisch um die angeblich harten Kanten der technologischen Welt flimmern, die virtuelle Realität... Alles das haben wir hier in Hülle und Fülle. Luftschlösser, Chimären...

Fünfzehn

10.2.95

„Jetzt ist die Kacke am Dampfen!“ bemerkt jemand, so lakonisch, wie man nur sein kann. Gestern abend bei der 6-Uhr-Sitzung hatte Ralph die Unverfrorenheit, sich Skepsis zu den grün schraffierten Flächen auf der Karte anmerken zu lassen, welche die von den MIRs abgesuchten Zonen darstellen. Der gestrenge Anatoly rief ihn danach in seine Kabine und „röstete“ (Quentin) oder „erschoß“ ihn (Ralph). Heute morgen nun, während der Sitzung im Konferenzzimmer (Clive, Andrea, Ralph und Mike), legte Ralph seinerseits ein Schuldbekenntnis ab. „Es stimmt“, sagte er, „ich bin seit zwei Jahren nicht mehr auf diesem Schiff gewesen und war noch nicht so auf dem laufenden, wie ich es hätte sein sollen, über das, was sie mit den Bord-Sonargeräten der MIRs gemacht haben. Anatoly saß da mit seiner Sechsschüssigen im Anschlag und ich mit meiner Winchester hatte Ladehemmung... Ich kann euch sagen, Jungs, wenn Simon in Dakar an Bord kommt, ich glaub' echt, dann ist er in Lebensgefahr. Für seine Sicherheit könnt' ich mich nicht verbürgen.“

Es kam noch einiges mehr von dieser „Ich warne euch!“-Rhetorik, oft genug in den gleichen Wendungen, so daß man sich denken konnte, daß er diese Sprüche schon öfter gemacht hatte, bei ähnlichen Gelegenheiten an Tauchorten in aller Welt. Der arme Ralph ist in der altbekannten Lage eines Mannes, der sich in seiner eigenen Schlinge gefangen hat. Da hat er sich sozusagen zum alten Hasen ernannt, der einem Haufen Tommy-Greenhorns zeigt, wo's lang geht (oder etwas dergleichen, denn er neigt zur Selbstkarikatur), und schon wird er entlarvt als einer, der seine Hausaufgaben nicht gemacht hat. Bei alledem hatte er immerhin soviel Mut und Anstand, seinen Irrtum einzugestehen – einen Irrtum freilich, der unter normalen Umständen ziemlich belanglos wäre. Mit seinem Erfahrungsreichtum müßte er schon ein Heiliger sein, um die Selbstverleugnung aufzubringen, die nötig wäre, wollte er einer Gruppe von Nichtfachleuten, die er anscheinend zumeist verachtet, anders als mit hochmütigem Allwissenheitsgebaren begegnen. Trotzdem, seine Position ist ein bißchen zweifelhaft. Als er mir sagte, er komme sich vor wie die „ewige Brautjungfer" – ein merkwürdiger Ausdruck, gemünzt auf seine Rolle im Leben als fotografierender Beobachter statt als wissenschaftlicher Teilnehmer –, hatte er leider nur allzu recht. Sein Fehler besteht darin, zu glauben, daß er durch Erwerb gewisser praktischer Kenntnisse auf verschiedenen Gebieten den Status einer Braut erlangen könnte.

In diesem Falle hatte er nicht gewußt, daß die Russen vor kurzem die Sektoren-Sonargeräte oder Echolote an Bord der MIRs durch ein glänzendes Beispiel ihres Erfindungsgeistes ersetzt hatten. Sie mußten die Reichweite der Instrumente vergrößern, und die dazu erforderliche Ausrüstung wäre normalerweise ungeheuer kostspielig gewesen. Sie behalfen sich mit einem gewöhnlichen Furuno-Fischsuchgerät, wie es sich jeder Wochenendangler kaufen und an seinem Boot anbringen kann: in Roman-Pawlowscher Manier umprogrammiert, wurde es in einem Behälter mit Öl umgeben und an dem Tauchboot festgeschraubt. Es kostete sie allenfalls ein paar tausend Pfund.

Als Beobachter hat man oft den Eindruck, daß Anatoly abwechselnd sauer und wütend ist und die Briten in ihrem Bemühen, zu erklären und zu beschwichtigen, allein läßt. Ralph sagt, für Sagalewitsch sei Orca „ein kopfloses Huhn", was auch heißen kann, ein gefundenes Fressen. Clive, der sich jeden Tag mit Anatoly bespricht, weist alle Vorwürfe Ralphs gewissenhaft Punkt für Punkt zurück. Schließlich leite Anatoly selbst die Operationen, und darum sei schwer einzusehen, wie etwas ernstlich im argen liegen könnte. In Wahrheit bestehe wohl nur eine kulturelle Barriere. Und da Anatoly eingetragener Anteilseigner bei Orca ist, sei schwer begreiflich, wie Mike den Eindruck haben könne, daß Sagalewitsch und seine Partnerin Natalja bezweifelten, daß Orca alle finanziellen Verpflichtungen erfüllen werde. Mike, der nun allmählich verdrossen und in sich gekehrt aussieht, sagt, daß er auf dieser Reise schon etliche Stunden mit den beiden verbracht hat, teils mit beiden einzeln, teils zusammen, und am Ende eines solchen wodkaschweren Gesprächs habe er das Gefühl, daß sie wenigstens nicht mehr erwarteten, von Orca betrogen oder im Regen stehengelassen zu werden. Aber am nächsten Tag sei alles wieder beim alten, und er müsse von vorn anfangen. Das hört sich zunächst weniger nach bösem Willen von seiten Anatolys als vielmehr nach Irritation durch die fremde Kultur an, zusammen mit all den anderen Zwängen, denen er unterliegt. Aber andererseits muß den Russen ja vollkommen klar sein, was die Natur eines Vertrages ist, denn sie selbst bestehen immer darauf, „Protokolle" zu erstellen. Dies sind im wesentlichen Dokumente, die ihnen helfen sollen, den Kopf aus der Schlinge zu ziehen, falls Orca irgendwann eine Kehrtwendung machen und ihnen vorwerfen sollte, die Vertragsbedingungen nicht erfüllt zu haben. Sobald zum Beispiel die Suchzone für *Dolphin* abgesprochen war, wurden die Koordinaten in einem Protokoll festgehalten, das alle Orca-Mitglieder unterschreiben mußten, ebenso wie Sagalewitsch und Bogdanow. Wir erfahren, daß die Russen auch unter sich ständig solche kleinen Dokumente anfertigen, etwa wenn ein Gerät von einem Labor an ein anderes ausgeliehen wird. Dies ist sicherlich ein Überbleibsel des Sowjetsystems oder einfach das Bedürfnis nach Rückversicherung, das den Bürokraten überall auf der Welt zum Instinkt wird.

Mit Bedauern sehe ich Mike sich in sein Gehäuse zurückziehen, wenn wir nicht gerade Pingpong spielen. Für einen ehemaligen Polizisten scheint er leicht kränkbar zu sein, was vielleicht erklärt, warum er keiner mehr ist. Er hat in den letzten Jahren viel für Anatoly getan: ihn in Moskau besucht, ihm die *Koresch* bauen lassen, versucht, ihm Aufträge zu verschaffen. Es muß schon verletzend oder erbitternd sein, daß Sagalewitsch ihm nun offenbar nicht glauben will und ihn auch nur als Amateur-Prospektor wie uns alle behandelt. Na ja ... es hat nur wenig länger als zwei Wochen gedauert, eine große Gruppe erwachsener Menschen in das institutionelle Durcheinander zurückfallen zu lassen, das man zuerst mit acht Jahren auf der Internatsschule kennengelernt hat. Klatsch, Gerüchte, verletzte Gefühle, Gerede über nicht anwesende Dritte, emotionale Überreaktionen, Wichtigtuer, die mit den letzten Neuigkeiten von Kabine zu Kabine hasten, Sicheinschleimen und die Angst, in Ungnade zu fallen: all das egoistische Sichräuspern von Individuen, die um ihre hierarchische Stellung besorgt sind... ein Gebäude, das zu Staub zerfällt, sobald man den Fuß wieder an Land setzt. Erstaunlich, daß so viele Menschen in den Ämtern, Büros, Behörden, Akademien, Kirchen, Krankenhäusern, Armeen, in den Institutionen und Organisationen überall auf der Welt permanent so leben können. Heute wurde an mich die ziemlich bissige Frage gerichtet, was ich wohl zu tun gedächte, um etwas „engagierter" zu werden. Ob man damit meine, ich könnte „weniger desengagiert" sein, fragte ich zurück. Jawohl, genauso meinte man's verdammt noch mal! Na, sagte ich, so wie ich das sehe, bin ich doch bloß als Schmeißfliege hier. Das ist meine Stellenbeschreibung. Ich werde nicht als Teilnehmer bezahlt. Ich werde überhaupt nicht bezahlt. Meine einzige Pflicht ist darum, mir Notizen zu machen und möglichst niemandem im Wege zu sein.

Um so interessanter also, daß ich um 2 Uhr nachmittags Anatoly zu einem richtigen Interview aufsuchen kann. Ich fand ihn im Gespräch mit Clive, ziemlich grantig; aber ich war angemeldet, und darum gab es Tee und einen Teller mit Süßigkeiten. Nachdem Clive gegangen war, stellte ich Sagalewitsch eine Reihe technischer Fragen zu den MIRs, und das brachte nach und nach den Enthusiasten in ihm zum Vorschein, so daß er ein bißchen lockerer wurde.

Das Meer hat er zum erstenmal 1958 gesehen, erzählt er mir, als er schon zwanzig war. Er ging dann nach Moskau, um an der Akademie der Wissenschaften zu arbeiten. Damals war er voll Ehrfurcht vor den Pionieren der Unterwassererkundung, vor Beebe, Piccard, Cousteau und dann, 1960, den Tauchfahrten der *Trieste*. Er wagte nicht zu glauben, daß dies eines Tages auch seine Welt werden könnte. Als er das sagt, sieht er dreißig Jahre jünger aus, fast wie ein Schulknabe. „Ist wohl eine Krankheit", sagt er zur Erklärung seines damaligen Heldenkults. Es ist die Selbsteinschätzung eines Mannes, der es wissen muß. Millionen Erwachsene wurden 1969 angesichts der Mondlandung wieder zu Schulkindern; nur ein Klotz mit dem Hirn und Herzen von Stein empfindet nichts dabei, wenn ein Wunder wahr wird. Zum Mond fliegen, auf den Grund des Meeres tauchen – was ist der Unterschied? Wenn das eine Krankheit war, dann jedenfalls eine sehr heilsame. Anatoly lernte allmählich selbst tauchen, nahm als Ingenieur an mancherlei Forschungsprogrammen teil und lernte schließlich viele Helden der unterseeischen Welt persönlich kennen. Er kennt Jacques Cousteau, ist befreundet mit Peter Benchley, dem Autor von *„Der Weiße Hai"*, und James Cameron, dem Regisseur des Films *Abyss*.

In Rußland, erfahre ich, haben bemannte Tauchboote eine lange Geschichte, in der etwa fünfzig verschiedene Typen entwickelt wurden. Das Ministerium für Fischfang hatte eine ganze Flotte davon, und ebenso die sowjetische Kriegsmarine. Allein in der Geschichte der Akademie gab es zwölf. Sogar das Schirschow-Institut hat sechs Tauchboote gehabt. Zur Zeit befinden sich noch einige weitere in der Konstruktion, aber aus Mangel an Geldmitteln wurden die Arbeiten auf Eis gelegt.

Ich frage mich, doch nicht laut, wie es kommt, daß England, das doch auf so beachtliche ozeanographische Pioniertaten in seiner Vergangenheit zurückblicken kann, niemals die geringste Neigung gezeigt hat, die Meerestiefen direkt in Augenschein zu nehmen. Für ein Inselvolk, dem die *Challenger*-Expedition zu verdanken ist – eine der fruchtbarsten wissenschaftlichen Unternehmungen des neunzehnten

Jahrhunderts, und manche würden sagen, aller Zeiten –, ist es doch gewiß seltsam, daß Neugier und unsere damalige technische Vorrangstellung uns nicht bewogen haben, den Meeresboden visuell zu erkunden. All unser technisches Können wurde offenbar für den Entwurf von Unterseebooten zu militärischen Zwecken aufgewendet, wie etwa von *Holland I*, mit dem 1900 der Anfang zu einer der besseren U-Bootflotten der Welt gemacht wurde. Doch als Pioniere in echte Tiefen vorzudringen, überließen wir anderen. (*Holland I* hatte eine maximale Tauchtiefe von 20 Metern, und noch den meisten U-Booten des Zweiten Weltkriegs wurden kaum mehr als 100 Meter zugetraut.) Die Gründe mögen zufälliger Art gewesen sein: Geldmangel oder der falsche Mann zur falschen Zeit auf dem entscheidenden Kabinettsposten. Hatte doch der Dritte Seelord 1900 erklärt, Unterseeboote schwämmen unwürdigerweise unter Wasser, und das sei „verdammt unenglisch". Auch hier könnte die Ursache letztlich in weit komplizierteren kulturellen Voraussetzungen liegen. Wie entscheidet eine Nation, worauf sie sich spezialisieren will? Sagalewitsch schwärmt unterdessen von seinen eigenen Konstruktionen.

„Wir haben alles Wissen und alle Erfahrung in die MIRs gesteckt", sagt er. „Sie waren auf dem neuesten Stand und sind es immer noch. Abgesehen davon, daß sie so manövrierfähig sind, läßt es sich auch sehr bequem darin arbeiten, besonders im Vergleich zu *Shinkei* und *Alvin*. Und allen andern."

Zum Schluß erzählt er mir noch, daß seine Tauchfahrt vor zwei Tagen mit Bogdanow und Michail lange vorausgeplant war, genau zum fünfzehnten Jahrestag einer Fahrt, die sie alle drei zusammen mit *Pisces* im Roten Meer gemacht hatten. „Die Zeit vergeht rasch", sagt er nachdenklich, nun gar nicht mehr schulbubenhaft. „Juri ist 61. Ich werde 58." Dann fragt er mich nach meiner Gesundheit. „Herz? Blutdruck? Medikamente? Seekrankheit? Denn manchmal wird es sehr rauh an der Oberfläche." Darf ich anfangen, mir Hoffnungen auf einen der kostbaren JUFO-Plätze in einem MIR zu machen?

Ich verlasse seine Kabine unter dem Eindruck, einer starken Persönlichkeit begegnet zu sein, die viel zu komplex ist, als daß man sie auf einer kurzen Reise kennenlernen könnte, selbst wenn die Belastungen nicht wären, unter denen er zur Zeit steht. Unser Verhältnis wird nie anders als distanziert sein, was in diesem emotionalen Tohuwabohu schon mal nicht schlecht ist. Einstweilen herrscht er über sein Schiff wie der launische Captain Bligh über die *Bounty*. Der nominelle Kapitän Juri Gorbach ist ein adretter, ruhiger Kerl in einer großen Kabine gleich neben Clive. Er ist sehr gefällig, wenn man seine Brücke besichtigen möchte, und steht im Ruf, ein Don Juan zu sein. Es würde mich interessieren, wie er und Anatoly in der Dynamik der Befehlshierarchie miteinander auskommen.

11.2.95

Ärgerlich an dieser modernen Schatzsuche ist, daß man dabei nicht das Gefühl hat, in einem aufregenden Unternehmen kraft übermenschlicher Anstrengungen Reichtümer zu gewinnen. Es fällt schwer, die durch Robert Louis Stevenson und diverse Hollywood-Filme geweckten Erwartungen abzustreifen: Irgendwann müssen angegraute Desperados mit Hacke und Spaten kommen und sich schwer ins Zeug legen. Gemeinsame körperliche Plackerei macht nicht nur über jeden Zweifel die Vorstellung von einem gemeinsamen Ziel klar, sie ist auch eine unmißverständliche und schweißtreibende Tätigkeit. Filmisch tritt der große Augenblick ein, wenn der ganze Trupp zu erschöpft und entmutigt ist, um noch zu reden, wenn alle nur noch knurrend die Arbeit hinschmeißen und sich mit finsteren geheimen Gedanken in den Schatten eines Felsens setzen, die Hüte grimmig über die Augen herabgezogen, bis auf den einen sturen Dickkopf, der da draußen immer noch mit seinem Spaten herummacht – und dann plötzlich ein hohles *Klenck!*, heiseres Gebrüll, erregtes Gefuchtel, wenn die Trägheit im Nu abgeschüttelt wird und die Männer herbeigerannt kommen.

So sollte es sein. Statt dessen fällt es auf der *Keldysch* manchmal schwer zu glauben, daß hier über vierundzwanzig Stunden pro Tag eine elektronische Schatzsuche abläuft, auch wenn man sich gerade rasiert, Kaffee trinkt oder durchs Bullauge hinausschaut. Eine kleine Crew wechselt sich unten im Sonarlabor in Schichten vor dem Bildschirm ab. Es ist ermüdend, und man muß es gelernt haben, aber schweißtreibend ist es nicht. Später kann es endlose Diskussionen und Streitereien über die Punkte auf einem Ausdruck geben, aber Argumenten und Emotionen, die nicht in ernsthafter Plackerei erworben oder erhärtet wurden, fehlt es an Überzeugungskraft. Daß eine Gruppe Wissenschaftler um 9 Uhr morgens und um 6 Uhr abends mit säuberlichen Rollen Sonarbilder ins Konferenzzimmer kommt, ist ein zu blutarmes Geschehen, als daß es die Nervenenden reizen könnte. Die lauen Lüftchen der Gehässigkeit oder Rechthaberei, die ab und zu durchs Zimmer wehen, wirken allzu lässig und spielerisch (wieder ein Grund, warum man Manager noch nie ganz ernst nehmen konnte).

Andrea hat heute Geburtstag. Die Russen verblüfft es zu erfahren, daß sie etwa zwanzig Jahre älter ist, als man ihr ansieht. Vielleicht deshalb oder aus Galanterie oder einem Gefühl, daß Versöhnungsgesten gegenüber Orca nicht schaden können, bestehen sie darauf, nach dem Essen den Anlaß gebührend zu feiern. Der Raum, Clives Kabine, füllt sich nach und nach, und es wird lebhaft. Zwei Eindrücke bleiben, abgesehen von dem meiner eigenen Steifheit. Viktor Browko, der liebenswürdige Ingenieur, der in der Messe bei uns am Tisch sitzt, erscheint mit einem Geschenk für Andrea, einem Topf mit einem Lindenschößling, an dem gerade die ersten Blätter aufbrechen. Anscheinend hat er irgendwo unter Deck einen ganzen kleinen Baum. Ich frage mich, ob dies eine russische Eigenart ist, Ausdruck einer Sehnsucht nach der endlosen Taiga und ihren Laubwäldern, oder einfach die verfeinerte Sinnlichkeit eines Mannes, der den Anblick frischen, lebendigen Grüns an Bord eines Schiffes zu schätzen weiß. Andrea ist gerührt, wie es wohl jeder wäre, dem man ein so edles Geburtstagsgeschenk machte.

Das zweite unvergeßliche Ereignis an diesem Abend ist

Anatolys Auftritt. Mit seiner Gitarre kommt er herein und kündigt mit trotziger Wüstlingsmiene ein Lied an, das er heute erst geschrieben habe (Text und Musik). Es ist keine Geburtstagsode für Andrea, sondern eine merkwürdige, liebevoll satirische Serenade an Quentin. Es kann sein, daß irgend etwas an Quentins vollbärtiger Extrovertiertheit die russische Seele besonders anspricht, oder vielleicht liegt es daran, daß er bei Orca der einzige richtige Wissenschaftler mit Doktorgrad ist; möglich auch, daß Anatoly ihn einfach gern hat. Ich hatte es vorher nicht gewußt, aber wahrscheinlich gibt es eine Kategorie von Menschen, für die Lieder geschrieben werden, ebenso wie man von anderen Porträts malt. Die meisten von uns finden sich damit ab, unbesungen und ungemalt ins Grab zu sinken, ein wenig verwundert über diese kleine Elitekategorie, zu der Quentin offenbar gehört. Hätte er vor 1828 gelebt und wäre ein Freund von Schubert gewesen, so wäre er heute unsterblich, Seite an Seite mit Sylvia, Gretchen und der schönen Müllerin. So aber bekommt er nun statt einem Lied *An Quentin* oder *Quentin am Spinnrad* einen echten Sagalewitsch mit dem Titel „Inspector Huggett“ gewidmet. Warum „Inspector“? Anatoly ist jazzbesessen, und vielleicht hat das Lied ein Vorbild, das ich nicht kenne. Jedenfalls spricht er den Namen „Hudjit“ aus, und er singt mit Leidenschaft und ironischem Nachdruck. Zwischendurch lacht er grimmig, und während er singt, blickt er Quentin wie ein Liebhaber tief in die Augen. Nach den ersten Strophen wird den Orca-Leuten immer schmerzhafter deutlich, daß ihr Unternehmen auf eine nicht unfreundliche Weise verlästert wird. Das Lied, auf seine Art ein rüpelhafter Geniestreich, geht wie folgt:

Inspector Huggett

How do you think, Inspector Huggett:
Where is a gold?
How do you think, Inspector Huggett:
Where can be sold?

Golden adventure
On this fantastic ship;
Golden joint venture
We go very deep.

How do you think, Inspector Huggett:
How and because?
I'm very mad, Inspector Huggett,
What is saying boss?

Where's your science
And where's your technique?
How will you find?
And how is it big?

May be couple ton, Inspector Huggett,
May be only one.
If I find gold, Inspector Huggett,
Get a lot of fun.

Drink all the wine
Around whole the world.
All girls are mine,
Because I have a gold.

I will buy a farm, Inspector Huggett,
On the end of skies.
I will buy a farm, Inspector Huggett,
Come to paradise.

Golden umbrella
And golden limousine.
My way is stellar
And I will marry queen.

I will marry queen, Inspector Huggett,
I will buy her ring,
I will marry queen, Inspector Huggett,
And I will be king!

My golden crown
On very stupid head.
Imagination grown
But brain's very bad.

I'm full of shit, Inspector Huggett.
How to be rich?
Where is a gold, Inspector Huggett,
May be on the beach?
Sure on the beach!

Drei Wochen später, am Tag vor unserer Abreise, bekommt Quentin von Anatoly eine Kopie dieses Liedes mit der Widmung „To dear ‚Inspector' Huggett in memory of mad desire, never happen". Jetzt, während ich mit gefrorenem Grinsen zu einem Bullauge hinsehe, um dem schweifenden Blick des Sängers nicht zu begegnen, denke ich daran, daß im amerikanischen Englisch – und das spricht Anatoly – „I'm very mad, Inspector Huggett" bedeutet, daß er wütend ist. „What is saying boss?" bezieht sich wohl auf Clive. „I will buy a farm" kann nur Mikes Ambition meinen, und „Where's your science/And where's your technique?" geht auf uns alle. Als ich mich davonschleiche, um zu Bett zu gehen, bin ich doch ganz erleichtert, nicht zu denen zu gehören, die Lieder auf sich ziehen. Es muß ein recht zwiespältiges Vergnügen sein, zu merken, daß man zum Blitzableiter für geballte Zornesladungen wird. Besser, ich halte mich im Hintergrund und mache mir meine Notizen.

Sechzehn

12.2.95

Es geschieht allerlei, das mich kaum berührt. Auf allen Seiten liegt der Ozean, wie er Tag um Tag daliegt, und sieht mich an. Ich blicke stundenlang in sein Gekräusel wie in ein Herdfeuer, hypnotisiert vom Spiel der Reflexe. Manchmal ist mir, als könnte ich wie aus dem Fenster eines Flugzeugs bis auf den Grund drei Meilen unter mir sehen: die Hügel und Täler, schwärzlich zutage tretender Fels zwischen den okkergelben Dünen. Zu anderen Zeiten wird der Ozean zu einer gigantischen Linse, zur Hornhaut der Erde, blau und gewölbt, ins Weltall hinausblickend. Auf einer solchen Fläche ist die *Keldysch* nicht mal ein Splitter im Auge des Planeten. Ich würde gern hineinspringen; ich bin zu weit weg. An einer Schiffsreling kann man die See zwar gut sehen, aber kaum riechen und hören. Dieseldunst und Motorengeräusch drängen sich dazwischen. Dennoch bleibt ihre Gegenwart übermächtig. Das Gold wird dagegen trivial, unsere Expedition belanglos.

Einmal war ein kleiner Albatros zu sehen, dann ein noch kleinerer Vogel, eine Art Sturmtaucher, auf seiner unwiederholbaren Flugbahn durch das ständig wechselnde Terrain, in Täler hinabstoßend und die sekundenlang erhobenen Gipfel streifend. Warum bin ich so schlecht im Unterscheiden von Vögeln? Immer wieder schaue ich in Vogelbücher, kann mir aber nichts merken. Doch was soll daran „schlecht" sein? Wie kommt es, daß eine hauptsächlich im achtzehnten Jahrhundert erfundene Taxonomie für Naturforscher die Laien des späten zwanzigsten Jahrhunderts nun als moralische Verpflichtung anödet? Leider läßt sich dieses Argument nicht sehr weit vorantreiben, ohne daß es zu einem Lob der Dummheit und des schlichten Gemüts wird, das weiß, was ihm gefällt, es aber nicht benennen kann. Niemand, der so faul ist wie ich, kann mehr als ich die Tatsache bedauern, daß die Dinge um so interessanter werden, je mehr man über sie weiß. Dies ist an und für sich schon ärgerlich. Es gilt ganz besonders in bezug auf Menschen; sonst kämen sie mir alle einer wie der andere vor.

Vor uns haben wir nun wieder einige vielversprechend aussehende Suchziele, und heute morgen wird eine Art Schlachtplan aufgestellt, wie wir ihnen beikommen wollen. Morgen werden die MIRs noch mal starten. In dem einen werden Quentin, Nik Schaschkow und ein Kopilot sitzen, im andern Clive, Burt Reynolds und sein Kopilot. Die zwei Gruppen von Zielen liegen weit auseinander, bis zu acht Meilen, und nach einigen anderen, weiter westlich, wird man an einem anderen Tag tauchen müssen. Auf jeden Fall soll Clives MIR vier Stunden vor dem zweiten starten, damit es schon am Grund sein und herausgefunden haben kann, ob es sich bei dem großen Ziel um *I-52* handelt, bevor Quentins Boot startet. Wenn nicht, dann taucht Quentin auf der anderen Position, und die beiden Boote bewegen sich langsam aufeinander zu. Auch Quentins Sektor umfaßt einige ansehenswerte Ziele, die Hauptsache aber ist, daß er einige geologisch bemerkenswerte Stellen aufweist. Ein kleiner Junge, der zum erstenmal im Hubschrauber mitfliegen darf, könnte nicht aufgeregter sein als Quentin. Nach den Sonarbildern befindet sich dort ein interessanter Basaltrücken zwischen seiner und Clives Position. Er trennt die beiden, gewissermaßen.

Quentin und ich sind gestern mit Nik Schaschkow eine Weile im MIR 1 gewesen, als es angekettet auf Deck stand. Es ist tatsächlich ganz ähnlich den ersten Weltraumkapseln: eine glatte Stahlkugel, etwa zwei Meter im Durchmesser, die Innenwand weitgehend verdeckt von Armaturenbrettern mit Reihen von Schaltern, Reglern und Anzeigern. Es ist zu interessant, um Klaustrophobie zu erwecken, was aber nur bedeutet, daß ich dafür nicht anfällig bin. Trotz der Enge kann ich begreifen, warum Anatoly die MIRs im Vergleich zu anderen Tauchbooten bequem findet. Der Pilot hat einen gut gepolsterten Sitz in der Mitte. Wenn er wegen der Nahsicht durch die größte der drei Sichtluken blicken muß, kniet er und beugt sich vor, die Oberarme auf wattierte Lehnen gestützt, von denen die Hände mühelos zu zwei kleinen Steuerknüppeln gleich denen einer Gangschaltung herabreichen. Links und rechts von ihm sind lange Polsterbahnen, „Couches", wie Anatoly sie nennt. Die linke hat der Kopilot inne, die rechte der mitfahrende Forscher oder JUFO. Vermutlich kauern sie darauf, legen sich zurück oder nehmen eine Haltung wie ein Fetus im Mutterleib ein, wobei sie genau darauf achten müssen, an keinen Schalter zu stoßen. Speitüten sind vorhanden, Pinkelflaschen und ein voller Arzneikasten, der auch etwas enthält, was Nik als „Kerzen" bezeichnet. „Kerze", stellt sich heraus, entspricht dem russischen Wort für Zäpfchen (ähnlich wie französisch *bougie*). Wir fragen Nik, wozu diese Zäpfchen gut sein sollen, und er antwortet mit erschrockenen und verlegenen Grimassen. Ja, ja, sagen wir, verstehn wir schon, aber Zäpfchen sind doch nur eine Methode der Zufuhr: Was sollen diese denn zuführen? Aber Nik wußte es nicht oder wollte es nicht sagen. Vielleicht ist es ein Mittel gegen Gleichgewichtsstörungen. Oder für den schmerzlosen Tod, wenn alle Hoffnung dahin ist.

Quentin und ich haben die gleiche Art Furcht vor einer Tauchfahrt mit einem MIR, im Gedanken an die weitverästelten Szenarien, wie etwas schiefgehen könnte. Für ihn ist es noch schlimmer, nicht nur, weil er morgen mitfahren soll und ich nicht. Er ist Meeresgeologe und seit etwa fünfzehn Jahren damit beschäftigt, Behälter mit Instrumenten auf die Tiefseeböden hinunterzulassen. Er kennt genau den fürchterlichen hydrostatischen Druck, mit dem man es dabei zu tun hat, er kennt die technische Präzision, die nötig ist, um auch nur eine simple Schutzhülle wasserdicht zu machen, er kennt die Häufigkeit des Mißlingens. Er kennt aus eigener Erfahrung die tausendundeinen unvorhersehbaren Umstände, unter denen auch das vortrefflichste Gerät ausfallen kann. Er ist voller Respekt vor den technischen Leistungen, die in den Bau dieser Tauchboote eingegangen sind. Trotzdem wird ihm unbehaglich, als er hört, daß er bei 5000 Metern eine leichte optische Verzerrung durch seine Sichtluke bemerken wird, weil die Acrylscheibe, die ungefähr 20 Zentimeter dick zu sein scheint, sich entgegen ihrer Konizität leicht nach innen wölbt. Es ist nicht gerade beruhigend, daran erinnert zu werden, daß bei 500 Atmosphären feste Stoffe ausgedrückt werden können wie Zahnpasta aus einer Tube, oder zu erfahren, daß die gesamte Stahlkugel um sechs Millimeter zusammenschrumpft. Natürlich ist dies einkalkuliert, ebenso wie in der Konstruktion der Concorde eine Verlängerung um mehrere Zoll durch die Erhitzung bei Überschallgeschwindigkeit vorgesehen ist, ein Spielraum, der selbst bei der Gestaltung des Kabinenteppichs berücksichtigt werden mußte. (Ralph erzählt mir, daß aus der Lockheed SR71 „Blackbird“ – früher, vielleicht sogar heute noch, das schnellste Flugzeug der Welt – der Treibstoff wie aus einem Sieb tropft, solange sie am Boden ist; in der Luft muß sie dann nachgetankt werden, bevor sie ihre Operationshöhe und -geschwindigkeit erreicht. Auch hier waren die Lecks einkalkuliert. Bei 3200 Stundenkilometern dehnt das Material sich aus, und die Fugen schließen sich.)

Immerhin, das Entscheidende an den MIRs ist nicht nur, daß sie offenbar hervorragend konstruiert, sondern daß es zwei sind. Mit noch einem einsatzfähigen Tauchboot und ihrem Improvisationsgenie könnten die Russen doch sicher *irgendwas* tun, wenn mal eines auf dem Grund festsitzen sollte? Wir kennen eine der größten Befürchtungen der Piloten, nämlich sich in einem Wrack zu verfangen. „Dabei wären wir doch froh, ein Wrack zu finden“, sagt Quentin tapfer. Ich merke, daß ich dem feierlichen Augenblick, wenn er seine Slipper in den Karton mit der Aufschrift „MIR 1“ steckt und sich durch die Luke zwängt, ohne Vorfreude entgegensehe. Seiner Frau hat er treuherzig versprochen, nicht mitzutauchen. Später, in der Kabine, schaut er einen Stapel Fotos von seinen drei Jungen an, wie sie letztes Jahr in Weymouth am Strand gespielt haben. Tränen treten ihm in die Augen, wie er es irgendwann in der zweiten Woche vorausgesagt hat:

„Ich werd' eine echte Heulsuse, wenn ich ihre Bilder anschaue. Wir waren noch keine drei Tage von Falmouth weg, da hätt' ich sie schon nicht mehr ansehn können, ohne zu heulen wie ein kleiner Junge." Rührend und etwas, das man nicht oft sieht: ein Engländer, dem der Gedanke an das Getrenntsein von seiner Familie unverhüllte Tränen entlockt. Aber seine augenblickliche Bedrängnis wird dadurch noch verständlicher. Er hat Katherine versprochen, er würde nicht im Tauchboot mitfahren, und nun macht er's trotzdem. Er hat keine Wahl. Nicht, daß er den Macho spielen oder nicht zugeben wollte, daß er Angst hat, und deshalb gezwungen wäre, blindlings mitzumachen. Der Anlaß fördert aus ihm diese innerste Gewißheit zutage, wie wir sie alle kennen: daß dies nicht bloß die Kostümprobe ist, sondern die Aufführung, daß wir die Chance nutzen müssen, wenn sie sich wunderbarerweise bietet, daß dies etwas ist, was man tun *will*. „Seit fünfzehn Jahren sehe ich nun immer bloß heraufgeholte Proben. Nun habe ich Gelegenheit, den Meeresboden mit eigenen Augen zu sehen. Ich bin Geologe – ganz einfach! Es gibt auf der Welt eine Menge großer alter Meeresgeologen, die besser sind als ich und viel erfahrener, aber die werden nie eine Gelegenheit bekommen, runterzugehn. Das ist eine millionstel Chance. Stell' dir mal vor, ich lehn' es ab und höre dann nach einem Jahr, daß die MIRs inzwischen fünfzigmal getaucht sind und wichtige Sachen entdeckt haben. Wie komm' ich mir dann vor? Was für ein jämmerlicher Idiot wäre ich dann gewesen, nur um auf Nummer Sicher zu gehn? Risikoscheu ist eine moderne Wohlstandskrankheit. Zum Teufel mit den Versicherungen! Zum Teufel mit unserer Abkapselung! Ich will mir diese Felsen ansehn. Ach, und dieses U-Boot finden will ich natürlich auch."

Und wenn der schlimmste Fall eintritt? Was wird aus den Angehörigen? Der stolze Vater und liebevolle Gatte reagiert mit echtem, ungespieltem Gleichmut, der keine Aufkündigung der Liebe bedeutet, sondern ein Eingeständnis, daß die Dinge sind, wie sie sind. „Sie würden's überstehen", sagt er. Es stimmt natürlich. „Das Leben ginge weiter. Sie sind nicht schlecht versorgt." Während des restlichen Abends schwankt Quentin zwischen Zweifel und Entschlossenheit. In einem stillen Moment fängt er meinen Blick auf und macht leise „pssss . . . !" – unser interner Scherz, mit dem wir uns ab und zu an das Geräusch des finalen Hochdrucklecks erinnern. Dann sagt er: „Muß ich einfach machen, nicht? Muß ich!"

„Das ist also davon zu halten, was der scheidende Gatte seinem liebenden Weibe feierlich gelobt!" merke ich dazu an, als Teufelsadvokat, wobei der Anschein aufrechterhalten wird, daß er das Ganze noch absagen könnte, obwohl wir beide wissen, daß er sich durch keine zehn Pferde mehr davon zurückhalten ließe.

„Du Schuft!" lacht er. „Das ist wirklich gemein. Immer noch Salz in die Wunde!"

„Nein, nein, die werden schon klarkommen! Die Gören bringen wir bei den Moonies unter, und Kath, na, ich denke, die wird schon . . . Arbeitshäuser gibt's ja wohl nicht mehr."

„Tief unter der Gürtellinie . . . "

„Weißt du, du wirst überhaupt nichts davon spüren. Ralph meint, du hättest vielleicht gerade noch Zeit, ein Klikken zu hören."

Von solchen privaten Erwägungen wieder zu den öffentlichen Diskussionen darüber, was zu tun ist, wenn wir das U-Boot morgen finden. Sobald das erste MIR über das akustische Telefon mit der *Keldysch* zu sprechen beginnt, wird die US-Navy jedes Wort mithören. Die Amerikaner werden alles auf Band aufnehmen, es vorschriftsmäßig verarbeiten und protokollieren, und dann landet ein Bericht auf einem Schreibtisch in Norfolk, Virginia. Jemand wird sich die Koordinaten ansehen und sagen: „Das ist doch die *Keldysch!* Diese Küstenwacht-Orion hat sie neulich visuell identifiziert." Natürlich ist die *Keldysch* auf ihren ozeanographischen Kreuzfahrten während der letzten dreizehn Jahre beobachtet und abgehört worden. Ihre Aktivitäten und Sonar-Ausdrucke sind in allen Einzelheiten bekannt.

Wenn aber ein MIR nun *I-52* findet, wie halten wir dann so lange wir möglich die Fiktion aufrecht, daß sich die *Keldysch* in dieser geologisch wenig interessanten Zone zu Forschungszwecken aufhält? Zunächst mal darf natürlich niemand etwas wie „wir haben's gefunden!" oder „Ziel positiv identifiziert" in die Sprechanlage brüllen. Ich schlage Quentin vor, den Ausdruck „vortretendes Felsgestein" ausschließlich für das U-Boot zu gebrauchen. Es hätte den Vorteil, daß sich weitere Angaben daran knüpfen ließen: „Etwa achtzig Meter lang, würd' ich sagen"; oder: „In drei Hauptblöcke aufgebrochen, was das Sonarbild erklärt, plus etwas verstreutes Geröll." Oder auch, im unglaublichen Glücksfall: „Da ist auch was, das wie Mineraldepositen aussieht, leeseits von dem Felsen. Könnte ein Knollenfeld sein."

Eine Woche lang könnten wir sie damit vielleicht foppen. Aber sobald die MIRs Tag für Tag zwischen diesem „Felsgestein" und dem Schiff hin und her fahren und womöglich dabei noch metallische Geräusche von Schneidwerkzeugen laut werden, die sich anders anhören als Greifarme, die Gesteinsproben in Kästen stecken, nebst Gesprächen, die sich nicht ausschließlich um Geologie zu drehen scheinen, werden diese Akten in Norfolk noch mal hervorgeholt. Eine Anfrage an NORDA (Naval Ocean Research and Development Agency) am Stennis-Raumfahrtzentrum ginge heraus, was denn auf dem Meeresboden unter diesen Koordinaten so interessant sein könne. Stennis würde es vermutlich nicht wissen, was für Orca mit etwas Glück die Entlarvung um eine weitere Woche hinausschieben könnte. Die NORDA kümmert sich nicht um Bergungen und wüßte daher wahrscheinlich nicht, was jedem professionellen Berger bekannt ist. Aber irgendwann fällt doch irgend jemandem der Name des japanischen U-Boots ein, und das wäre es dann...

Dies alles kommt mir so vor, als ob wir ungelegte Eier braten, aber vielleicht finden sie ja morgen die Henne, und dann sollten wir vorbereitet sein.

Mike und Andrea erklären mir, wenn wir das U-Boot finden, müßte ich die Koordinaten und Entfernungen in meinem Bericht ein bißchen verwischen, denn wenn zum Beispiel bekannt würde, daß die Fundstelle neun Meilen von der offiziellen Versenkungsposition entfernt liege, so wäre dies für Bergungsunternehmen schon eine sehr nützliche Information. So wenige Wracks aus dieser Zeit sind ja in solcher Tiefe gefunden worden, daß es fast keine Erfahrungswerte für die durchschnittliche Abweichung gibt. Die *Titanic* zum Beispiel wurde fünf oder sechs Meilen außerhalb des ersten Suchgebiets gefunden, das nach ihrer bekannten Position beim Untergang abgegrenzt worden war. Wenn man eine allgemeine Regel aufstellen könnte, daß die von Schiffen und Flugzeugen im Zweiten Weltkrieg angegebenen Koordinaten z. B. bis auf 9 Prozent genau waren, so würde dies den interessierten Unternehmungen erlauben, die Suchzonen enger zu bemessen. Für Wracks in flachem Wasser gibt es zuverlässige Zahlenwerte, aber die Tiefseebergung ist ein viel jüngeres Fach, und niemand darin streut sorglos Informationen aus. Auch Orca wird es so halten, vor allem dann, wenn wir das U-Boot finden sollten, aber an das Gold nicht herankommen und erst in sechs Monaten mit neu angefertigten Spezialgeräten einen zweiten Versuch machen können. In dieser paranoiden Stimmung liegt die Vorstellung nicht fern, daß hinter dem Horizont schon der Smash-and-grab-Trupp von IFREMER auf die Gelegenheit lauert, heranzufahren und seine 50-Tonnen-Zangen hinabzulassen.

Nichts zwingt die Menschen so sehr wie das Gold, vorauszudenken und lauter schlimmstmögliche Fälle mit in Rechnung zu stellen. Das heißt, nichts außer einer bevorstehenden Fahrt in 5000 Meter Tiefe in einem russischen Tauchboot.

Unten im ZVUK-Labor erzählen uns Roman und Brains von lebhaften subversiven Freizeitbeschäftigungen. Brains arbeitet seit über zwanzig Jahren für die Akademie der Wissenschaften. Er spricht von den Frustrationen durch die Bürokratie im Schirschow-Institut. Ein Wissenschaftler machte eine glänzende Erfindung zu einem Ausrüstungsgegenstand und versuchte immer wieder, das Institut zur Patentanmeldung zu bewegen, bevor jemand aus dem Westen die Sache klaute und sich eine goldene Nase damit verdiente. Dies, versicherte er, werde von Tag zu Tag dringlicher, je weniger Geld das Institut für seine Forschungsvorhaben in die Hände bekomme. „Unbedingt!" stimmte der Institutssekretär ihm zu und tat nichts. Schließlich hatte der frustrierte Forscher es satt, Memoranden und Protokolle zu schreiben, und suchte den Sekretär persönlich auf. Leutselig winkte er der Empfangsdame zu, marschierte ins Büro, beugte sich ohne ein Wort über den Schreibtisch und schnitt dem Sekretär die Kehle durch. „*Swit!* – einfach so. Sekretär tot." Brains und Roman schütten sich aus vor Lachen. Und was ist aus dem Wissenschaftler geworden? Niemand weiß es genau. Nicht schlecht als Faustregel für den Umgang mit Bürokraten.

Zunehmend ist es nicht nur die Sprachbarriere an Bord der *Keldysch*, die einen stört, sondern auch die wechselseitige Befangenheit bei dem Versuch, andere zu beurteilen, die vermutlich mindestens ebenso gewitzt sind wie man selbst. Soviel habe ich aus dem Leben in einer entlegenen Gegend in Südostasien gelernt: Je härter und unsinniger die Bedingungen sind, unter denen die Leute sich durchschlagen müssen, desto schärfer und subversiver wird oft ihr Verstand, und desto einfallsreicher erfinden sie Mittel und Wege, hinter den Fassaden des Lebens zu tun, was ihnen beliebt. Gern würde ich Brains sagen, daß ich seinen destruktiven Humor als das zu schätzen weiß, was er ist, als Teil einer Überlebensstrategie, ebenso wie ich ihm sagen möchte, daß der Improvisationsgeist, der aus der Not eine Tugend zu machen weiß und der es ihm und seinen Kollegen erlaubt, mit spärlichem Budget erstklassige Forschung zu treiben, Reste einer protestantischen Mentalität in mir anspricht.

Der ZVUK-Schlitten ist eingeholt worden und steht nun tropfend auf dem Achterdeck. Die Halterungen der beiden vertikalen Stabilisatorflossen sind abgerissen. Die eine

Flosse klapperte gegen den Rahmen und störte die Sonar-Rückmeldungen. Jetzt werden die neulich abgeworfenen Navigations-Transponder wieder eingeholt und dann für die morgigen Tauchfahrten neu ausgelegt. In den Hangars der Tauchboote herrscht Hochbetrieb, denn die Maschinen werden bereitgemacht und alle Geräte zweifach überprüft.

Heute morgen haben Matrosen „einen großen blauen Fisch mit rundem Kopf" gefangen. Ich habe ihn nicht gesehen, aber an der Winde des ZVUK-Schlittens waren Spritzer von seinem Blut. Er soll ungefähr einen Meter lang gewesen sein. Ich wundere mich, warum nicht mehr gefischt wird. Sascha, der Funker, hat zwar eine Angelrute und Tintenfischhaken, scheint sie aber nie auszuwerfen. Statt dessen lehnt er nachts vor seinem Funkraum an der Reling und blickt von hoch oben in die Lichtpfützen hinab, die von den Decklampen ins Wasser fallen. Bei dem Kriechtempo von weniger als zwei Knoten, wenn wir den Sonarschlitten im Schlepp haben, wären die Bedingungen für den Tintenfischfang eigentlich ideal. „Kalamar", sagt er bedauernd, wirft aber die Leine nicht aus. Ich nehme an, wenn wissenschaftliche Instrumente ausgesetzt sind, ist das Schleppen von Angelschnüren und Spinnern verboten. Bei Tage schnellen fliegende Fische über die Wellenkämme und gleiten auf ihren in der Sonne glitzernden Flügelflossen dahin. Es hat etwas Beglükkendes, sie so unbekümmert von einem Element ins andere wechseln zu sehen.

Quentin kommt von unten herauf, um mir zu erzählen, daß sein Kontakt mit Juri Bogdanow, dem großen alten Felsschnüffler, allmählich besser wird. Er hat ihn sehr respektvoll (denn der Geologe ist vielleicht nicht ganz so umgänglich, wie sein Teddybärgehabe vermuten läßt) um Rat zu seiner bevorstehenden ersten Tauchfahrt gefragt. „Ich kenne Leute, die zum ersten Mal runtergegangen sind", hat Quentin zu ihm gesagt, „aber keiner scheint dabei viel Nützliches getan zu haben. Ich möchte die Chance nicht so vertun. Was empfehlen Sie mir?"

Bogdanows Antwort war überraschend schlicht und entschieden: „Nichts", sagte er. „Genießen Sie's einfach! Auf meiner ersten Fahrt habe ich auch nichts geleistet. Es ist ein tolles Erlebnis, darum viel Vergnügen!"

Also kann Quentin nun unbekümmert dort unten Allotria treiben, und dazu nimmt er eine sonderbare Strickmütze mit, die er sich von Andrea geliehen hat, um sie als Polster zwischen seine Stirn und den eiskalten Rand der kleinen Sichtluke zu klemmen. Bogdanow hört mit Interesse, daß Quentin der Freundesfreund eines amerikanischen Geologen – genauer gesagt, eines Geochemikers – ist, den er selbst lange zu seinen Idolen gezählt hat. Mich interessiert eher die Tatsache, daß Quentin den Namen dieses Amerikaners, angesichts seines Berufes, nicht komisch gefunden hat: Der Mann heißt Gary Klinkhammer. Ich zitiere ihm, was Ruskin 1851 in einem Brief geschrieben hat, verärgert über das rationalistische Unwesen, das sich damals in den Naturwissenschaften breitmachte:

> „Wenn nur die Geologen mich in Ruhe ließen, wäre ja alles gut, aber diese abscheulichen Hämmer! Ich höre ihr *klink!* im Schlußtakt jedes Bibelverses."

Quentin ist so entzückt, daß er gleich losgeht, um an ihren gemeinsamen Freund eine E-Mail mit diesem Zitat aufzugeben, damit der es an besagten Gary weiterleitet. Später erzählt er mir von einem ausgezeichneten türkischen Geophysiker, der zur Meeresbodenvermessung Luftdruckkanonen, „airguns", verwendet, und der Mann heißt Mustafa Ergun.

Siebzehn

13.2.95

Auf dieser Fahrt ist schon allerhand los; man weiß nie, was im nächsten Moment passiert. Um 9 Uhr 30 gestern abend fing die *Keldysch* eine Mitteilung der norwegischen Küstenwache auf, daß eine Jacht namens *Wanda*, 120 Seemeilen von uns entfernt, ein sehr schwaches Notsignal gesendet habe und ob wir bereit seien, einer offiziellen Bitte um Hilfeleistung nachzukommen. Andrea, die Allwissende, die mit meiner Ignoranz wenig Geduld hat, erklärt uns heute morgen beim Frühstück, daß es sich nicht um eine norwegische Jacht handle, daß aber die norwegische Küstenwache hier die Rechtsaufsicht führe... Die norwegische, wieso? Wir sind doch tausend Meilen westlich vom Senegal, da kommt es mir nicht plausibel vor, daß die Norweger hier zuständig sein sollten. Aber was die Orions der US-Küstenwache hier machen, wenn sie von ihrer Basis auf den Azoren aus dieses Gebiet überfliegen, weiß man ja auch nicht. Wessen Küsten wollen die hier eigentlich bewachen?

Ohnehin sind wir zu weit weg, um dorthin Kurs zu nehmen. Aber Quentin und ich phantasieren ein paar schöne SOS-Szenen zusammen. Wären wir hingefahren, hätten die MIR-Fahrten heute ausfallen müssen. Hätten wir die teuren Transponder, die jetzt in einer komplizierten Anordnung über dem Meeresboden hängen, zurücklassen sollen? Oder sie erst später wieder einholen, nach der Rückkehr mit dem halbersoffenen einsamen Jachtschiffer, den wir nun schon vor uns sehen: ein bärtiger Norweger namens Bent Persson? Wir müßten ihn für die nächsten zwei Wochen an Bord der *Keldysch* behalten, ihm – und vielleicht auch dem Schiffsdoktor – zuliebe; aber was könnte man ihm dann über dieses ozeanographische Forschungsschiff sagen, das tagaus, tagein am gleichen Ort bliebe, während die Tauchboote eine

Ladung Goldbarren nach der andern heraufbrächten? „Du hörst mir nicht zu, James!“ sagt Andrea gereizt. „Ich habe gerade erklärt, daß die norwegische Küstenwache hier die Rechtsaufsicht hat. Das bedeutet nicht, daß die *Wanda* norwegisch ist, und auch nicht, daß sie nur eine Person Besatzung hat.“

„Bent, so heißt er! Ich seh' ihn schon leibhaftig vor mir, den armen Kerl!“

Aber Andrea kennt kein Erbarmen, wenn sie einmal am Erklären ist. Sie legt los mit etwas wie „nach den Bestimmungen des Handelsschiffahrts-(Friedens-)Abkommens von 1967 ...“, und ich flüchte mich in den Gedanken an den armen Bent, wie er sich an den Kiel seiner umgeschlagenen Jacht klammert und sich fragt, ob sein letzter Funkspruch wohl jemanden mit einem Rest von Verstand oder Gewissen erreicht hat.

Natürlich liegt heute eine beträchtliche Spannung in der Luft, während Clive und Quentin sich für die Tauchfahrt bereitmachen. Immerhin sind sie die ersten unter den Orca-Teilnehmern, die ihr Leben riskieren, um zu dem vermuteten Geld zu kommen. Allgemein wird angenommen, daß Clives MIR eine echte Chance hat, das U-Boot zu finden: Sein Ziel sieht nach den Sonardaten am günstigsten aus. Als Vertreter der Investoren könnte Clive dann halbwegs zu Recht behaupten, daß der Erfolg nicht ohne ihn eingetreten wäre. Aber dasselbe könnte auch Andrea als die Rechercheurin für sich in Anspruch nehmen, und sie hat ebenso wie Mike uneigennützigerweise auf eine Tauchfahrt einstweilen verzichtet, weil sie beide in Dakar nicht von Bord gehen und später noch Gelegenheit haben werden, nach der *Aurelia* zu tauchen. Trotzdem glaube ich zu spüren, daß plötzlich ein Riß durch das Orca-Team geht, eine Spaltung zwischen den „Tauchern“ und den „Zurückgelassenen“. Ich jedenfalls fühle mich zurückgelassen.

Ein anderes Szenario, das nur ein von jedem Aberglauben freier Rohling an diesem Tag, dem dreizehnten des Monats, bedenken könnte, wenige Stunden bevor seine zwei Freunde abtauchen: Was passiert, wenn eines der MIRs verlorengeht? Nicht materiell verlorengeht, denn mit all diesen Sonar- und Radargeräten, den Transpondern und dem zweiten MIR wäre das unwahrscheinlich. Aber dennoch – angenommen, es kommt zum Schlimmsten, einem katastrophalen Unfall? Alles wäre aus. Orca würde aufgelöst, die gesamte Investition wäre verloren. Ganz abgesehen von den drei Toten, deren Schicksal gewiß auch dem stursten Goldsucher den Schneid abkaufen würde, wäre auch das verbliebene MIR ab sofort außer Betrieb, bis man durch rigorose Untersuchung des Wracks die Ursache des Unglücks ermittelt hätte. Die Untersuchung würde man in Finnland anstellen müssen, wo die MIRs gebaut wurden. Der psychische Rückschlag wäre für Anatoly und die Mannschaft verheerend. Der Eindruck, daß ihnen das „Pech" nun an den Fersen klebe, würde als Bestätigung ihres Unbehagens an dem vulgären Kommerzialismus erscheinen, zu dem sie sich hatten zwingen lassen, um sich durchzuschlagen.

Jedenfalls würde die *Keldysch* sofort nach Europa zurückfahren und das Gebiet verlassen, für das sie die bisher besten Echolot- und Sonarkarten erstellt hatte – anders ausgedrückt, mit Daten, die möglicherweise für andere Berger wertvoll wären, die an *I-52* ihr Glück versuchen wollten; und vielleicht könnte Orca sie dann verkaufen. Ich möchte wetten, die *Keldysch* würde nie zurückkehren; aber weil es so wenige Tauchboote auf der ganzen Welt gibt, die 6000 Meter tiefgehen können, würde wohl auch sonst niemand mehr einen Versuch wagen – nicht wegen nur zwei Tonnen Gold (angenommen, niemand weiß von der *Aurelia* und ihrer mutmaßlichen Fracht).

Vormittag, 10 Uhr 30: Eben haben wir Clive in MIR 2 einsteigen sehn, in einem entliehenen blauen Fallschirmspringer-Anzug aus der Sowjetunion. Beim Umziehen vorher schien er kein bißchen nervös zu sein, aber wer weiß? Als Rechtsanwalt und Sohn eines berühmten Psychoanalytikers ist er nicht der Mann, der sich eine Schwäche anmerken ließe. Irgendwie sah er sogar heroisch aus, als er im hellen Sonnenschein über die runde Leiter zur Dachluke des Tauchboots hinaufkletterte. Als er sich die Schuhe abstreifte, winkte er zu Quentin und mir hinauf und rief: „Sauft nicht allen Madeira aus!" – unter diesen Umständen eine denkwürdige Bemerkung. Sein Lockenkopf verschwand, die Luke wurde geschlossen, er wurde ins Meer hinausgeschwenkt. Lonja bewerkstelligte gekonnt das Ausklinken, MIR 2 stieß einen tiefen Seufzer hellgrüner Turbulenzen aus und war verschwunden.

Unten in der Kabine preist Quentin die Unwissenheit als einen Segen. Gestern hat Clive ihn gefragt: „Wie groß ist denn der Druck da unten?"

„Ach, so etwas über 1000 Pfund pro Quadratzentimeter."

„Soso ... Auf *jeden* Quadratzentimeter, meinst du?"

Ich glaube, Clive ist bei weitem nicht so ignorant, wie er sich gibt. Vor dem Abstieg in die tiefsten Regionen des Meeres beweist man Stil, indem man der Elementargewalt des Drucks spottet. Es ist eine Art Revanche, nachdem er bis zum Überdruß Ralphs Gänsehautgeschichten und Quentins korrekte Angaben hat über sich ergehen lassen. Weil er keinen inneren Zwang fühlt, sich jedes ächzende Atom der Stahlhülle einzeln vorzustellen, jedes Molekül der Acrylfenster und jedes Glaströpfchen des synthetischen Schaumstoffs, weil er sich nicht die eigene Haut um die Außenseite der Kugel herumgespannt denken muß, um jede Unze zunehmenden Drucks zu spüren, ist Clive wohl vor der Katastrophenangst ein wenig geschützt. Außerdem ist er einfach der geborene Optimist. Meistens geht alles gut für einen Typ wie ihn, warum also nicht auch diesmal? Er fährt los, um ein U-Boot zu suchen, nicht um über die Millionstel Chance zu grübeln, daß er dabei umkommt.

Jedenfalls, der gute Clive wird jetzt, wo ich dies aufschreibe, schon ungefähr eine halbe Meile unter uns sein. In der Nachbarkabine, hinter unserem gemeinsamen Badezimmer – mit den beiden aufgesperrten Türen ist es eher wie eine Luftschleuse zwischen uns –, hackt Quentin wütend auf die Tasten seines Computers ein; er nennt das „therapeutischen Nerdismus". Er soll zu seiner Tauchfahrt um 14 Uhr 30 starten, weiß aber noch nicht, wohin. Clives MIR geht zuerst auf Ziel 19 herunter, und wenn dieses sich als *I-52* erweist, verzichtet Quentin auf Ziel 1 und fährt ebenfalls dorthin. Irgendwie hat der Eindruck entstehen können, daß es heute auf Biegen oder Brechen geht, was vielleicht ein Fehler ist. Sowohl Mike wie Andrea haben gesagt, sie seien überzeugt, daß wir das U-Boot heute finden – und wenn nicht heute, dann wahrscheinlich niemals. Weil sie beide seit vielen Jahren mit der Seefahrt, mit dem Bergen und Tauchen zu tun haben, halte ich dies für ein fundiertes Urteil. Trotzdem ist es, glaube ich, ein Fehler, öffentlich solche Erklärungen abzugeben, die keinen Ausweg mehr lassen. Wenn wir heute Pech haben, sind sie morgen in einer mißlichen Lage. Es gibt dann immer noch zwei Ziele, die inspiziert werden sollten, außerdem den ganzen nördlichen Teil des Suchgebiets, über den erst noch die Sonarkarte aufgezeichnet werden muß. Wenn sie wirklich die Hoffnung schon aufgegeben haben, wird das für sie sehr entmutigend werden. Aber an was für Wunder müssen diese angeblich so nüchternen Profis denn geglaubt haben? Daß wir binnen drei Wochen nach der Abfahrt von Falmouth ein vor einem halben Jahrhundert drei Meilen tief versunkenes U-Boot gefunden haben würden und schon im Begriff wären, seine Goldladung heraufzuholen? Einfach so? Das ist schon sehr interessant. Die ehrgeizigen Berger mit ihren Träumen von kühnen Unternehmungen, um das Gold aus der Tiefe zutage zu bringen, dürften doch die emotionale Seite dieses Geschäfts nicht unterschätzen: wie es unerwartet den Charakter der Beteiligten bloßlegt, ihre oft fadenscheinige oder eigenwillige Motivation (nein, es geht *nicht* nur ums Geld, niemals!); wie die Temperamente der anderen integrale Bestandteile des Unternehmens und für das Gelingen nicht weniger wichtig sind als Finanzierung, Vorratsplanung und alles übrige. Schwierig ist es nur, diese persönlichen Aspekte für eine Gruppe von Menschen vorherzusehen, die sich zumeist erst

Wochen oder Tage vor Beginn der Fahrt kennenlernen. Wie komisch sind wir doch allesamt, unbeständig und undurchsichtig wie das Meer, auf dem wir, wie mir manchmal scheint, ziellos dahintreiben.

Mittag. In etwas über zwei Stunden wird Quentin sich für die Fahrt ankleiden. Wie die Piloten an Bord eines Flugzeugträgers vor dem Start befindet er sich in einer Art Trance, wie in einer Luftblase; er nimmt noch an allem Anteil, ist aber nicht mehr ganz da. In gewisser Weise hat die Fahrt für ihn schon begonnen, und er ist irgendwo auf dem Meeresgrund, nahe bei Clive. Ich laufe unruhig auf dem Schiff umher, schaue den fliegenden Fischen zu und versuche angestrengt, mir das verfrühte Bild von Quentin in dem blauen Dreß aus dem Kopf zu schlagen, wie er die Leiter rauf- und durch die Luke runterklettert, Leiter rauf, Luke runter, Leiter rauf, Luke runter, wie auf einer verfangenen Filmschleife. Irgendwann morgen nacht wird die Schleife sich umkehren, und er klettert die Luke rauf und die Leiter runter. Dann, wenn er erst mal gepinkelt hat (nach achtzehn Stunden!), sagt er, möchte er zum Frühstück Madeira, und ich soll ihn dran erinnern, seinen Geschäftspartner Pete anzurufen, der auf einige kurze und wichtige Nachrichten wartet: eine altmodische Sprechverbindung, von der wir wissen, daß sie funktioniert, so daß ich mich wundere, warum wir sie nicht immer benutzen. Eine der wichtigen Nachrichten wird die Bitte sein, Flugtickets von Dakar nach London für ihn, Clive und mich zu bestellen.

14.2.95

Russen sind genau wie Filipinos: Sie wollen wirklich wissen, ob auch ich „zu Hause“ den Valentinstag feiere. Wer käme sonst auf die Idee, nach solchen bedeutungsschwangeren Trivialitäten zu fragen?

Nachdem ich Quentin mit MIR 1 unter den Wellen habe verschwinden sehen, plauderte ich den gestrigen Nachmittag über mit Lonja, dem „Kosaken“. Er ist achtundzwanzig, hat eine sechsjährige Tochter und lebt in Moskau, wenn er nicht auf der *Keldysch* ist und im Zodiac Kopf und Kragen riskiert. Er ist gern auf See, spricht ausgezeichnet englisch, war kurze Zeit Panzerkommandant in Afghanistan und hält den jetzigen Krieg in Tschetschenien für Wahnsinn. Auf der *Keldysch* verdient er 600 Dollar im Monat, sagt er, kommt aber zurecht, weil er Teilhaber einer Reihe von Baufirmen in Moskau ist. Warum einer Reihe? Weil im Interesse der freien Marktwirtschaft solche Firmen während der ersten zwei Jahre ihres Bestehens nicht besteuert werden. Am Tag, bevor diese Konzession erlischt, löst Lonja seine Firma auf und gründet eine neue. Moskau muß der helle Wahnsinn sein, aber zum Teil wenigstens durchschaubarer Wahnsinn, weil die Leute gewöhnlich kraß ihre Identität herauskehren. Die Mafiosi zum Beispiel fahren nur BMW, während Leute, die bloß reich sind, Mercedes den Vorzug geben. Lonja ist ein Born der aufgeklärten Vernunft und des subversiven Zynismus. Er erzählt mir, daß viele frühere KGB-Funktionäre in der Steuer-Zwangsvollstreckung untergekommen sind (ein bißchen wie bei der italienischen *Finanza*-Polizei), wo sie mit härteren und korrupteren Methoden dafür sorgen sollen, daß mehr Leute mehr Steuern zahlen. Obwohl er Verwandte in den Vereinigten Staaten hat, erklärt Lonja, daß er nicht das mindeste Interesse hat, dorthin überzusiedeln. „Amerika ist nicht mein Land", sagt er entschieden. „Ich bin in Moskau geboren, Moskau ist meine Stadt. Alle meine Freunde sind in Moskau. Da komm' ich zurecht." Tatsächlich ist er von einer Aura der Kompetenz umgeben. Er ist groß und schlank, mit kleinem blondem Schnurrbart, und sieht umwerfend aus – wie Personen beiderlei Geschlechts auf dem Schiff wohl bemerken –, wenn er so gut wie nackt in dem rollenden und zwischen den Wellen tanzenden Zodiac steht, sich nur an einem Tau festhaltend, das am Bug angebunden ist. Als jugendlicher Held trägt Lonja ein sehr nötiges Moment der Bravour auf dieses Schiff, unter dessen Besatzung bei aller intellektuellen Brillanz doch die Damen und Herren in gesetztem Alter ein Übergewicht haben. Als wir über dies und jenes schwatzen, stellt sich heraus, daß er meine Begeisterung für Mikojan teilt, den hervorragenden russischen Flugzeugkonstrukteur, von dessen Abfangjäger Mig-31 er Schnittzeichnungen in Zeitschriften aus seiner Kabine holt.

Ich frage ihn nach dem Anarchisten. Lonja sagt, der heiße Sergei und lese nicht nur Gedichte, sondern schreibe auch welche. Mehr noch, um die Monotonie etwas zu mildern, bringe er ab und zu auch einen seiner wissenschaftlichen Berichte in Verse. Ich bewundere diesen Mann von Tag zu Tag mehr. Ich hoffe, wenn ich je einen Platz in einem Tauchboot bekomme, so wird Sergei die Luke betreuen, damit sein ruhiges Vollbartgesicht das letzte ist, was ich sehe, bevor sie sich schließt, und das erste, wenn sie wieder aufgeht. Später macht Lonja uns miteinander bekannt, und ich frage Sergei, welchen Dichter er neulich an Deck gelesen hat. Er lächelt schüchtern. „Joseph Brodsky." Ein Mann nach meinem Geschmack. Ein Schiff voller erfinderischer Techniker, die obendrein Brodsky lesen und ihre Berichte in Versen schreiben. Auf einer Bohrplattform in der Nordsee kann ich mir dergleichen so recht nicht vorstellen. Allerdings, bei Einzelgängern kann man nie wissen...

Keine Nacht zum Schlafen. Die leere Nachbarkabine ging mir nicht aus dem Sinn. Um Mitternacht hatte ich genug von den Geisterstimmen im MIR-Labor, der Sprechfunkverbindung zwischen dem Kontrollraum und den Tauchbooten, die nun meilenweit unter uns waren, den hohlen Echos vom Meeresboden und aus der Wassersäule, die ein paar Sekunden später zurückkamen. Solche gespenstischen Töne müssen eine Eigenart der Unterwasser-Kommunikation sein, in der Funkwellen so gut wie unbrauchbar sind. Wasser absorbiert die Funkwellen ohne weiteres, und selbst der Niedrigfrequenzfunk, den die Kriegsmarine für die Verständigung mit ihren U-Booten benutzt, erlischt wenige Meter unter der Oberfläche. Die MIRs verwenden ein finnisches Sprechfunksystem, Comec, bei dem auf 8 kHz gesendet wird. Es verbraucht viel Energie. Der Sender übernimmt die Sprechstimme und drückt die Frequenz hoch, während der Empfänger sie wieder senkt. Man sagt, wenn jemand neben dem Schiff schwämme und den Kopf unter Wasser hielte, so wären die Gespräche in der Wassersäule als eine Art hohes Glucksen zu hören. Alles technische Raffinement aber konnte nicht verhindern, daß die Verständigung aus anderen Gründen schlecht war (was ja auch den übrigen Erfahrungen auf dieser Reise genau entspricht). Die beiden Tauchboote waren meilenweit auseinander und oft auch durch echtes Felsgestein gegeneinander abgeschirmt. Es war kein Vergnügen, mitten in der Nacht zu hören, wie der Kontrollraum immer wieder versuchte, die Verbindung mit Quentins MIR herzustellen, ohne daß aus dem zischelnden Lautsprecher etwas anderes kam als das Echo der Meldeanfrage, das nach einem Rundweg über 15 Kilometer an uns vorüberspukte. Die trostlose Leere der Tiefe, in der irgendwo ein stummer Freund steckt, war nicht eben erbaulich; lieber ging ich hinaus, stellte mich an die Reling und ließ mich vom Wind anblasen.

Um 4 Uhr morgens nahm ich eine Dusche, zog mich an und ging im Anorak wieder an Deck, um MIR 1 zurückkommen zu sehen. Clive war inzwischen wohlbehalten wieder da, etwa seit 1 Uhr 30 (doch ohne irgend etwas gefunden zu haben, das nichts mit Geologie zu tun hatte). Auf dem Deck über der Brücke war es sehr dunkel, trotz eines aufgedunsenen, bienenwachsfarbenen Mondes, der eine Handbreit über dem Horizont hinter dem schweren Lid einer Wolke unterging. Dunkel trotz des prächtigen Sternenhimmels, vor dem die Topplichter hin und her sprangen wie wildgewordene Meteore. Ich ging von der einen Reling zur andern und hielt Ausschau nach der leuchtenden Qualle im schwarzen Wasser, als die das auftauchende Monster erscheinen müßte, aber der Morgen dämmerte schon, als es endlich eine halbe Meile weit backbords an die Oberfläche kam. Einen Moment war ich erleichtert, dann wurde ich ungeduldig, weil die *Koresch* fast eine Stunde brauchte, um MIR 1 sicher längsseits an das Schiff heranzubringen. Das Tauchboot wurde an Bord gehievt, Sergei waltete seines Amtes, und schließlich kletterte Quentin herab, zerzaust, mit gegen das Frühlicht zusammengekniffenen Augen und einem Grinsen, das gar nicht wieder vergehen wollte. Er kam in meine Kabine, setzte sich hin und sagte, „fucking hell!" ohne jemand Bestimmtes anzusprechen. Das wiederholte er inbrünstig viermal, wie ein Mantra. Es hörte sich ausdrucksvoller an, als es sich liest. Anscheinend hatte er nur so geschwelgt in Erfahrungen, obwohl sein MIR nichts Interessanteres mit heraufgebracht hatte als eine Flasche.

Mike und Andrea sind heute morgen schlechter Laune, aus vorhersehbaren und vorhergesehenen Gründen. Wir alle finden es ungerecht, daß Sonarbilder, die so vielversprechend aussahen und auf nichtnatürliche Ziele hinzudeuten schienen, sich mir nichts, dir nichts in gewöhnliche Kieselbänke, Felsbrocken oder Basaltvorsprünge verwandeln konnten. Bei der Morgenbesprechung wird beschlossen, das „Rasenmähen" mit dem Sonarschlitten für zwei, drei Tage wiederaufzunehmen, um den noch verbleibenden nördlichen Sektor abzugrasen und das Gebiet, wo Quentins MIR die Flasche gefunden hat, ein zweites Mal zu untersuchen. Der Grund ist, daß sie dort noch einige andere Dinge gesehen haben, nämlich ein Stück rötliches Gewebe und etwas, das wie Aluminiumfolie aussah. Das Gewebestück haben sie gefilmt, aber wir können das Video erst heute abend um sechs ansehen. Quentin sagt immerhin, daß es seiner Erfahrung nach schon etwas besagen will, wenn man drei menschliche Artefakte in dieser Tiefe auf dem Meeresgrund so dicht beisammen findet. Was wir hoffen, ist natürlich, daß sie den Rand eines Trümmerfelds bilden... *Des* Trümmerfelds.

Unten in Ralphs Video-Labor untersucht Andrea die Flasche. Sie versteht von Flaschen nicht viel mehr als ich, aber wegen ihrer professionellen Beziehung zum Wissen geht sie an das Ding, das wir alle vor uns sehen, so förmlich heran wie ein Archivar. „Also", beginnt sie, „sie ist, äh, 30 Zentimeter hoch. Grünlich dunkelbraun. Glas von schlechter Qualität, wie ihr seht – allerlei Bläschen und Unreinheiten. Geblasen, nicht gegossen. Hals leicht ausgebaucht, Boden nicht flach, sondern einwärts gewölbt ..." Ich fühle mich unwiderstehlich an eine Zeichnung erinnert, die der verstorbene Peter Cook vor vielen Jahren für eine Aufnahme von *Private Eye* machte, auf der man Arthur Negus und John Betjeman ein *Objet d'art* betrachten sieht, das sich als die leibhaftige, auf einem Klosettbecken sitzende Lady Minerva Threbbing erweist („Ziemlich große sitzende Figurine... Spätes neunzehntes Jahrhundert, wie ersichtlich an den varikösen Beinen von Edmundo Varicoso, der damals in dieser Weltgegend aktiv war – überaus aktiv . . . "). Ich kann zu Andreas Beschreibung nur noch hinzufügen, daß die Form eher die einer Bordeaux- als einer Burgunderflasche ist, aber tatsächlich hat keiner von uns eine Ahnung. Nach allem, was wir wissen, könnte es eine Bierflasche aus Grünglas sein. Einstweilen sind wir uns einig, daß sie fast mit Sicherheit nicht älter als von 1850 und nicht jünger als von 1920 ist. Aber weil dies das einzige irgend interessante Artefakt ist, das wir bis jetzt gefunden haben, versuchen wir nun durch akrobatische Gedankenwindungen einen plausiblen Zusammenhang mit einem japanischen U-Boot aus dem Zweiten Weltkrieg herzustellen. Später trägt jemand die Theorie vor, die Flasche könnte von den drei Deutschen als Geschenk ihres Kapitäns an seinen japanischen Kollegen mit an Bord gebracht worden sein. Wenn es sein muß, bringen ganz gewöhnliche Schatzsucher ebenso phantastische Konfabulationen zustande wie ein mittelguter Romancier.

Infolge ihrer Tauchfahrten haben Clive und Quentin nun unverkennbar einen Nimbus erlangt. *Sie sind dort gewesen, wirklich dort gewesen!* Ich bin ohne Zweifel neidisch. Clive spielt das Erlebnis entweder herunter, oder es hat ihn wirklich relativ wenig bewegt. Jedenfalls hat er nichts gesagt, das Quentins fassungsloser Begeisterung entspräche, etwa: „*Fucking hell!* Was für ein Ding! Diese Seegurken! Dagegen ist Bungee-Springen ein echter Schnarch." Beide waren vernünftig genug, schriftlich festzuhalten, wie ihnen unten zumute war und was sie in den verschiedenen Tiefen gesehen haben. Quentin hat mir ein paar Auszüge aus seinem Bericht vorgelesen. Ich halte emotions- und ausdrucksfähige Wissenschaftler unbedingt für den besten Umgang, den man nur haben kann. Sein Pilot Nik Schaschkow hat ihn durch extreme Steigerung – oder besser Versenkung – des Nerdismus verblüfft. In 2500 Metern Tiefe hat der Russe seinen Laptop-Computer hervorgeholt und angefangen, auf den Tasten zu klappern; er arbeitete an einem von ihm erfundenen Navigationsprogramm. Tausend Meter tiefer machte er zu Quentins Entsetzen plötzlich den Werkzeugkasten auf, nahm Schraubenzieher und Lötkolben heraus, schraubte ein Armaturenbrett ab und begann ein paar Leitungen ad hoc anders zu verlegen. Dies ist zweifellos ein Gänsehaut-Effekt, wie man ihn in Hollywood zu schätzen wüßte, aber in Wirklichkeit prosaischer, als man dort glauben möchte. Quentin wischte unterdessen mit zitternder Hand über die Sichtscheibe und leckte dann heimlich an seinen Fingern, um festzustellen, ob sie salzig schmeckten.

„Und?“

„Ja, ich schmeckte Salz! Ich war wie versteinert. Dann begriff ich, daß es mein eigener kalter Schweiß war.“

Während sich das Sichtfenster um eine Winzigkeit nach der andern zu ihm hin durchbog.

Diese Geschichte wird mit jedem Tag verrückter. Eben wurde ich auf die Brücke gerufen, um mir einen beredsamen Franzosen anzuhören, der uns über Kanal 10 auf englisch mitteilt, daß sich die *Keldysch* zur Zeit in „Navarea II“ befinde, einer Gefahrenzone, weil sie dort Raketentests machen. Der Typ spricht von der B. E. M. *Monge* aus, einem mysteriösen weißen Schiff unter knolligen Radaranlagen und Golfbällen, das uns vom Horizont her beschattet. Anatoly erklärt über Sprechfunk, daß wir „wissenschaftliche Feldforschung unter Einsatz von Schleppsonar“ betreiben und nicht mitten in unseren Versuchen unterbrochen werden dürfen. Es gibt eine Beratungspause. „O. k.“, kommt schließlich die Antwort. „Sie können in der Gefahrenzone bleiben, wenn Sie darauf bestehen, aber auf eigene Gefahr.“ Wenn Quentin wach wird, werde ich ihn fragen, ob sein eigener, mit Bedacht formulierter Zusatz zu den Bedingungen der von Orca abgeschlossenen Schadenersatz-Versicherung dahingehend ausgelegt werden kann, daß er auch für Exocet-Beschuß gilt. Jedenfalls werden wir die Tests wie von einem Tribünenplatz aus verfolgen können, denn das „Fenster“ maximaler Gefahr soll um 21 Uhr 45 aufgehen und bis 4 Uhr morgen früh offen bleiben. Il ne fallait que ça.

Andere werden mißtrauischer, als der Franzose uns zum Schluß viel Glück mit unseren Transpondern und Tauchbooten wünscht. Die Meinung kommt auf, daß wir uns wegen Norfolk, Virginia, nicht so viele Sorgen zu machen brauchen. „Aber auf diese verdammten Franzosen müssen wir aufpassen. Wahrscheinlich arbeitet ihre Kriegsmarine mit Comex zusammen, einer großen Bergungsfirma in Marseille. Die versuchen uns von *I-52* zu vertreiben, damit sie es selbst abstauben können.“ Oben auf der Brücke schauen Ralph und Anatoly sich an, und Anatoly sagt: „Die Tauchboote habe ich überhaupt nicht erwähnt.“ Manchmal gehen auch Berger in der Paranoia zu weit. Abgesehen davon, daß die *Monge* sicherlich unsere Transponder und die Gespräche mit den MIRs abgehört hat – sie dürften kaum zu überhören gewesen sein –, gibt es auch nicht allzu viele ozeanographische Forschungsschiffe auf der Welt, noch weniger russische und nur eine *Keldysch,* die international für ihre Tauchboote bekannt ist.

5 Uhr 10 nachmittags: Aber diesen Satz nun fange ich an, nachdem ich zehn Minuten lang vom Brückendeck einem französischen Anti-U-Boot-Flugzeug zugesehen habe, das kaum ein Erkennungszeichen trug und mehrmals tief über uns hinwegflog. Dann zog es Kurven in einiger Entfernung, wahrscheinlich, um seinerseits Transponder abzuwerfen, bevor es sich in ungefähr östlicher Richtung entfernte, ver-

mutlich zum Senegal oder einem anderen frankophilen Land an der afrikanischen Küste. Auch dies, finde ich, ist kein Grund zur Panik. Wenn sie in einigen Stunden mit ihren Raketentests anfangen wollen, müssen sie vorher sicherstellen, daß die Zone frei von Schiffsverkehr ist. Für mein Teil bin ich froh, daß sie wissen, wo wir sind.

Und nun hat Anatoly für 6 Uhr 30 eine Sondersitzung einberufen. Kurz gesagt (wie wir erfahren, als wir uns verdrossen vor der stattsam bekannten Karte in dem sattsam bekannten Konferenzzimmer versammeln), er will vor der *force majeure* oder, wie Quentin meint, der *frog power,* kapitulieren. Wir hören, daß die *Keldysch* von der französischen Marine inzwischen die Empfehlung bekommen hat, sich für zwei Tage und später für unregelmäßige Perioden von der kritischen Zone ganz fernzuhalten. Die Orca-Teilnehmer sind baß erstaunt. Unsere Pläne für die weitere Suche nach der *Dolphin* würden dadurch ruiniert. Die Zeit wird jetzt schon knapp, weil der unerwartet steife Wind und der hohe Seegang die Sonarsuche verlangsamen. Wenn wir vor Ende des Monats Dakar erreichen wollen, müssen wir jede Stunde nutzen. Im Chartervertrag, an den Clive behutsam zu erinnern versucht, ist ein bestimmter Zeitraum für die Suche in diesem Gebiet festgelegt. Jawohl, sagt Mike, unverhofft forsch. Wir sind hier in internationalen Gewässern, die Franzosen werden schwerlich wagen, die berühmte *Keldysch* zu versenken, und so weiter. Im Grunde sollten wir sie auffordern, sich zu verpissen, und sie könnten gar nichts machen.

Jemand: Ach nein? Meinen Sie nicht, daß sie uns in Dakar schikanieren könnten, wenn sie wollten?

Jemand anders (nicht ganz auf dem laufenden): Wie meinen Sie das?

Aber der Mehrheit genügt allein schon der Gedanke daran, welche besonderen Aufmerksamkeiten der senegalesische Zoll Orca bei der Abfertigung des kostbaren Greifarms erweisen könnte, der aus Aberdeen herangeflogen wird, oder bei der Lagerung und Abfertigung diverser Vorräte, mitsamt wichtiger elektronischer Utensilien. Orca einigt sich mit Anatoly auf eine Abänderung das ZVUK-Programms, das nun erst wieder um 4 Uhr morgens beginnen kann, wenn die Franzosen mit ihren Kriegsspielen fertig sind. Orca ist auch einverstanden, die erst an diesem Morgen beschlossene Suchzone um ein Stück zu verkleinern. Sobald die Versammlung sich aufgelöst hat und wir in Clives Kabine vor den schnell dahinschwindenden Resten unserer Kiste Madeira sitzen, wird kein Blatt mehr vor den Mund genommen. Anscheinend (aber davon hatte ich bisher nichts gehört) haben die Offiziere der *Keldysch* von den bevorstehenden französischen Schießübungen schon in Kaliningrad gewußt. Der Vorwurf der Hinterhältigkeit wird abrupt von den Franzosen auf die Russen übertragen. *Die haben das von vornherein gewußt...*

Wo die Paranoia so viel Nahrung findet, da hat auch ein Schriftsteller guten Grund, sich zu wundern. Je länger diese Fahrt dauert, desto ungewisser wird mir, wer hier wirklich weiß, was vorgeht. Immer wieder entsteht der Eindruck, daß Hintergedanken verfolgt werden, daß Anatoly mit Orca ein falsches Spiel treibt, das Orca wiederum längst durchschaut und einkalkuliert hat. Jeder unvorhergesehene Umstand löst eine zeitweilige Panik aus, aber niemand scheint wirklich überrascht zu sein. Ist dies der normale Hergang von Bergungsmaßnahmen? Mike, Ralph und Andrea würden die Frage wohl entschieden verneinen; aber ich vermute mehr und mehr, er ist es. Überhaupt, so gern die Fachleute es bestreiten würden, eine „normale" Bergungsmaßnahme gibt es wohl gar nicht. Ich möchte wetten, sie sind alle wie diese, raffiniert ausgeheckt, geleitet von Figuren, die sich viel auf ihre Tatkraft zugute halten, sich aber für lange Zeit launisch in ihren Kabinen einschließen, träumen und intrigieren und das Vermögen ausgeben, das sie erst noch finden müssen.

8 Uhr 45 abends: Sagte ich nicht eben, diese Fahrt werde immer verrückter? Eben bekommen wir ein dreizeiliges Fax

von der *Monge:* „Operation Navarea II wurde verschoben. Sie können Ihre Arbeiten sofort wieder aufnehmen. Danke für Ihre Kooperation." Also wäre diese kleine Krise vorüber. Es erfordert nicht viel Scharfsinn zu begreifen, daß die Franzosen bei ihrer Raketenübung sicher eine Schallregulierung vorgesehen haben, und fast das letzte, was sie sich dazu wünschen könnten, wäre ein vollausgerüstetes ozeanographisches Forschungsschiff in unmittelbarer Nähe, das auf allen Wellenlängen mithörte und mitschnitte. Und das *allerletzte* wäre, daß manches von ihrer Ausrüstung absichtlich-zufällig von den Tauchbooten der *Keldysch* vom Meeresboden heraufgebracht würde.

Achtzehn

Für jeden, der sich mit der Idee tragen sollte, eine Expedition zusammenzutrommeln, um nach irgend etwas zu suchen, kann ich nun in aller Bescheidenheit ein Gesetz formulieren: Keine zwei Personen bei einem solchen Unternehmen suchen jemals genau dasselbe. Sie mögen beteuern, daß sie sich einig sind, und heiß und innig daran glauben; aber es stimmt nicht. Hinter jedem großen Projekt werden allerlei unausgesprochene Vorbehalte, Wünsche und Hintergedanken in der Schwebe gehalten. Darum ist sogar etwas so Simples wie die Suche nach versunkenem Gold in gewissem Maße ein Vorwand. Es überrascht kaum, daß unter den Teilnehmern Differenzen und Spaltungen sichtbar werden, sobald in einer emotional aufgeheizten Atmosphäre das Ziel des Unternehmens berührt wird. Und nun, nach drei Vierteln dieser ersten Etappe, erweckt unsere Schiffsgemeinschaft manchmal den Eindruck, nicht so sehr ein zielstrebiges Bergungsunternehmen zu sein als vielmehr eine schwimmende Verschwörung: eine Verschwörung, um die vielerlei auseinanderweisenden Pläne in den Geheimschubladen des Herzens hinter der augenscheinlichen Suche nach Goldbarren zu verbergen.

Das wichtigste am Gold ist seine Schlichtheit. Es ist Begierde ohne Wenn und Aber, zu einem einzigen Block eingeschmolzen. Es ist viel primitiver noch als Geld, das ja ein theoretisches Konstrukt ist. Die meisten Menschen rechnen noch immer nach einer inneren Goldwährung. Wenn jemand sagt, er suche nach Gold, wird ihn niemand nach dem Warum fragen. Man wird ihn fragen, wessen Gold, wieviel oder wo es ist. Eine ganze Mythologie hüllt es ein. Es erklärt alles, von gemeiner Habgier bis zur großmütigsten Tat. Wie die Liebe erklärt sich das Gold durch sich selbst, und der „verfluchte Hunger“ nach ihm (Vergils *auri sacra fames*) rechtfertigt alles, was wir tun. Menschen, die mit beiden Beinen fest auf dem Boden der Tatsachen zu stehen glauben – Mike Anderson zum Beispiel –, werden gereizt, wenn man laut darüber nachdenkt, ob Gold nicht vielleicht eine Metapher für reine Sehnsucht oder unerreichbares Glück ist, ein Wahrzeichen jener gleichsam mystischen Ökonomie des Verlierens und Wiederfindens, die unseren Lebenshintergrund bildet und in allem, was wir tun (Jobs, Liebschaften, Einkäufe, Machtgerangel), zu motivieren scheint. Sie werden dann schlicht-vernünftig, nach Art von Dr. Johnson, darauf reagieren, indem sie einen gesprächsweise in den Tresorraum einer Bank führen, die Tür zu einer Stahlkammer aufstoßen, den aufgestapelten Barren einen Tritt geben und sagen: „Da, du Trottel, denkst du, das ist eine Metapher? Das ist eine halbe Million Troy-Unzen, 99,9 Prozent rein. Versuch mal, einen Barren aufzuheben, wenn du's nicht glaubst!" Aber nein, was wir da heben, ist nur ein Klumpen Träume von einem Haufen Verheißungen.

Gedanken wie diese kommen einem leicht auf See, wenn wir die harten Konturen des Lebens auf festem Boden aus den Augen verlieren, die Handfestigkeit, die wir den Dingen und Geschäften gern zusprechen. Die Suche nach dem unter den Wellen verschwundenen Gold nährt kleine Würmer des Zweifels und Widersinns. Die öde, unkartierbare Leere, die uns vom Golde trennt, ist zugleich das Element, das uns trägt. Sie macht unsere elegantesten und präzisesten wissenschaftlichen Berechnungen zunichte. Wenn wir das Gold finden, werden wir es einfach dem närrischen Glück zu verdanken haben, wie alle Wissenschaftler an Bord zugeben. Und überhaupt, ist denn wirklich Gold da? Anatoly hat diese Frage gestellt, heute morgen erst; er meinte, *I-52* könnte ja die *Bogue* und die *Haverfield* in jener Junimitternacht vor fünfzig Jahren einfach brillant ausgetrickst haben. Aber das wirft nur andere Probleme auf (z. B. wenn das U-Boot der Versenkung entkam, warum tauchte es dann nie wieder auf?). Die Frage, ob das Gold wirklich da ist, bedeutet etwas anderes. Der schiere Aufwand an Geld, Mühe und Scharfsinn bei diesem Unternehmen legt einen verdrossenen Vorbehalt nahe: Wird dabei herauskommen, was wir erhofften? Und wieder einmal kann man sich fragen, welches Ergebnis diese Expedition eigentlich erbringen müßte, damit man vollkommen zufrieden wäre. „Die Goldbarren natürlich, du Idiot!“ antwortet die rauhbeinige Vernunft. „Danke, damit wär' ich vollkommen zufrieden. Ich nehme die Goldbarren, und du erfreust dich weiter an deinen Spekulationen – die kannst du behalten!“ Aber wird das Gold wirklich die Kraft haben, jedermanns Wünsche zu erfüllen, so daß keiner unbefriedigt bleibt? Oder ist die Leere, die uns bis jetzt von ihm trennt, eher so etwas wie die Libido, etwas Flüssiges, nicht Lokalisierbares wie das sexuelle Verlangen, das zwar nach Befriedigung sucht, aber niemals befriedigt sein will? Kurz, ist dieses ganze Abenteuer nicht die Verlängerung eines erotischen Traums von lustvoller Gefahr? Von solcher Art sind die stets ungenauen (aber richtigen) Koordinaten, bei denen Schatzsucher anzutreffen sind und deren Nähe sie in Erregung versetzt.

15.2.95

Um 6 Uhr abends sehen wir uns die Videos von Quentins und Clives Tauchfahrten an. Clives ist handlungsärmer, denn bei Quentin sind wenigstens Bilder von der Bergung der famosen Bierflasche mit drauf, und auch von dem Stück rötlichen Tuchs, das sie gesehen haben. (Schade nur, daß Nik, der Pilot, das Tuch nicht mit heraufbringen wollte. Er befürchtete, es könnte sich verwursteln oder zerreißen oder womöglich einen der Außensensoren des Tauchboots bedecken.) Das interessanteste Artefakt, das aussah wie ein Stück Aluminium, haben sie weder gefilmt noch mitgenommen, weil sie drüber weggefahren waren und die aufgewirbelten Sedimente in ihrem Kielwasser einen dichten orangeroten Nebel bildeten, in dem sie es nicht mehr fanden, als sie danach umkehrten. Abgesehen von diesen bemerkenswerten Fragmenten sieht der Meeresboden hier auf dem kleinen Bildschirm nicht weiter aufregend aus. Seegurken sind nicht auf den Filmen, nur eine Tiefseekrabbe. Etliche Spuren sind im Sand zu erkennen, aber im übrigen wirkt die Gegend eher desolat. Die Tiefenströmung ist hier schwach, und die Sedimente lagern sich nur sehr langsam ab. Austritte von Kissen-Lava unterbrechen das eintönige Bild: seltsam abgerundete Knollen in der charakteristischen Form, die Lava annimmt, wenn sie vom Meerwasser schnell abgekühlt wird. Dies geschah vor 50 Millionen Jahren. Quentin gibt uns zu dem Film einen fortlaufenden Kommentar, der in ein Kurzseminar über die Bildung von Turbiditablagerungen einmündet. Bei Quentin kann man nie sicher sein, ob er einen nicht veralbert. Es ist schon vorgekommen, daß er ein bröckliges Stück Gestein, das man ihm zur Bestimmung gab, als Fubarit klassifizierte. Einen Grund, an diesem mit ernster Miene vorgetragenen Expertenurteil zu zweifeln, gibt es zunächst nicht. Erst später findet man dann heraus, daß FUBAR ein Geologenkürzel für „Fucked-Up-Beyond-Recognition" ist („bis zur Unkenntlichkeit vermurkst"). Die Turbidite habe ich später nachgeschlagen und festgestellt, daß dies tatsächlich eine Art von Ablagerungen ist.

Die Betrachtung dieser kurzen Videofilme macht mich erst recht neidisch und vermindert keineswegs meinen Wunsch, mit runterzufahren und alles selber zu sehen. Die Aufnahmen sind sogar ein perfekter Beweis für die Unfähigkeit der Kamera, ein Erlebnis einzufangen. Da die Menschen die Welt heute meistens nur noch durch das kleine rechteckige Guckfenster sehen – die Camera obscura des zwanzigsten Jahrhunderts –, wundert es mich kaum, daß sie sich anöden und unzufrieden werden. Wir haben doch etwas sehr Ungewöhnliches gesehen: die ersten Aufnahmen von einem Ort, an dem noch nie jemand gewesen ist. Trotzdem rollte es vor uns ab wie etwas, das wir schon hundertmal vom Sofa aus angeglotzt haben, kaum interessanter als Nachtaufnahmen aus einer Wüste bei Scheinwerferlicht und im Schritttempo. War es nur, weil Quentin Geologe ist, daß er mit diesem verzückten Grinsen im Gesicht zu mir in die Kabine gekommen war, sich hingesetzt und gesagt hatte, „*Fucking* hell!", wie jemand, den ein starker Traum noch im Bann hält? Das glaube ich nicht. Etwas muß mit ihm geschehen sein, was nur geschehen konnte, weil er dort war und dies getan hat, und was er auf Film und Videoband davon mitbringt, steht zu dem Geschehnis nur in demselben Verhältnis wie die Banalitäten von Sprache und Schrift zu einer mystischen Erfahrung. Manches kann man nur erleben, nicht belauschen.

Andrea ist beim Frühstück sehr niedergeschlagen. Wir sind fast am Ende der Sonarerkundung und haben in dem ganzen Gebiet, wo *I-52* gesunken ist, nichts gefunden als eine alte Flasche. Sie grübelt über den Unterlagen, siebt die Daten und geht sie immer wieder durch, um herauszufinden, ob wir nicht noch irgend etwas Auffälliges übersehen haben. Sie ist der gewissenhafteste Mensch, der mir je begegnet ist, darum halte ich das für kaum möglich. Sie wirkt – doch woher nehme ich die Unverschämtheit, das zu sagen? – wie jemand, den im Augenblick die Gründlichkeit des eigenen Charakters niederdrückt. Sie beginnt über den mysteriösen Amerikaner zu reden und darüber, wie unzufrieden sie ist, daß die Angelegenheit ungeklärt bleiben mußte. Sie kann sich vorstellen, wie sie ihm in London später begegnet, ihn wegen seiner Koordinaten zur Rede stellt und ihn dann ehrlich erstaunt sieht, wenn er sich an die Stirn schlägt und sagt: „Neununddreißig Grad fünfzehn? Hab ich wirklich neununddreißig gesagt? Ach, wie dumm von mir, ich meinte natürlich vierzig." Mit anderen Worten, der Irrtum in gutem Glauben. Oder möglich wäre auch, daß unsere Skepsis und die Weigerung, ihm seine 6000-Dollar-Prämie zu zahlen, ihn dazu reizen, ein ausführliches Geständnis abzulegen, wo er die Koordinaten her hat. „Was sagen Sie, das U-Boot ist da nicht? Es war jedenfalls da, als die US Navy ein ferngesteuertes Tauchboot runtergeschickt hat, um es zu fotografieren. Sie glauben doch nicht, daß die es zum Spaß da weggeschafft haben!" Oder etwas dergleichen.

Also scheint die arme Andrea heute morgen unter einer

Art persönlichem Katzenjammer zu leiden, einer nervösen Gereiztheit wegen unerledigter Geschäfte, ungelöster Rätsel, unerklärlicher Daten, der ganzen vagen, schlüpfrigen Welt, deren greifbare Tatsachen sich so eigensinnig gegen die Übereinstimmung mit all den über sie gespeicherten zuverlässigen Informationen sträuben. Darüber hinaus, vermute ich, erscheint ihr die geheimnisumwitterte Episode mit den Koordinaten des Amerikaners nun allmählich als typisch für etwas, das ihr an der Art und Weise, wie das Projekt Orca durchgeführt wird, von Grund auf mißfällt. Es ist unübersehbar, daß sie damit, wie Clive und Simon ihre Rollen spielen, nicht einverstanden ist. Ein flüchtiger Zuschauer, der sich nur einen Tag lang an Bord der *Keldysch* aufhielte, wäre entschuldigt, wenn er annähme, daß in allem, was Orca angeht, Clive der Boß sei, der Entscheidungsträger, der zugleich als wichtigster Verbindungsmann zu Anatoly und den Russen fungiert und mit ihnen in geheimen Sitzungen in seiner Luxuskabine eine Reihe delphischer Orakelsprüche aushandelt. Obwohl Orca nicht müde wird, sich zu demokratischer Entscheidungsfindung zu bekennen, käme der Zuschauer wohl nie auf die Idee, daß es Mike und Andrea gewesen sind, die als erste zu diesem Projekt angestiftet haben, und daß, Mike ausgenommen, niemand länger und intensiver daran gearbeitet hat als Andrea. Auch könnte man nicht ahnen, daß Andrea im Orca-Team die einzige ist, die professionelle, eigenhändige Erfahrungen mit Seebergungen besitzt. Nicht einmal Mike bei aller theoretischen Kenntnis dieses Gewerbes (welche Ironie wieder!) ist wirklich schon nach Wracks getaucht. Würde unser imaginärer Zuschauer all dies erfahren, so könnte er nur bewundern, mit wieviel Geduld und Diskretion Andrea sich damit begnügt, in der Stille ihrer engen Kabine an den Daten zu arbeiten, statt an Deck wichtigzutun.

Daß Andrea sich am liebsten hinter ihre Unterlagen zurückzieht, wird im Lauf der Zeit und mit Zunehmen der Spannungen immer deutlicher. Ein Grund ist, daß Recherchen nun mal ihre Aufgabe sind und daß, wie schon gesagt, aus den Dokumenten immer noch etwas hervorgehen könnte, was bisher sonderbarerweise niemand bemerkt hat. Aber ein besserer Grund ist, daß sie ihre Geduld oft auf eine harte Probe gestellt fühlt und dann den Rückzug für ratsam oder notwendig hält. Anfangs, so glaube ich, bestand zwischen ihr und Mike eine Art alter Kameradschaft, in der sie sich ab und zu das Herz darüber ausschütteten, wie ihr Projekt „von den Geldleuten gekapert" worden sei. Manchmal fanden sie dabei sogar in Ralph einen Bundesgenossen, der sich meistens in seine Kommissarskabine zurückzog und hin und wieder eine beißende Bemerkung über Orcas „Unprofessionalität" machte. Im Fortgang der Reise begann auch Mike, sich in sich selbst zu verkriechen. Wenn jetzt noch jemandem der Kragen platzt und es laute Worte gibt, geht es meistens nur noch um spezifische Fragen. Selbst Quentins Nützlichkeit an Bord wurde von manchen Russen in Zweifel gezogen, denn als Geologe und Sonarexperte ist er zwar tadellos ausgewiesen, aber aus der Sicht eines Bergungsunternehmens ist er dennoch im wesentlichen ein Akademiker. Die Kritik geht dahin, daß die Sonarsuche bei Bergungsmaßnahmen nur eine von vielen untergeordneten Spezialtechniken sei und daß, wer Basaltaustritte auf einer Sonarspur erkennen könne, damit nicht notwendig den Instinkt für das Auffinden von Wracks besitze, der nur aus langer Übung komme. (Was sich für mich, der ich nichts Näheres darüber weiß, plausibel anhört.) Die Vorbehalte gelten auch der Art, wie Quentin engagiert wurde. Es heißt, Clive und Simon hätten ihn kennengelernt und ihn, weil er ihnen gefiel, gleich vom Fleck weg als Sonar-Experten verpflichtet, ohne erst Andrea und Mike zu fragen, die begreiflicherweise für ihr Herzensprojekt lieber jemanden aus dem Bergungsgewerbe genommen hätten. Mehr und mehr werden daher im Fortgang der Expedition die Fehler, die man bei Orca zu erkennen glaubt, in Streitsituationen der „Willkür der Geldleute" zugeschrieben. „Was heißt schon beraten und mitbestimmen", sagt einer an einem Abend voller Mißstimmung. „Das ist so demokratisch wie ein Bulldozer."

Aber Andrea hat noch einen anderen Grund zur Unzufriedenheit, einen, der eher persönlicher Natur ist. Wenn man sie aus ihrem abenteuerlichen Leben erzählen hört, in dem sie meistens knapp bei Kasse war, ist es unmöglich, keine Sympathie für eine Frau zu empfinden, die so sehr dazu gedrängt wurde, sich nur auf sich selbst zu verlassen, ob sie das nun wollte oder nicht. Philosophie studieren und einen akademischen Grad erwerben kann jeder; aber nur wenige verstehen sich ihr Leben durch alle Schicksalswendungen hindurch auf eigene Art einzurichten. Besonders gefällt mir, daß Orcas einzige qualifizierte Bergungstaucherin zugleich die lebenskluge und verständnisvolle Person ist, die sich in einer Londoner Hilfsorganisation für Homosexuelle nützlich machen konnte. Aus der jahrelangen Vertrautheit mit den Kränkungen und Entwürdigungen, die eine Gesellschaft achtlos den Opfern ihrer Orthodoxie zufügt, hat Andrea eine erstaunliche Wendigkeit im Umgang mit den Mächtigen und ihren Handlangern gewonnen. Auf dieser Reise zahlt sich dies in ihrem Mißtrauen gegen alles aus, was Clive und Simon darstellen, als gutbetuchte alte Public-School-Knaben mit Beziehungen in der City. Gewissenhaft, wie es ihre Art ist, versagt sie sich jede Attacke *ad hominem* und behandelt beide als Personen freundlich. Aber sie wäre nicht ganz menschlich, wenn sie, das einzige weibliche Orca-Mitglied an Bord, die beiden nicht ein wenig überheblich fände.

Es liegt wirklich nicht an den Personen. Ich glaube, mit Simon ist Andrea gar nicht näher bekannt, und was Clive angeht, so verkennt sie nicht seinen Charme und gibt auch ohne weiteres zu, daß er viel zu sehr Bohemien ist, um irgendwo als Muster gesellschaftlicher Orthodoxie gelten zu können. Aber ich vermute, sie hat Vorbehalte gegen seinen Typ; und es würde mich nicht wundern, wenn in ihren Gedanken Clive und Simon zu einer einzigen Figur verschmelzen sollten – *Slive* könnte die heißen –, zu jemandem, dessen Loyalität gegen Orcas anonyme Investoren stärker ist als gegen die Initiatoren des Projekts. Letztlich ist Slive ein hinterhältiger Bursche, ein Abenteurer mit Public-School-

Krawatte, der sich mit einem Achselzucken über alle Bedenken hinwegsetzt und seine wirklichen Absichten nie ganz preisgibt. In der gefälligen Maske der Offenheit erweckt er dennoch den Eindruck, noch eine Karte im Ärmel zu haben. Er ist kein Mensch, dem man in dreißig Faden Tiefe instinktiv vertrauen würde, und ebensowenig kann man sich an einem Konferenztisch auf ihn verlassen. „Slippery", aalglatt, ist ein anderes Wort, das einem zu Slive einfallen könnte (doch wird es in bezug auf Simon oder Clive nie gebraucht).

Also haben auch Herkunft und Geschlecht darauf Einfluß, ob das vor langer Zeit versunkene Gold irgendwann tropfnaß an Deck gestapelt werden kann? Diese furchtbare britische Krankheit? Es wäre zu bedenken. Ich frage mich auch, ob Anatolys Abneigung gegen uns alle nicht von einer schlichten, von allen Russen geteilten Voraussetzung ausging, nämlich daß wir Ausländer die Vertreter einer siegreichen Ideologie sind, wobei die meisten von uns noch nicht mal behaupten können, unser Handwerk ebensogut zu verstehen wie sie das ihre. Der Kommunismus war nicht ihr persönliches Verschulden, und für den Kapitalismus konnten wir nichts, aber das Ergebnis war, daß die Slives dieser Welt den Ton angeben. Unter solchen Bedingungen konnte selbst ein Schmarotzer wie ich gönnerhaft lächelnd auf ihrem Schiff herumlungern, ein Repräsentant der neuen Weltordnung, ein Paparazzo der Meereskunde. Auch dies würde sie nicht davon abhalten, professionell zu arbeiten, aber wer wollte sagen, ob die schiere Erbitterung nicht auch praktische Folgen hätte?

18.2.95

Gestern wurde „Politik" gemacht. Das heißt, es wurde überlegt, wohin wir die Suche nach dem verschwundenen U-Boot in den wenigen Tagen, die uns noch bleiben, ausweiten wollen und wie wir diesen Plan dann Anatoly verkaufen können. Folgende Faktoren sind dabei auszubalancieren: 1) Wir müssen das Gebiet spätestens am 23. mit Kurs auf Dakar verlassen. 2) Wir knabbern jetzt schon die für *Marlin* vorgesehene Suchzeit an. 3) Die Russen könnten dieses Zeitdefizit gegenüber *Marlin* „abschreiben", wenn sie in Verfolgung ihrer eigenen Interessen einen kurzen Abstecher westwärts zu Juri Bogdanows schwarzem Raucher am mittelatlantischen Rücken machen dürften. 4) Den Investoren wäre schwer zu erklären, warum wir *Dolphin* schon nach vier Tauchfahrten aufgegeben haben, angesichts eines noch nicht Sonar-erkundeten Streifens genau durch die Mitte des Suchgebiets (ein Sonar-Fehler aus den ersten Tagen der Operation). 5) Die Vervollständigung der Sonarsuche in allen noch wesentlichen Abschnitten wird bis morgen dauern. Mitsamt der Wendung brauchen wir für jeden „abgemähten" Streifen nun sieben Stunden, weil unser gebrauchtes Kabel, an dem inzwischen noch ein paar Strähnen gerissen sind, äußerst behutsam behandelt werden muß. Sollte es reißen, müßte *Marlin* wohl ganz aufgegeben werden, selbst wenn es gelänge, den ZVUK-Schlitten zu bergen.

Um 6 Uhr abends gibt es im Konferenzzimmer eine abschließende Besprechung über die „Ziele", wobei alle Sonar-Ausdrucke der Länge nach auf dem Tisch liegen. Die Wahrheit ist, daß keine Ziele, die wirklich vielversprechend aussehen, mehr übrig sind, nur ein paar Anomalien, die mit hoher Wahrscheinlichkeit geologischer Natur sind. Aber in diesem Stadium ist alles besser als nichts. Wir wollen die beiden MIRs noch einmal hinunterschicken, bevor wir das Gebiet verlassen, und sei es auch nur, um die Zone gründlicher abzusuchen, wo Quentin und seine Begleiter das Tuch, die Flasche und das „Aluminium"-Stück gefunden haben. Andererseits können wir von Anatoly kaum verlangen, daß er seine Lieblinge unten umherschweifen läßt, bloß weil wir eine vage Hoffnung haben, dort etwas Interessantes zu sehen.

Sagalewitsch jedoch zeigt sich heute abend auf eine leicht satirische Weise entgegenkommend. Er ist nicht so blöd, daß er nicht wüßte, worum es uns geht, und hat sich offenbar damit abgefunden. Orcas Anliegen erscheint um eine Idee weniger unglaubhaft, als Quentin sagt, daß sein

MIR wegen einer navigatorischen Unklarheit das Ziel 1, das von Anfang an am verheißungsvollsten aussah, womöglich gar nicht gefunden habe. Das Resultat ist, daß wir die noch fehlenden Sonardaten einholen, dann morgen die Transponder aussetzen und am Montag, dem 20., ein letztes Mal tauchen.

Später an diesem Abend spricht Mike über die Schwierigkeit, potentielle Investoren für diese Art von Bergungsprojekten zu interessieren. Nach seinen Erfahrungen als Vizepräsident von Salvimar und Subsal hat er weder vor dem Wissen noch vor dem Unternehmungsgeist von „Geldleuten" mehr allzuviel Respekt.

„Wißt ihr, ich hab' mir den Mund fusselig geredet über die Technologie bei der Sache und was wir eigentlich machen. Und *trotzdem* kommt da einer und fragt mich in vollem Ernst: ‚Und was ist, wenn ein Monster kommt und das Tauchboot verschlingt?' Tatsache! Das ist kein Witz! Es war sein Ernst. Ihr habt ja keine Ahnung, was der durchschnittliche kleine Spekulant vom Meer alles nicht weiß. Die stellen sich vor, daß der Boden in 5000 Metern Tiefe mit Seetang bedeckt ist. Die wissen nicht die einfachsten Dinge aus der Biologie oder Physik. Tatsache ist, sie *wollen* das nicht wissen. Sie wollen sich nicht die Mühe machen, es zu erfahren, und sie finden, sie haben's nicht nötig. Ob Risikokapitalgruppen oder Pensionskassen, die Manager sagen sich, sie hätten keine Zeit, sich mit der Technologie zu befassen. Alles, was sie wollen, ist eine Projektbeschreibung auf einer Seite, die sie auf Anhieb kapieren. Sie wissen nicht mal, wo ein Bergungsprojekt in der Aktenablage hingehört. Das Meeresbergungsgeschäft hat echten Finanzierungsbedarf, aber ich will verdammt sein, wenn ich weiß, wie ich potentielle Investoren dazu bringen soll, daß sie die Technologie kapieren, wenigstens in der einfachsten Form. Der normale Grundschüler würde das schneller begreifen. Das heißt, solange er noch nicht erwachsen und noch kein Kapitalanleger ist."

Wenn die potentiellen Investoren freilich mit angesehen

hätten, was wir bei der Suche nach *I-52* für eine Niete gezogen haben, dann wird leicht begreiflich, warum sie das Interesse verlieren könnten, egal ob sie den technischen Kram nun verstehen oder nicht. Wie schon gesagt, das Risiko ist sehr hoch, und Pensionskassen-Manager dafür zu begeistern dürfte schwer sein. Um unser Vorhaben in eine Perspektive zu rücken (durch Vergleich mit Zahlen von anderswo): Das Auffinden der *Titanic* erforderte siebenundfünfzig Tage Sonar-Suche – ein großer Schiffsrumpf auf kahlem Meeresboden ohne Felsen, die die Signale hätten verzerren können. Um die *Central America* zu finden, brauchte man 487 Tage, bei gleichzeitiger Verwendung dreier verschiedenartiger Sonargeräte über 24 Stunden am Tag. (Bisher haben die Berger dort angeblich eine einzige Tonne Gold heraufgebracht, in einer ausufernd kostspieligen Operation, die nun schon drei Jahre andauert.) Und hier sitzen wir auf der *Keldysch* nach gerade mal fünfzehn Tagen Sonar-Erkundung im Suchbereich für *I-52,* und schon gehen uns Zeit, Geld und Geduld aus.

Neunzehn

19.2.95

Endlich bekomme ich einen Platz im Tauchboot! Andrea fährt morgen in dem einen mit, ich in dem andern. Um mir über die Ehre richtig klarzuwerden, muß ich nur daran denken, daß bis heute mehr Menschen im Weltraum gewesen sind als in Meerestiefen unterhalb 5000 Meter. Ich muß irgendwas tun, um meine Erregung zu zügeln. Ich gehe an Deck und sehe, daß jemand in dem alten MIR-Tender (dem Boot, das durch die *Koresch* ersetzt wurde) Tomatensämlinge aufgestellt hat, damit sie Sonne abkriegen. Sie wachsen in Milchpulverdosen. Sie erinnern mich an den Lindenzweig, den Viktor Browko unter Deck zum Ergrünen gebracht hat. Der Anblick frischer Blätter mitten auf dem Ozean hat etwas Stärkendes, und man kann sich vorstellen, wie der Mythos von Noahs Ölzweig entstanden ist. Die Ahnung von einer hinter dem Horizont aufkeimenden neuen Welt ist nahezu glaubhaft. Für den Moment werde ich auch an meine Bambushütte im Fernen Osten und die Gewohnheit meiner Freunde dort erinnert, ringsherum Blumenpflanzen in Milchpulverdosen aufzustellen. Von Viktor weiß ich, daß die Linde auf russisch *lipa* heißt, was zufällig auch der Name einer philippinischen Art von Giftefeu ist, *Laportea meyenia.* Diese Querverbindungen zu meinem anderen Leben scheinen mir ein gutes Omen für morgen zu sein. Von allen Seiten lispelt und flüstert es aus den wogenden Lichtreflexen, wie einst aus den Wassern der Elbe bei Anselmus' Gondelfahrt in E. T. A. Hoffmanns *Goldenem Topf.* Freilich gehen hier die Wogen wesentlich höher, und ein frischer Wind streift Gischt von den Kämmen, die sich hochrecken und zusammensinken und eine blasse Marmorierung auf den Flanken der neu anschwellenden Wasserhaufen hinterlassen. Dies sind keine idealen Bedingungen für Tauchfahrten (auch nicht für das Schleppsonar), aber da ich nicht seekrank werde, soll es mir nichts ausmachen, an der Oberfläche ein bißchen durchgeschüttelt zu werden.

Abends gibt es im Sonar-Labor eine Party für das erschöpfte ZVUK-Team, das tagelang rund um die Uhr im Schichtwechsel die Bildschirme, Karten und Ausdrucke im Auge behalten hat. Seine Arbeit auf dieser Etappe ist getan, und nun haben die Leute etwas Ruhe, und bald sind sie soweit, daß sie sich kaum mehr auf den Füßen halten können, denn Anatoly kommt mit dicken Wodkaflaschen und mit seiner Gitarre. Von den Tischen sind die Computer-Terminals weggeräumt worden; dafür stehen sie nun voller Platten mit Brathähnchen, Wurst und Plastikflaschen mit *Sheila* und Tonic. *Sheila* ist die russische Antwort auf den schwarz gebrannten Moonshine-Whiskey der Amerikaner oder diesen italienischen Schnaps – der gewöhnlich von Mönchen gebrannt wurde –, im wesentlichen hochraffinierter Grappa mit etwa 96 Prozent reinem Äthylalkohol. Wir können nur hoffen, daß es kein Methyl ist, aber auf einem Schiff voller Wissenschaftler wird ja wohl wenigstens darauf Verlaß sein. Anscheinend sind unter Deck mehrere Destillierapparate in Betrieb, von denen jeder einen besonderen, am Geschmack erkennbaren Sheila hervorbringt, mit für den Kenner unverwechselbaren Feinheiten des Aromas. Das Zeug läßt mich an Dylan Thomas' Wort über den Grappa denken, in einem seiner mürrischen Briefe aus dem Italien der Nachkriegsjahre: „Er schmeckt wie eine Axt." Heute prahlen die Russen lauthals, das sei eben ein Schnaps „nur für Männer" – pure Rhetorik, denn eine Frau ist im Moment nicht im Raum. Es soll wohl daran erinnern, daß dies nicht einfach ein Vergnügen, sondern eine Feuerwasserprobe für Machos ist. Weil ich morgen tauche, bin ich zum Glück entschuldigt, wenn ich mich auf Apfelsaft beschränke und den Gang der Dinge unbeteiligt verfolge. Das ZVUK-Team amüsiert sich über meine gräßliche Feldflasche aus rostfreiem Stahl (Weihnachtsgeschenk), die ich an den Sonarschlitten angebunden hatte und die nun prachtvoll zerdrückt, aber immer noch wasserdicht, wieder heraufgekommen ist, während Quentin sich ärgert, daß seine Heineken-Dose abgefallen ist und ihn damit der Chance beraubt hat, seine Zwanzigpfundwette mit Ralph zu gewinnen, daß sie nicht implodieren, sondern nur leicht zerknüllt werden würde.

Drei von den Männern, die mit dem Sonar- und mit dem Winden-Team zu tun haben, sehen aus wie Rasputin: groß, mager, vollbärtig und mit graumeliert-wuscheligen Pagenköpfen. Sie sind nette Kumpane, obwohl ihr bißchen Englisch unter dem Einfluß des Sheila zerbröckelt und mein nichtiges Russisch bei Apfelsaft nicht gedeihen kann. Bald fängt Anatoly zur Gitarre zu singen an, dieses Mal nicht die satirische Ode auf den „Inspector Huggett", sondern russische Volkslieder, bei denen die Zuhörer mitsingen. Alle sind in e-moll und im Stil heroischer Wehklagen gehalten. Der mir zunächst stehende Rasputin übersetzt sie mir fortlaufend. „Dies von Baikal-See... mein Vater im Gefängnis... mein Bruder in Sibirien in? Ja, Handschells... Mutter krank... Schwester kriegen Baby nix Vater... " Er faßt mich leidenschaftlich bei der Hand und späht mir durch die Sheiladünste angespannt ins Gesicht. Ich möchte ihm sagen, daß ich das völlig normal finde, daß es solche Leute bei uns auch gibt. Früher nannten wir so was eine Problemfamilie, heute vermutlich eine „differenziell begabte Fortpflanzungseinheit" oder ähnlich. Die Tränen in seinen Augen machen mir klar, daß Rasputin und ich uns vollkommen verstehen. Nicht viel später stehle ich mich davon, um schlafen zu gehn. Morgen muß ich achtzehn Stunden auf sein, um an den Grundfesten des Meeres nach einem japanischen U-Boot zu suchen. Am nächsten Tag höre ich, daß die Party nach meinem Weggang noch um einiges wilder geworden ist, was ich nicht zum erstenmal höre, und daß die Volkslieder bald in übermütiges, schenkelklatschendes Dur übergingen.

20. 2. 95

8 Uhr morgens: Vorbesprechung. Ich soll um 9 Uhr 30 mit MIR 1 starten. Im MIR-Labor hört sich das merkwürdig un-

sensationell an. Mein Pilot ist Viktor Nischtscheta, den ich noch nicht näher kennengelernt, aber schon oft bemerkt habe, weil er ein Doppelgänger meines alten Freunds Romy Parreño auf den Philippinen ist. Darum kommt mir dieser vollkommen Fremde gleich bekannt vor, denn ich habe ja, wenn auch in anderer Gestalt, viele Abende mit ihm bei ESQ-Rum und Hundeeintopf verbracht. Aber noch besser: Kopilot ist... der Anarchist! Ich nehme mir feierlich vor, ihn von nun an auch in Gedanken bei seinem bürgerlichen Namen Sergei Smolitski zu nennen, aber das wird nicht leicht werden. Mit solch einem wundervollen Typ, der seine Berichte in Versen schreibt, auf den Meeresgrund zu tauchen, ist das Größte. Gerade hat man mir einen feuerfesten Fallschirmspringeranzug gegeben, der mir aber zu klein ist; darum werde ich Quentins Overall mit dem Geotek-Logo anziehen, das auf Ralphs Videos so schön herauskommt. Jeder auf seine Art. Ich bezweifle, daß es viel ausmacht, was ich nun anhabe, wenn es drei Meilen tief unter Wasser zu einer Krise kommen sollte, bei der auf feuerfeste Kleidung Wert gelegt wird.

Ein Morgen von erstaunlich sommerlicher Schönheit. Ich kleide mich an, dann stehe ich auf dem MIR-Deck, redend und von Kameras anvisiert, und gehe so in Ralphs visuellen Bericht ein. Clive und Quentin wollen mir einen halben Eindollarschein geben, den ich mitnehmen soll (und der schon mit ihnen unten gewesen ist), aber Anatoly reißt ihn plötzlich an sich, zerfetzt ihn und wirft die Schnipsel über Bord. „Sehr schlimmes Pech, Geld mitnehmen dorthin!“ Pornografie nimmt man nicht mit in die Kirche, hätte er auch sagen können. Während er seinem Aberglauben Luft macht, erhält die *Keldysch* Besuch von zwei zierlichen Seevögeln: schmale Albatrosflügel mit einem schwarzen Streifen in der Mitte, weißer Leib mit langem, dünnem Schwanz, der eher wie eine einzige nachgeschleppte Feder aussieht. Möglicherweise eine Seeschwalbenart, aber ich weiß, daß ich keine Lust haben werde, in einem Vogelbuch nachzuschlagen. Vierzehn Tage lang haben wir keinen Vogel gesehen, und da sind plötzlich gleich zwei, ein unübersehbar strahlendes Vorzeichen, das ich als Ermutigung und nicht als Verabschiedung auffassen möchte.

Wie ich erst viel später erfahre, heißt MIR 1 schon jetzt „das literarische Tauchboot". Viktor Nischtscheta hat zuerst einen Abschluß in Literaturwissenschaft gemacht, dann – klugerweise – noch einen in Elektronik. Also können wir uns alle drei einer gewissen Vertrautheit mit Tinte und Gänsekiel und vielleicht sogar mit den Regungen der Menschenseele rühmen. Ich beschließe daher, daß jeder Bericht, den ich über die bevorstehenden achtzehn Stunden etwa veröffentlichen werde, nur genau das enthalten soll, was ich während dieser Zeit aufgeschrieben habe, unverziert durch duftige Aperçus, die mir vielleicht nachher einfallen. *Wenn* es ein Nachher gibt. Tatsächlich aber, und trotz allen Galgenhumors, zu dem Clive und Quentin mich anstiften, ist meine größte Sorge, ob ich die Fahrt durchhalten werde, ohne pinkeln zu müssen. Das muß für Andrea noch viel schlimmer sein. Gestern wurde ihr von den errötenden Russen klargemacht, daß die MIRs nur mit „Männer"-Flaschen versehen sind, und ob es ihr wohl sehr unangenehm wäre, äh, na ja, vor zwei Männern? Die Russen sind merkwürdig schamhaft, und Andrea antwortete belustigt und mit fester Stimme, daß sie nur die Sorge habe, *ihnen* keine Verlegenheit zu bereiten, da sie ganz sicher sei, mit ihrer Blase unter egal welchen Umständen schon zurechtzukommen. Sie ist herrlich! Immerhin, solche Dinge wollen bedacht sein.

10 Uhr 10: Im Innern von MIR 1. Unser Lukenmann entfernt den konischen Polyäthylen-Ring, der die glattgeschliffene Stahlfläche des Randes schützt. Die Luke schließt sich vor einem blauen tropischen Himmel, und Viktor verriegelt die Halteöhre von innen mit dem zentralen Steuerrad. Alle Außengeräusche verstummen. Die Isolierung hat begonnen. Viktor und Sergei gehen die Vortauch-Prüfliste durch. Es ist sehr heiß, eng und schweißtreibend.

10 Uhr 15: Wir werden über die Bordwand hinausge-

schwenkt. Nicht einmal das hydraulische Stöhnen des Krans ist zu hören. Abschiedsgesichter: Quentin, Clive, Andrea im blauen Springeranzug. Sie wird in etwa einer halben Stunde abtauchen. Blaues Wasser strömt über die nach unten abgewinkelten Sichtluken. Dünung, Schaukeln. Farb- und Lichtwerte wie in einem Themenpark-Aquarium. Silbrige Bläschen, Bündel von Lichtstrahlen, wenn ein Fenster partiell auftaucht. Keine Fische.

10 Uhr 30: Ich habe den Augenblick verpaßt, als Viktor den Ballast aufnahm und wir zu sinken begannen. Klicken von vielen Schaltern, Telefonknacken aus dem Lautsprecher, allgemeines Summen und Rauschen.

113 Meter: Das Blau vor meiner kleinen Sichtluke ist leuchtend dämmerig. Den milchigen Ton nahe der Oberfläche, wie blühender Rosmarin, hat es verloren und ist nun eher wie Rittersporn. Dies ist etwa die maximale Operationstiefe der meisten U-Boote im Zweiten Weltkrieg: 377 Fuß, und draußen immer noch Licht. Ich weiß nicht, warum mir das solchen Eindruck macht.

218 Meter: Erst Zwielicht, dann späte Dämmerung. Bin überrascht, daß draußen immer noch Licht, ist aber so. Wünsche, ich hätte das sehen können, bevor ich *Seestücke* schrieb, besonders das Kapitel über „Riffe und Sichtbarkeit". Wünsche mir auch, sie würden innen die Lichter abschalten. Das intensive Violett des Meeres ist seltsam durchdringend; ich glaube, es würde auch ins Innere des MIR einsickern. Es ist ein Licht, wie ich es nie zuvor gesehen habe. Auf der Erdoberfläche gibt es das nicht; kann wohl auch nicht künstlich erzeugt werden. Es macht etwas mit dem Bewußtsein, fühlt sich an wie leichte Genmanipulation. Die Crew wirft jetzt Clives Computer an; der dämonische Nerd Nik Schaschkow hat ihn als Navigationshilfe für uns programmiert. Der Anarchist hat seine Baskenmütze auf, die Mutter aller Baskenmützen, oben mit einem Zipfel so dick wie ein Strang Gänsekot. Von Zeit zu Zeit räkelt er sich und streicht sich den prächtigen Bart glatt, mit dem Handrücken wie mit einer Katzenpfote. Er fängt meinen Blick auf und lächelt. Nichts Böses kann geschehen, wenn der Anarchist an Bord ist.

265 Meter: Ich erinnere mich, daß in dieser Tiefe mal ein Kaiserpinguin bei einem achtzehnminütigen Tauchgang beobachtet wurde. Ein Vogel auf der Jagd nach Fischen in 870 Fuß Tiefe.

10 Uhr 37, *300 Meter:* Draußen Mitternacht. Mit anderen Worten, immer noch keine absolute Dunkelheit. Da hab' ich mich wirklich vertan, aber es liegt so wenig darüber vor, wonach man sich richten kann. Kein Gefühl, daß wir fallen, kann aber auch nicht sein, da wir längst die endgültige Sinkgeschwindigkeit von 30 Metern pro Minute erreicht haben. Stille. Eine winzige Perle sinkt in die Nacht, und wir darinnen. Wie Quentin vor mir denke ich an *I-52,* das in dieser Tiefe zu knacken begonnen haben muß. Bei fast 1000 Fuß müssen die ersten Nieten gesprungen und die Schweißnähte gerissen sein. Wasserdichte Schotten implodieren. Schwarzes Wasser prescht in die entlegensten Winkel und Kabinen, auch in die, wo das Gold lag. Zerstückelte Körper; offene Münder. Wir fahren gelassen vorüber, sind ja fast noch am Anfang.

364 Meter: Die ersten phosphoreszierenden Körnchen treiben aufwärts an der Sichtluke vorüber. Es ist wie Tauchen bei Nacht im Archipel; kenne ich, beruhigt mich.

400 Meter: Jetzt kann man den schwarzen Überhang aus Kunststoff (irgendwo über uns, wie eine Augenbraue des MIR) nicht mehr von dem Wasser ringsum unterscheiden – d. h. für mein Auge ist alles Licht aus der Umgebung verschwunden. Aber vielleicht nicht für jemanden, der dreißig Jahre jünger wäre, und ganz sicher nicht für die Tintenfische und all die anderen Lebewesen der Tiefenstreuschicht, die jeden Tag die Wassersäule hinauf- und hinabwandern. Viktor lutscht Toffees und witzelt mit Sergei, der sich den Bart streicht und unseren Kurs aufzeichnet.

10 Uhr 55, *800 Meter:* Dies ist für mich eine Art kritische Schwelle, eine psychische Barriere, denn so tief – etwa eine halbe Meile – sind Beebe und Barton 1934 vor Bermuda ge-

kommen. Beebe war der Held meiner Kindheit. Er war damals 57; ich bin heute 53. Hat lange gedauert. Lumineszente Granula treiben immer noch aufwärts vorüber, manchmal um den Rahmen der Luke wirbelnd wie vereinzelte Schneeflocken, die ein dichtes Gestöber ankündigen.

871 Meter: Jetzt gleiten ein paar grüne Fahnen vorüber; blasser Schleim, mit Sternen gesprenkelt. Die beiden sprechen mit dem Kontrollraum über den Computer, reißen Witze. Ihre Stimmen und ihr Gelächter beginnen wiederzuhallen, wenn sie an die Wassersäule prallen.

922 Meter: Keine Fahnen, sondern Säcke mit glühenden Punkten darin. Siphonophoren?

11 Uhr 04, *1 Kilometer:* Die Kondensation beginnt um den Rand der Luke über uns Tropfen zu bilden. *Hoffen* wir, daß es die Kondensation ist! Quentin sagte, bei seiner Fahrt ist Nik Schaschkow mit dem Finger um die Anschlußbuchsen gefahren, wo sie in die Kugel eintreten, und hat dann dran geleckt, ob es salzig wäre. Zu spät, sich Sorgen zu machen. Ohnehin weiß man, daß bei den *Pisces* bei niedrigem Außendruck Wasser um die Ränder der Fenster eingedrungen ist, was dann aber aufhört, wenn man tiefer kommt. Ebenso wie die MIRs sind die *Pisces* nicht konventionell abgedichtet. Diese Trockenauflage eines Acrylkegels in Stahl wird technisch als „Interferenz-Passung“ bezeichnet.

11 Uhr 11, *1210 Meter:* Noch mehr aufwärts treibende Gallertkörperchen, eines wie gefrorener Rauch, ein anderes eine Schlange aus grünen Punkten, wie ein griechisches Sternbild. Denke wieder an Hoffmanns Anselmus und seine Serpentina und die Wahrzeichen namenloser Liebe. Langsam gleitet ein Schauer von Lichtpartikeln aufwärts vorüber.

11 Uhr 20, *1461 Meter:* Die Kugel kühlt sich rasch ab. Ich habe eben noch zwei Paar Socken angezogen.

1517 Meter: Ach, die fernen Sternbilder, die uns trotzdem umschließen!

11 Uhr 42, *2 Kilometer:* Immer noch ein paar Funken und Gallertkörperchen.

11 Uhr 50, *2240 Meter:* Die beweglichen Körnchen schei-

nen seltener zu werden. Wie immer möchte man wissen, was es ist, das man *nicht* sehen kann. Die Astronomen haben ihre Hypothese über die „dunkle Materie“ als Erklärung für interstellare Phänomene, die sie nicht beobachten können, ohne die aber ihre Rechnungen nicht aufgehen. Hier unten an diesem ortlosen Ort fragt man sich, welche Massen von Lebewesen es wohl gibt, die nicht auf unserer Wellenlänge sind und die sich auf Infrarot-Strahlung, Pheromone und Geräusche verlassen müssen, für die aber diese Welt ebensowenig „dunkel“ ist wie die einer Fledermaus. Ortlos, denn egal wie unbewegt die Schichten, durch die wir sinken, auch übereinander zu schweben scheinen, ist doch jedes Wassermolekül, das diesen „Ort“ ausmacht, seinerseits in Bewegung und bekommt früher oder später die Sonne zu sehen. Es heißt, es dauert 250 Jahre, bis Wasser aus der Tiefsee an die Oberfläche kommt, und weitere 250, bis es wieder abgesunken ist. Überall drehen sich diese gewaltigen, langsamen, unsichtbaren Räder. Wir selbst, von ihnen miterfaßt, sind nirgendwo, an einem Koordinatenpunkt, den nicht mal Sergei mit Clives Computer auf dem Schoß genau bestimmen könnte.

12 Uhr 10, *2730 Meter:* Auf den letzten 500 Metern haben wir gegessen: Jeder hat eine Plastikschachtel mit Brötchen, Käse, Salami, einer Gurke und einem Steak-Sandwich. Dazu heißen, süßen Kaffee aus einer Thermoskanne von rostfreiem Stahl. Für später Äpfel, Schokolade und Erdnüsse. Die Sprachbarriere ist ein Stück weit niedergelegt. Der Anarchist spricht ein bißchen deutsch, etwa soviel wie ich, Viktor etwas weniger. Alle drei wissen wir, daß *peanuts „Erdnüsse“* sind; also ist Verständigung möglich. Leider kann ich ihre Späße mit dem Kontrollraum nicht verstehen. *„Wörterspiel“*, sagt Sergei bedauernd. Kein gutes *pun* läßt sich aus einer Sprache in die andere übersetzen.

2891 Meter: Die Granula scheinen aufgehört zu haben, aber eben ist ein blasses Gespenst an uns vorübergezogen wie ein interstellarer Gasschwaden.

12 Uhr 20, *3 Kilometer:* Wenn Viktor mit dem Kontroll-

raum spricht, gibt es jetzt ein langes Echo. Zur Bestätigung ihrer letzten Antwort gibt er immer ein Schlußzeichen mit zweifachem Drücken auf den „Transmit"-Knopf am Mikrofon. Wir hören die zwei Pings deutlich im Lautsprecher, wie auf der Tonspur eines von diesen U-Bootkriegsfilmen. Drei Kilometer sind ein bedeutungsloser Meßwert; ebensogut könnten es dreitausend sein. Trotz aller Kommunikation, den leuchtenden Computer-Karten, den Sonogrammen und all den hellen Schaltbrettern sind wir einfach nicht mehr da. Sinken ohne das Gefühl zu sinken, unerreichbar werden. Quentin sagte, bei hundert Metern habe ihm das U-Boot leidgetan, als würde er jetzt auf unfaire Weise dieses unglückselige, ein halbes Jahrhundert alte Ding übertrumpfen, das nun bald voll Wasser laufen müßte, mit den zerquetschten Leichen von fast hundert jungen Männern an Bord. Das war bei ungefähr 300 Fuß. Vielleicht ist die 300 für ihn eine Schicksalszahl, wie für mich die 47: das Alter meines Vaters bei seinem Tod, das Gefühl, daß ich ihn mit jedem Jahr, das ich über diese Spanne hinaus erreiche, ein Stück weiter hinter mir lasse. Wie hätte es ihn entzückt, jetzt in dieser kleinen Kapsel zu sitzen – wo er doch kaum noch den Sputnik und vielleicht den Hund Laika erlebt hat, aber nicht mehr die (sieben Jahre spätere) erste Mondlandung. Und sein Sohn – den er vielleicht halbwegs erkennen würde und der nun sechs Jahre älter ist als er – kritzelt in seinen Block und schaut bei 3480 Metern hinaus, sinkt ab ins Nirgendwo und in eine Zeitzone, die man die urgalaktische nennen könnte und wo die Jahre, wie wir sie zählen, sich in langer Vergessenheit verlieren.

13 Uhr 05, *4 Kilometer:* Über erhebliche Strecken hin tiefste Nacht, aber immer noch schweifen sporadisch blaß leuchtende Pünktchen vorüber. Draußen vor der Luke stößt etwas gegen einen der Kamerahalter und sieht für einen starren Moment wie die feine Hülle einer Millionen Lichtjahre entfernten Supernova aus. Mir fällt plötzlich der Name der Leute ein, von denen meine Eltern 1948, als ich sieben war, das Haus gekauft haben, in dem ich dann aufgewach-

sen bin. Das waren die Harbrows. Ein Name, nirgendwoher und nirgendwohin, ohne Grund. Viktor fragt nach dem Furuno-Sonar; seine Stimme dröhnt und verhallt wie durch eine endlose Galerie von Schallwänden, verliert sich am Rande eines nicht bekannten Universums.

13 Uhr 15, *4212 Meter:* Viktor schaltet die Außenlampen an, um sie zu prüfen, und aus der massiven Schwärze wird ein milchigvioletter Nebel mit einem dünnen Wirbel aufwärts schneiender Partikel. Alle scheinen einen roten Rand auf der rechten Seite zu haben, eine Täuschung durch die Sichtluke, wenn man schräg hindurchsieht. Ich erinnere mich auch daran, daß die optischen Eigenschaften des kegelförmigen Acrylblocks sich bei Verformung unter Außendruck (hier etwa eine halbe Tonne pro Quadratzentimeter) ändern. Lampen wieder aus. Visuelles Äquivalent zu plötzlicher Stille.

13 Uhr 23, *4400 Meter:* Polyäthylen-Beutel mit warmer Kleidung werden aus verschiedenen Löchern und Fächern gezogen. Sich in einen einteiligen wattierten Anzug hineinzuwinden, ohne an einen der Schalter zu stoßen, ist wie der Versuch, in einen Schlafsack zu kriechen, während man in einem Kristallsarg liegt.

13 Uhr 28, *4507 Meter:* Immer noch leistet uns hier und da ein Lichtfunken Gesellschaft. Das Furuno-Gerät zeigt 271 Meter bis zum Grund an. Es ist sehr kalt.

13 Uhr 55: Außenlampen an. Zum erstenmal kniet Viktor und beugt sich vor über die Armaturen neben mir. Wir blikken durch die Milch hinaus. Sachte, sachte zeichnet sich unter uns eine grüne Mondlandschaft ab. Ein Asteroid kommt uns entgegengeschwommen.

13 Uhr 58, *4828 Meter:* Landung. Ebener Sedimentboden. Ein kleiner Krebs kriecht vorüber. Sonst rührt sich nichts, nur das Herz klopft. An meinem Fenster entweder Tränen oder Kondenswasser. Ich wische kräftig. Ich gucke hinaus auf ein nie gesehenes Stück des Planeten. Da wir in einer Kugel sitzen, überschneidet sich mein Blickfeld kaum mit denen von Viktor und Sergei, die auch hinausgucken; drei Per-

sonen in einem Augapfel, doch mit drei verschiedenen Ausblicken. Auch haben die Bewohner dieses Planeten hier noch kein solches Licht gesehen, wie es das MIR um sich wirft, das jetzt zwischen den Millionen von Würmern aufgeworfener Sandhäufchen hockt, lodernd vor Energie auf jederlei Wellenlängen. Überall Spuren von Lebewesen. Ein großer weißer Fisch kommt mit gesenktem Kopf vom Rand unseres Halbschattens langsam heran, um uns näher zu untersuchen. Er ist wohl zwei bis drei Fuß lang, der Kopf dick wie bei einem Katzenwels, der Schwanz aalähnlich. Aus der Nähe sieht er ein wenig wie eine riesige Albino-Kaulquappe mit Schuppen aus. Er hat Augen mit zwei dunklen Zeichnungen davor, vielleicht den Infrarot- oder anderen Sinnesorganen. Ob unser Licht ihn anlockt? Geräusche? Geruch (Hydraulikölmoleküle)? Viktor bewegt einen Steuerknüppel, und wir gleiten davon, dicht über dem Boden, in zügigem Fußgängertempo. Kaum ein Motorgeräusch zu hören. Eher wie eine Ballonfahrt. Große schwärzlichrote Seegurke mit fleischiger Rückenmähne, *Pseudostichopu.* Schöne rote Garnelen, manche groß wie Langustinen und mit Facettenaugen, deren Netzhaut in unserem Lichtschein funkelt, strampeln mit gefiederten Rudern durch die Luft (wie es aussieht). Ein weißgrauer Seestern. Wieder muß ich an die nächtlichen Fischzüge auf dem Sedimentboden vor den Riffen denken, eine vertraute, freundliche Umgebung.

14 Uhr 30: Im Wasser treiben allerhand Teilchen. Quentin irrt sich: Das ist nicht nur von den MIR-Schrauben aufgewirbelter Schlamm (wie er zu manchen „verschneiten" Videoaufnahmen von seiner eigenen Fahrt erklärt hat). Wir sind hier im benthonischen Grenzbereich, wo die Wassersäule auf dem Boden aufruht. Ein großer Teil der durch unser Licht treibenden Materie bleibt in der Schwebe, teils infolge einer kaum wahrnehmbaren Strömung, hauptsächlich aber aufgewirbelt durch die Aktivität der verschiedenen Fische und Lebewesen. Es ist ein mattes, unendlich geruhsames Leben. Die Partikel heißen „Nephelen" (von griechisch *nephele,* die Wolke).

14 Uhr 55: In einem wirbelnden ockerfarbenen Nebel, den wir selbst hervorrufen, fahren wir rundum, während Sergei herauszufinden versucht, wo wir sind. Manchmal biegen wir in der einen oder anderen Richtung ins klare Wasser ab, sehen hier und da unsere eigenen Kufenabdrücke im Sediment, die uns wie UFO-Spuren in einer entlegenen amerikanischen Wüste vorkommen und unseren Aberglauben wachschrecken bei dem Gedanken, daß wir vielleicht doch nicht die einzigen hier unten sind.

16 Uhr 05: Unser Ziel erweist sich als eine Düne. Diese Dünen sind sehr steil, mit so scharfen Kämmen, daß man sich wundert, warum sie nicht eingebrochen oder durch Strömungen und allgemeine Erosion abgeflacht sind. Nichts dergleichen. Eine gerade schwarze Linie taucht vor uns auf – dem Rand eines U-Bootrumpfes zum Verwechseln ähnlich, wenn man einen solchen zu finden hofft –, und der Sedimenthang stürzt steil in einen Abgrund. Sobald wir in dem Tal sind, bleiben die Signale von unseren Navigations-Transpondern aus, die vor unserer Tauchfahrt in einer Dreier-Anordnung über dieses Gebiet verteilt wurden.

Wie freundlich kommt mir das vor! Gern würde ich hier in einem Iglu aus Plexiglas leben und zuschauen, wie die Krabben, Fische, Quallen und Igelwürmer koexistieren, wie alle in dieser höchst unsterilen Gegend sich mit viel Erfolg jeder um seinen eigenen Kram kümmern. Kaum ein Wissenschaftler bekommt je zu sehen, was ich nun mit den Augen verschlinge. Wie haben zum Beispiel Heezen und Hollister schon 1971 ihr großes beschreibendes Lehrbuch *The Face of the Deep* schreiben können? Wo so viele Arten noch nicht bestimmt, so viele Verhaltensweisen noch nicht erklärt sind! Überall im Sediment sind Speichenbauten zu erkennen: ein Loch in der Mitte und ringsherum ein „Uhrzifferblatt“ von Rillen, die der den Bau bewohnende Wurm erzeugt, wenn er einen Tentakel oder Rüssel ausfährt, um etwas an sich zu ziehen, das sich gerade auf diesem Fleckchen niedergelassen hat. Aber woher weiß er, an welcher Stelle er das vorige Mal den Arm herausgestoßen hat? Die

Abstände zwischen den Speichen ergeben kein vollkommen regelmäßiges Radmuster, und manche Speichen sind kürzer als die anderen, aber nie scheinen zwei Speichen sich zu überschneiden. Warum nicht? Ebenso erstaunt mich, daß viele Spuren im Sediment schnurgerade sind. Wie kann ein Tier in totaler Finsternis einen vollkommen geraden Weg finden? Niemand weiß es.

16 Uhr 17: Ich wüßte gern, wie es da draußen riecht.

16 Uhr 21: Die Stille hier unten gefällt mir. Ralph sagt, er spielt bei seinen Tauchfahrten den *Walkürenritt* in maximaler Lautstärke, läßt ihn in die Wassersäule dröhnen, um „die da weiter oben mal ein bißchen aufzuscheuchen".

16 Uhr 25: Viktor sagt, wie um mich zu beruhigen: *„Wir haben Pipi-Flasche."*

16 Uhr 30: Eiseskälte dringt durch die Metallflächen herein. Trotz der drei Paar Socken schmerzen mir die Zehen, die ich gegen die Kugelwand stemme. Die Außentemperatur beträgt im Moment 2,31 Grad Celsius. Hier muß eine Schicht von besonders kaltem Wasser sein; normalerweise hat es ziemlich gleichbleibend 4 Grad.

17 Uhr: *Das ist nicht die See.* „Die See" hat hier nichts zu bedeuten. Da sind wir jetzt nicht.

4938 Meter: Es kommt mir auch nicht vor wie ein „Abgrund" oder der Grund von irgendwas, sondern wie ein Planet in meinem Kopf. Ebensowenig ist von einer Nachbarschaft zum nächsten Kontinent etwas zu spüren, wie sie zwischen Madeira und Cornwall besteht. Man kann sich nicht vorstellen, daß diese Flächen jemals zu Feldern oder zum Baugrund für die niedrigen Lehmdörfer Afrikas werden könnten.

18 Uhr: Wieder ein gemeinsamer Imbiß. Wie kann die Zeit so schnell vergehn? Viktor trinkt nur H-Milch aus dem Karton. (Von den Lancashire Dairies. Wenig dürfte sie am Tag ihrer Abpackung in Clitheroe oder sonstwo davon geahnt haben, daß sie einst 4791 Meter tief im Atlantik getrunken werden würde). Was er *wirklich* mag, erklärt er mir, ist H-Milch mit Pepsi, 50 zu 50 gemischt. Will er mit diesem bi-

zarren Geständnis weitere vertrauliche Mitteilungen anbahnen? Wir reden kurz über Boris Jelzins Zukunft und den Bandenkrieg in Moskau, wo er und Sergei zu Hause sind.

19 Uhr 05: Nirgendwo etwas von einem U-Boot. Wir sehen eine unverkennbar moderne Tonic-Wasserflasche. Sonst nichts als die Dünen und Ebenen dieses wunderbaren Landes. Ich kann nicht glauben, daß wir schon seit neun Stunden unten sind; allerdings könnte ich auch, wenn man mich fragte, die verstrichene Zeit nicht schätzen. Irgendwas zwischen zwanzig Minuten und zwanzig Jahren. Keinen Augenblick Selbstgewahrsein, also auch keinen Augenblick Langeweile. Die Kugel, obwohl insgesamt um 6 Millimeter geschrumpft, scheint sich ausgedehnt zu haben. Sie ist nun ein großer Saal, ein dahingleitendes Observatorium, in dem ich über viele Stunden hin ganz für mich bin.

19 Uhr 41: 1941, zufällig mein Geburtsjahr. Noch nie habe ich eine Landschaft gesehen, die mir so stark den Eindruck machte, sie erstrecke sich *im Innern* des Auges. Vorstellungen von einer unparteiischen, objektiven, „wissenschaftlichen“ Betrachtungsweise kamen mir noch nie fadenscheiniger, unglaubhafter vor. Die Dunkelheit, unser umherschweifender Lichtfunken, das sich absichtslos entrollende Bild einer Welt, die sich ohne mich und doch in mir ereignet, die Eruptionen klarer Erinnerung, die sie auslöst, so daß ich, neben einer Seegurke im Sand liegend, den Namen eines Schulfreunds vor mir sah, in den ich verliebt war, als wir beide ungefähr elf waren – „eine jener sterilen, doch herrlichen Gefühlsbindungen des Knabenalters, wenn nichts getan oder auch nur gesagt und alles für selbstverständlich genommen wird“, wie Norman Douglas es ausgedrückt hat. Es war ein Name, den ich völlig vergessen zu haben glaubte. Und doch war er plötzlich da, wie ins Sediment eingeritzt. Kein Wunder, daß dieses Land mir so freundlich erscheint: Es ist schon immer hier gewesen, und ich war es auch. Ich finde es immer unmöglicher, *nicht* an eine Art erblicher Erinnerung zu glauben. All die Millionen Jahre, die wir in diesem Land verbracht haben, bevor uns die Raubtiere an Land

trieben: die müssen doch Spuren hinterlassen haben? Etwas, das vielleicht nicht mal in bestimmten Kodonen unserer DNS aufscheint, das aber dem gesamten Genom anhängt wie ein Hauch von Salzwasserluft?

19 Uhr 57: Der Meeresboden ist gespickt mit Igelwürmern. Ich muß plötzlich daran denken, wie wir in Swanage nach Sandwürmern gegraben haben, als ich acht war. Ich muß auch an etwas denken, das ich vor noch nicht so langer Zeit gehört habe, nämlich die Behauptung, daß jederlei radioaktive Abfälle, einschließlich Plutonium, zuverlässig vom Sediment um die verschiedenen Ausflüsse von Sellafield eingeschlossen würden. Waren es die British Nuclear Fuels Ltd.? Oder Nirex? Wer es auch war, er wußte nicht – oder hoffte, daß die Öffentlichkeit nicht weiß –, daß Würmer wie die Maximillaria alles wieder heraufbringen.

20 Uhr 20: Zuviel süßen Kaffee getrunken. Pinkeln in 4872 Meter Tiefe, zum erstenmal seit elf Stunden, ist fabelhaft. Früher oder später wird jemand sagen, wie schade, daß ich nicht an einer fotogeneren Stelle mitgetaucht bin (keine schwarzen Raucher, nicht mal Ausläufer eines unterseeischen Hochgebirges). Aber auch die Alpen geben in der Vorstellung ein imposanteres Bild ab, als wenn man mit einer Taschenlampe bei Nacht dort herumläuft. Unter Wasser kann man nicht weit sehen. Wasser absorbiert das Licht so begierig, daß *zehn Meter* unter der Meeresoberfläche schon etwa 90 Prozent des Tageslichts weggefiltert sind. Die maximale Sichtweite hier unten, wenn alle Außenlampen angeschaltet sind, beträgt ebendiese zehn Meter. Panoramen gibt es auf dem Meeresgrund nicht. Seiner Natur nach erzwingt das Meerwasser Konzentration aufs Detail: ein Stück Mineralboden, der Schlängelpfad eines Eingeweideatmers, ein vereinzelter Speichenbau, das Leuchtorgan einer Krabbe. In gewissem Maße wird der Betrachter im Tauchboot selbst zu einem Mikroskop: Er späht durch eine dicke Acryllinse in einen schmalen beleuchteten Schlauch hinein, während die starre Schwärze des ganzen Ozeans ringsum den Rumpf des Instruments bildet. Von der Dichterin Annette von Droste-

Hülshoff heißt es, daß sie wegen eines merkwürdigen Augendefekts eine ungewöhnlich scharfe Nahsicht hatte. Ihr Freund Levin Schücking beschrieb ihr Auge als „vorliegend, der Augapfel fast konisch gebildet, man sah die Pupille durch das feine Lid schimmern, wenn sie es schloß". Sie ging gern am Strand des Bodensees spazieren und betrachtete winzige Muscheln und Sandkörner, deren Einzelheiten jedem Normalsichtigen entgingen. Dies waren für sie in Welten eingeschlossene Welten, die sie entzückten, in Kontrast zu ihrem grauen, ereignislosen Leben. Ähnlich sollten wir vielleicht den Meeresgrund erforschen, um so eindringlicher und konzentrierter wegen seiner scheinbaren Enge, um so verzückter angesichts seiner scheinbaren Monotonie.

20 Uhr 45: Ein Sack liegt über einen Wurmhaufen gebreitet. Wir stoßen zurück, um nachzusehen, in der Hoffnung, japanische Schriftzeichen darauf zu finden, denn irgendwas steht darauf geschrieben. Aus der Nähe sehe ich, es ist englisch. *„Kartoffeln"*, erkläre ich auf deutsch. Sie lachen. Es ist einer der Kartoffelsäcke, die die *Keldysch* in Falmouth an Bord genommen hat.

20 Uhr 51: Von den Schatten der Dinge lasse ich mich nicht täuschen: Das ein Zoll lange Spermium (aus der Brut irgendeiner Tierart), das bebend durch den Schein einer unserer Halogenlampen schwimmt, wird auf dem Sedimentboden zu einer sich windenden Boa. Fische erscheinen zu zweit, der eine oben, darunter sein vergrößerter Schatten, und beide bewegen sich zusammen und trennen sich, wenn das MIR weiterfährt. Daran bin ich gewöhnt. Vom jahrelangen Harpunenfischen mit der Taschenlampe auf dem Meeresboden weiß ich, daß Krabben groß wie Hummer aussehen können, wie Monster sich hinter einen Felsen ducken, wenn man über sie hinwegschwimmt.

21 Uhr 36, *4978 Meter:* Der Kontrollraum hat uns zurückgerufen; unsere Suche ist beendet. Mike tut mir leid. Die verschwundenen Männer tun mir leid, die sich nach allem, was wir gesehen haben, mitsamt ihrem Schiff vollständig aufgelöst zu haben scheinen. Aber welch ein Land! Warum

nicht, wenn unsere Körper sich auflösen, unsere Moleküle hier hinterlassen? Keine Korallen, keine Perlen, aber trotzdem ein Übergang in eine andere Welt. Die Ballastpumpe quietscht wie ein altmodischer Scheibenwischer. Und nun beginnt der Ort, den es nicht gibt, unter uns zu versinken, oder wir versinken aufwärts. Schwarze Milch strömt wieder in das schwindende Loch ein, das unser Licht hinterläßt. Ein beklemmendes Verlustgefühl, als die Umrisse der Dinge, erst der kleineren, dann der größeren, verschwinden. Ein unschätzbares Privileg, daß ich dies habe sehen dürfen. Ich bezweifle, daß ich je das Glück haben werde, diese Regionen wiederzusehen. Nun ist alles fort, das kurze Gleißen unseres unnatürlichen Lichts weicht zurück und läßt die fünfzig Millionen Jahre alte Dunkelheit auf sich beruhen. *„Auf Wiedersehen, submarine“,* sagt Viktor.

21 Uhr 55: „Sie haben fünf Jahre gebraucht, um die *Titanic* zu finden, und sie lag 16 Meilen von der Stelle, wo sie ihren Koordinaten nach liegen sollte“, sagt Sergei tröstend. Das hört man immer wieder, meistens mit wechselnden Zahlen. Weder Sergei noch Viktor glauben, daß das U-Boot versunken ist. Das erklären sie mir, als wir die Außenlichter abgeschaltet haben und uns an den dreistündigen Aufstieg in die andere Welt machen. Vielleicht hat es das Versinken vorgetäuscht; vielleicht war es schwer wundgeschlagen und kroch davon, nachdem die Amerikaner fort waren, und ist dann anderswo verendet; vielleicht hat es die afrikanische Küste erreicht oder sogar Japan... Vielleicht. Ich muß gestehn, es ist mir egal.

22 Uhr 20: Ich frage mich, warum Beebe das Erlebnis so ganz anders beschrieben hat als ich – zumindest insofern, als er, nachdem alles Licht verschwunden war, nur noch „Kälte, Nacht und Tod“ konstatierte. In den letzten zwölf Stunden habe ich überhaupt nicht an den Tod gedacht, nicht in dem Sinne, wie er es meinte. Während der ersten halben Stunde habe ich in akademischer Manier die Möglichkeit erwogen, daß ich sterben könnte, aber das war etwas ganz anderes. Kalt war es zweifellos; die Stahlwand des Tauchboots

leitet die Temperatur der Umgebung glatt ins Innere weiter. Aber der Tod? Und dann denke ich daran, wie anders es für Beebe gewesen sein muß, einen echten Pionier, der als erster Mensch eine halbe Meile tief getaucht war, weit unter die letzten Reste von Tageslicht und nur mit Innenlampen, die durch die Fenster schienen und zeigen konnten, was sich in der Wassersäule unmittelbar davor befand. Obwohl er die Veränderungen des Lichts und seine Erregung beim Eindringen in diese fremdartige Umgebung so vortrefflich beschrieben hat, kann er nie auch nur den kürzesten Blick auf das zeitlose Land und seine Bewohner weit unter ihm geworfen oder gespürt haben, wie dessen unermeßlich langsame Rhythmen ihm ins Blut gingen. Seine Kapsel war ja auch nicht manövrierfähig, sondern hing hilflos am Ende eines Kabels wie ein Senkblei an einer Schnur. Wäre das Kabel gerissen, hätte man Beebe nicht wiedergesehen. Dagegen konnten wir mit allem Komfort einer sechzig Jahre weiter fortgeschrittenen Technik auf dem Meeresgrund unsere Sandwichs verzehren und mühelos, mit eingeschalteten Bugscheinwerfern, eine Besichtigungsfahrt unternehmen. Es war eine andere Zone, die wir gesehen haben. Auch den Tod gab es dort, gewiß, doch bedeutete er nicht die Abwesenheit alles Menschlichen, von Licht und Wärme.

23 Uhr 05: Stille. Nur das Knistern des Lautsprechers. Wir schauen in den Raum hinaus, mit offenen Augen dösend. Mir tut die Hand weh vom Schreiben und von der Kälte. Der Anarchist hat gepinkelt; ich will es nicht noch mal.

23 Uhr 27: Trotzdem wünsche ich mir, wir könnten einen Schritt zulegen. Dies ist der einzige Teil der Fahrt, in dem mir die Zeit bewußt wird. Sehe zu, wie die rote Leuchtanzeige auf dem Tiefenmesser stetig zurückgeht, aber nicht schnell genug.

0 Uhr 45: Außenlichter an.

0 Uhr 49: Auftauchen. Sofort Rollen und Schlingern in der Dünung. Nicht gut für die Blase. Oder für die Handschrift. Die Lichter werden heller oder blasser, je nachdem ob sie unter- oder auftauchen; von den Schaumkronen werden sie

reflektiert, vom tieferen Wasser kaum. Kein Geräusch von draußen. Ein heller weißer Fuß vor meiner Luke. Lonja? Nun hat uns die *Koresch* im Schlepptau; Spiralwolken von Bläschen strömen von ihrer Schraube hervor. In einer heftig schwappenden Pfütze der Decklichter von der *Keldysch* kommen wir zum Halten, und plötzlich fällt der Schaum von den Fenstern ab, und wir schweben über der See.

1 Uhr 28: MIR 1 gesichert. Draußen sehe ich Viktor, den Ingenieur, Anatoly, Quentin und andere. Cape Canaveral. Der Tiefenmesser zeigt –29 Meter an. Waren wir unter der 5000-Meter-Marke? Egal. Die Luke geht schwer auf: Drinnen ist die Luft immer noch viel kälter als draußen, darum muß die Luke gegen ein leichtes Vakuum abgehoben werden. Knakken im Ohr. Steif krieche ich hinaus, mit der Pinkelflasche in einer Plastiktüte.

Bevor ich zu Bett gehe, schreibe ich noch: Es kam mir nicht wie der Meeresgrund oder der Grund von irgendwas vor. Die Verzögerung der Sprechverbindung, die Kapsel, die Navigationsschwierigkeiten; alles erinnerte an Weltraumflüge. Aber ich kann nun verstehen, warum im siebzehnten Jahrhundert Gelehrte wie Thomas Burnet in seiner *Theory of the Earth* das Meer für gottlos und abscheulich hielten, ein „unfertiges" Urchaos von tückischen Riffen, gezackten Klippen und Küstenlinien. Mit den Augen des späten zwanzigsten Jahrhunderts gesehen, wird dies alles zu einem einzigartigen Reiz. Wo ich eben gewesen bin, ist es wundervoll, schöner als alles, was ich je gesehen habe, und zum Teil gerade, *weil* es so augenfällig gottlos, zu weit entrückt ist, um anthropomorphisiert zu werden. Darum kann ich dem Meeresgrund keine Zeit zuordnen, bin aber versucht, von dem Naturforscher Philip Gosse den Ausdruck „prochronisch" zu entlehnen – „vorzeitlich", nämlich vor der biblischen Schöpfungsgeschichte. Es war so fremdartig und friedlich dort, daß es zutiefst besänftigend wirkte. Unberührt, unberührbar für die Strömungen der Zeit. Keine liebenswerten Wale und Delphine, bei denen das Publikum mystische Anwandlungen bekommt. Der wohltätige und beruhigende Einfluß ging von dem heilsamen Verharren im Nichts des Ursprungs aus, das der wahre Grundton unseres ganzen Lebens ist. Nichts, das zu fürchten wäre, nichts, das einen offenen Blick nicht erwidert hätte – ein Verhältnis, fast nicht zu unterscheiden von Liebe.

4 Uhr 07: Es läßt mich nicht schlafen, dieses Land drei Meilen unter meiner Koje. Es scheint allen verfügbaren Raum zu erfüllen. So dunkel, wie es dort unten ist, und doch so viele Augen! Was ist das? Eine einheitliche Intelligenz, die ihre Ziele über Äonen hin durch eine Kette winziger Taten verfolgt? Wenn du wieder zu Hause bist, lies noch mal diese Strophe von Stevens nach, gegen Ende seines Gedichts über „einen gewöhnlichen Abend in New Haven“:

Es ist nicht leere Klarheit, Blick ins Bodenlose.
Es ist eine Sicht des Gedankens,
mit Augen, hundertfach aus einem Geist.

Aber was hat das in mir bewirkt? Was hatten diese Namen dort unten zu suchen? Warum habe ich angefangen, mich in solchen Einzelheiten an Menschen zu erinnern, die ich vor vierzig Jahren kannte? Zur Neige gehende Nachmittage, Worte der Übereinkunft, jemandes Nacken. Ich bin durch ein Bad gegangen, das die Krusten und Membranen aufgelöst hat, die sich um bestimmte Erinnerungen gebildet hatten. Ich verstehe nicht, wie das geschehen konnte.

Zwanzig

21.2.95

Und heute morgen erwache ich nach nur zwei, drei Stunden Schlaf, immer noch in einem Rausch. Voller Energie, fühle mich wie ein Junge, der eine gefürchtete Prüfung bestanden hat, von der viel abhängt. Auch mit demselben Gefühl, daß die ganze Vergangenheit nun abgegolten ist, daß man sich von nun an in einer etwas anderen Sphäre bewegt, daß man selbst den Zufall jetzt auf seiner Seite hat.

Ich bringe die ausgespülte Pinkelflasche zurück. Niemand da. Das MIR-Labor ist zu. Ich muß übers Deck zu den Hangars gehen, wo die Tauchboote vertäut sind. Ich klettere zu der Luke rauf, dahin, wo ich gestern in den fliegenden Teppich eingestiegen bin, und hänge die Plastiktüte über den Rand. MIR 1 sieht nicht mitgenommen aus nach der Fahrt. Die Außenverkleidungen sind ab, und man sieht die Hydraulik, zwischen deren Röhren Lonja gestern meine zwei Netze mit Polyester-Kaffeebechern festgebunden hatte. Die Becher sind nun stachlige, fingerhutgroße Klumpen, die Hohlräume eingedrückt, das Plastik verhärtet. Wenn man einen gewöhnlichen Zedernholzbleistift auf 5000 Meter runterschickt, schrumpft er zu einem kleinen Pflock, aus dem zu beiden Seiten die Graphitmine heraussteht. Es wäre interessant, dasselbe mal mit einem fußballgroßen Stück Balsaholz zu machen. Wahrscheinlich würde es zu einer Hartholzmurmel zusammengepreßt.

Die Russen, die ich auf dem Weg zu Andreas Kabine auf den Korridoren treffe, schütteln mir die Hand und strahlen. Andrea und ich sind nun Aquanauten, wir umarmen uns. Auf eine nicht zu beschreibende Weise hat uns beide das Erlebnis ein wenig verwandelt. MIR 2 ist noch tiefer unten gewesen als MIR 1, doch mit gleichermaßen negativem Ergebnis, was die Schatzsuche angeht. Wenn Andreas Freude über die Tauchfahrt durch die persönliche Enttäuschung geschmälert wird, das U-Boot nicht gefunden zu haben, so läßt sie es sich nicht anmerken. Ralph überreicht jedem von uns sehr liebenswürdig eine Plakette aus Kanonenmetall: zwei Delphine, zwischen ihnen ein Dreizack über einem Relief der *Trieste 2,* das Abzeichen des Vereins der Tiefseetauchboot-Piloten. Er erklärt uns die Ikonographie: die Delphine stellen die im Wasser lebenden Säugetiere dar, der Dreizack symbolisiert Neptuns Reich, und die *Trieste 2* ist das bemannte Tauchboot mit dem ewigen Tiefenrekord (allerdings soll kürzlich von dem unbemannten japanischen Fahrzeug *Kaiko* eine Stelle gefunden worden sein, die noch 897 Meter tiefer ist als „die tiefste" auf der Erde, doch ist dort noch niemand getaucht). Über Nacht bin ich also Mitglied in diesem Heldenverein geworden und habe meinerseits ein klein bißchen Mannestum erworben, wenn auch glücklicherweise nicht so viel, daß ich die zünftige Verleihungszeremonie über mich ergehen lassen möchte, wie Ralph sie mir liebevoll beschreibt. An der Rückseite der Plakette sind nämlich zwei scharfe Metallzinken, und der echte Ritus würde erfordern, daß der Zeremonienmeister sie dem stolzen Neophyten mit einem Faustschlag in die Brust haut, so daß die Plakette dort steckenbleibt. Beschneidung, asketische Quälereien, Initiation... wonach angeblich die Larve aufbricht und der neue Mensch in seiner Pracht und Herrlichkeit hervortritt. Andrea sagt ganz entschieden, daß sie sich von niemandem Dornen in die Brust hämmern läßt – ein neuer Mensch... nein, danke! Ralph scheint einzusehen, daß er mit diesen beiden nicht mehr ganz jungen Briten von zweifelhafter Orthodoxie kaum stilvoll verfahren kann, aber er ist sichtlich enttäuscht. Immerhin kann er sich ja noch auf die Äquatortaufe freuen, bei der Simon sein blaues Wunder erleben soll.

In der Zwischenzeit ist Anatoly ein eleganter Schachzug gelungen. Bald nachdem ich gestern im Tauchboot saß, ließ er Clive in seine Kabine kommen, um ihn zu fragen, was er davon hielte, wenn die *Keldysch* nun geradewegs zum mittelatlantischen Rücken fahren würde, sobald die MIRs zurück und die Transponder eingeholt wären. Clive, nach dem Gelage im Sonar-Labor am Vorabend immer noch mit allerhand Wodka im Blut, war nicht in Kampfeslaune, um so weniger, als die leise Andeutung in der Luft lag, daß Anatoly mit diesen letzten Tauchfahrten Orca ja schon sehr weit entgegengekommen sei. Also sollen Sagalewitsch und Bogdanow schließlich doch ihren Willen haben. Die anderen Orca-Teilnehmer erklärten sich einverstanden, aus Einsicht in das Unvermeidliche und fast auch wie aus schlechtem Gewissen, weil wir das Gold nicht gefunden haben. Es ist vollkommen klar, daß Anatoly lange vorher beschlossen hatte, die *Keldysch* müsse vor der Fahrt nach Dakar noch etwas für die echte Forschung tun, und ich habe keinen Zweifel, daß die Karten auf der Brücke schon ausgelegt waren und der Steuermann seine Kursanweisungen erhalten hatte, bevor Clive auch nur den Fuß in Anatolys Kabine setzte. Im Grunde sind alle damit ganz zufrieden, Quentin vielleicht ausgenommen, der immer noch besorgt ist, den Heimflug zu verpassen. Aber er ist von ganzem Herzen Geologe, und Bogdanows Entdeckung am mittelatlantischen Rücken ist auch für ihn eine Attraktion. Die Zeitpläne sind schon abgeändert, und Bogdanow hält heute abend um sechs einen Vortrag, der uns auf die schwarzen Raucher vorbereiten soll. Aber die Stimmung ist nicht so, daß jemand viel Lust hätte, zur Stunde der ersten Drinks einen Vortrag auf russisch anzuhören.

Auch Anatoly schüttelt mir herzlich die Hand. „Mein Schriftsteller-MIR“, sagt er. Ich bin ein bißchen eingeschüchtert, nicht nur aus Dankbarkeit für dieses vielleicht größte Erlebnis meines Lebens, sondern auch vor aufrichtiger Bewunderung für diesen Mann, der mit Ingenieuren wie Brunel in einer Klasse rangiert. Die schiere Eleganz in der Konstruktion der MIRs (sie brauchen nicht überall Ballast abzuwerfen wie die französischen und amerikanischen Tauchboote), ihre Vielseitigkeit und Manövrierfähigkeit, mit der sie allen Konkurrenten überlegen sind, sind überwältigend, und es stimmt mich ein wenig melancholisch, daß sie nächstes Jahr vielleicht aus Mangel an Geldmitteln außer Betrieb genommen werden.

Ich weiß noch immer nicht recht, wo ich bin oder wo ich in den letzten vierundzwanzig Stunden gewesen bin. Wenigstens bin ich in dieser andächtigen Benommenheit nicht allein. Nachdem William Beebe vor sechzig Jahren zusammen mit Otis Barton seinen Tauchrekord aufgestellt hatte, schrieb er in seinem Buch *Half Mile Down:* „Wer taucht und sprachlos vor Staunen an die Oberfläche zurückkehrt, in tiefer Anerkennung des Wunders, das er gesehen und aufgesucht hat, der verdient es, dies immer wieder sehen zu dürfen. Wer aber unbewegt oder enttäuscht ist, dem bleibt auf Erden nur eine längere oder kürzere Frist in Erwartung des Todes."

Wir dampfen nun hektisch nach Westen, zum mittelatlantischen Rücken, dem heiligen Gral der Geologen. Wir haben die Zone verlassen, die wir in den letzten drei Wochen so gründlich durchpflügt und ausgelotet haben, unter endlosen Debatten über Ereignisse, die sich vor so langer Zeit dort abgespielt haben. Der Kranz, den Orca ins Meer zu werfen gedachte, um sich gegen den Vorwurf der Grabräuberei zu verwahren, findet keine Verwendung. Eine Gedenkfeier hätte stattfinden sollen, Ralphs Video-Film zuliebe, und um die Geister all der ertrunkenen jungen Männer zu beschwichtigen. Das heben wir uns lieber für die *Aurelia* auf, heißt es jetzt. Schließlich wissen wir jetzt so wenig wie zuvor, ob die Zone wirklich damals zum Seemannsgrab geworden ist.

Und am Abend, nach dem Vortrag, wird Clive von Anatoly mit einer noch ungewöhnlicheren Neuigkeit überfallen. Anatoly und Natalja haben Anweisung erhalten, das Schiff in Dakar zu verlassen und nach Moskau zurückzukommen. Das Institut ist total pleite. Juri Bogdanow soll die Expedition während der zweiten Etappe leiten; Nik Schaschkow übernimmt die Unterwasser-Operationen. Diese Finanzkrise bedeutet, daß die *Keldysch* auch dann, wenn wir die *Marlin* finden – zum Beispiel gegen Ende der sechzehntägigen

Suchperiode –, nicht in der Lage sein wird, die Arbeiten so lange fortzusetzen, daß sie in den Genuß der vertraglich vorgesehenen großzügigen Prämie kommt. Wenn die Russen länger vor Ort blieben, hätten sie nicht mehr genug Geld, um nach Kaliningrad zurückzukehren und ihre Schulden zu bezahlen, darunter auch die Heuer für die Mannschaft. *Man sagt...*

Clive und Mike werden bei dieser Nachricht sofort zu sorgenvollen Erwachsenen, weshalb Quentin und ich mit unseren Drinks auf das Deck überm Ruderhaus gehen, um den Sonnenuntergang zu betrachten. Es fällt schwer, zu glauben, daß Anatolys Abwesenheit die Aussicht, die *Marlin* zu finden, wesentlich verringern wird. Sie könnte alles sogar besser machen, weil seine wechselhafte und oft mürrische Laune ein unbehagliches Klima schafft. (Was an unserer Hochachtung vor ihm nichts ändert: Er hat die herrlichsten Maschinen konstruiert, denen wir je unser Leben anvertraut haben, von einer Solidität, wie sie ein Rolls Royce oder eine Rolex nie haben können.) Wenn *Marlin* gefunden wird, liegt es beim Institut, zu entscheiden, ob es auf eigene Kosten die Bergungsmaßnahmen durchführen will. Nach dem Vertrag muß die *Keldysch* dann Gold im Wert von 7 Millionen Dollar an Deck bringen, um 2 Millionen Dollar Prämie zu verdienen. Die Orca-Investoren ihrerseits können sich auch bereit erklären, die Arbeiten vor Ort über die restlichen sechzehn Tage hinaus fortsetzen zu lassen, indem sie für die *Keldysch* die normale tägliche Chartergebühr zahlen. Bei Übergang auf diesen Modus würde die Prämienklausel unwirksam. Ohnehin könnte es sich als unmöglich erweisen, von allen zwanzig Investoren rechtzeitig die Zustimmung einzuholen.

Offenbar – aber vielleicht ist ihm das zu spät klargeworden – gefällt Anatoly diese Klausel überhaupt nicht. Was wohl heißt, er hat nun erkannt, daß er wohl besser weggekommen wäre, hätte er sich von Anfang an mit der herkömmlichen Chartergebühr zufriedengegeben, statt sich durch Köderklauseln verlocken zu lassen. Vielleicht ist es besser, er fliegt nach Moskau zurück, denn dann kann er wenigstens persönlich mit dem Institut verhandeln. Er muß dort um Geld bitten, damit die *Keldysch* ihren Vertrag erfüllen kann (mit geringer Wahrscheinlichkeit, daß er es bekommt). Er muß außerdem für eine Summe geradestehn können, die ausreicht, um das Schiff im Juli in Deutschland überholen zu lassen, sonst erlischt sein Seetüchtigkeits-Zertifikat, und es wird auf unbestimmte Zeit in Kaliningrad beschlagnahmt. Immerhin sagt er, wenn *Marlin* gefunden würde, käme er zurückgeflogen, um bei den Bergungsarbeiten wieder auf dem Schiff zu sein. Na ja, wer täte das nicht, wenn er Aussicht hätte, mit den Greifarmen des von ihm selbst gebauten Tauchboots Goldbarren aufzusammeln?

Zu alledem kommt nun noch heraus, daß das Schirschow-Institut insgesamt bei Inmarsat mit einer Summe von 84 000 Dollar in der Kreide steht, wovon 18 000 Dollar auf die *Keldysch* entfallen. Ganz schön happig, und wie das mit Telefonrechnungen so ist, sperren uns etliche Landstationen schon die Verbindung, weil sich die Nachricht von unserer Insolvenz allmählich herumspricht. Ironischerweise und trotz aller Pseudo-Frankophobie, die durch die *Monge* und das Rugby-Match ausgelöst wurden, steht uns allein Frankreich noch offen, und alle unsere Gespräche werden über eine Station dort vermittelt. „Na denn, *vive la France!*" Quentin stößt mit mir drauf an, aber wir sind nicht ganz bei der Sache. Ich schwebe immer noch in einer Wolke von Nachwirkungen der gestrigen Tauchfahrt und pfeife eigentlich auf alle Kommunikationen und Kontrakte, während er sich über seine Familie und seinen Heimflug Gedanken macht. All dieses Hintergrundgerangel, bei dem es meist um Trivialitäten geht, die in ein paar Wochen sowieso vergessen sein werden, hat doch etwas Bedrückendes. Wir müssen versuchen, uns darüber zu erheben, sage ich zu Quentin und erinnere ihn an das prachtvolle Beispiel, das uns der Kaiser Hirohito 1945 gegeben hat. Kurz nachdem die zweite Atombombe auf Japan abgeworfen worden war, mußte er seinem Volk die Kapitulation bekanntgeben. Er tat es mit einem Satz, dessen Lakonismus alles übertraf, wozu selbst britisches Understatement fähig gewesen wäre: „Die Kriegslage hat sich nicht unbedingt zugunsten Japans entwickelt.“ Damit läßt sich Quentin immer wieder aufmuntern und dazu bringen, daß er seine eigenen läppischen Probleme nicht so ernst nimmt.

Nach dem Abendessen kommen wir zu unserem Platz über dem Ruderhaus zurück, dieses Mal mit Clive und Mike und mit einer üppigen Ration spanischen Rotweins, die gestern ausgegeben wurde, mit einem Teller Käse und einer Schachtel Kekse. Die Kekse schmecken so, als ob sie in Riga 1983 gebacken wurden, aber egal. Über uns kreisen die strahlendsten Sternbilder, die Milchstraße dick wie Rahm, Planeten groß wie Suppenteller, und ab und zu wird der Himmel auch noch von einem Meteor geritzt und besprüht. Der Wind weht in Fahrtrichtung und läßt uns in ungewöhnlicher Stille, wo er einen normalerweise anspringt und schüttelt. Ruhig eilt die *Keldysch* zum mittelatlantischen Rücken hin. Das rührende Abschiedsterzett aus dem 1. Akt von *Così fan tutte* kommt mir in den Sinn, nicht zuletzt wegen der guten Wünsche, die es ausspricht:

Soave sia il vento
Tranquilla sia l'onda
Ed ogni elemento
Benigno risponda
Ai vostri desir

Aber welches sind denn unsere Wünsche? Wohl könnten Mike, Andrea und Clive niedergeschlagen sein, nachdem ihr Projekt nun zu fünfzig Prozent schon gescheitert ist und Anatoly uns bald im Stich lassen wird. Unerwartet gibt Mike seine Zurückhaltung und sein Schweigen auf und fängt an, laut über Freundschaft nachzudenken, darüber, was sein Verhältnis zu Anatoly und Natalja je bedeutet haben kann, wenn sie zum wiederholten Male anzudeuten scheinen, er versuche sie zu übervorteilen – doch dies alles ohne Bitterkeit, in ratloser Resignation. Gewiß, Mike ist überaus redlich, was als Schwäche gelten kann, wenn man es mit einem hinterhältigen Gauner zu tun hat, wie es Anatoly manchmal zu sein beliebt. Also sitzt er nun da, grübelt, trinkt nur wenig und läßt sich anmerken, daß er gekränkt ist. Manchmal, wie jetzt im entfärbenden Licht der Milchstraßen, sieht er bleich und ausgelaugt aus. Mit Mike ist auf dieser Fahrt etwas geschehen. Sein wechselhafter, immer für Stimmungsschwankungen anfälliger Enthusiasmus scheint nun in tiefer Resignation zu versanden. Ich vermute, er hat zuviel Phantasie in dieses eine Projekt investiert, nicht zuletzt auch Träume vom großen Geld. Es ist traurig mit anzusehen, wie ihm alles schiefgeht – was für ein Rückschlag in kaum einem Monat auf See! Nicht zum erstenmal haben wir das Gefühl, Figuren in einem uns fremden Spiel zu sein, das niemand durchschaut. Wenn das so sein sollte, ist es am besten, wir trinken unsern Wein unter dieser blitzenden Sternendecke, blicken auf das Meeresleuchten an Bug und Heck und fahren woanders hin.

Und die Vorstellung, in einem Film mitspielen zu müssen, den jemand anders geschrieben hat, wird heute morgen kräftig genährt. Da liegt ein anderes Schiff, keine Meile weit voraus, die *Professor Logatschow*. Sie ist ein geologisches Forschungsschiff im Dienst des Russischen Geophysikalischen Instituts. Bei Orca siedet Verdacht. Seit wann ist dieses Rendezvous verabredet gewesen? Zu welchem Zweck? (Man stelle sich unsere Angst vor, wenn wir jetzt zwei Tonnen japanisches Gold in den Laderäumen hätten! Die Russen-Mafia! Warum sollten die das nicht sein?) Beide Schiffe liegen da in der langen Dünung. Die Sonne steigt höher, bleicht die Dunkelheit aus dem Wasser, und mit dem Verblassen der Gefahr bessert sich die Laune. Wir befinden uns nicht irgendwo, sondern genau über den schwarzen Rauchern im mittelatlantischen Rücken, die Juri Bogdanow vor kurzem entdeckt hat. Die *Koresch* wird zu Wasser gelassen und bringt Anatoly, Bogdanow und Nik Schaschkow zu dem anderen Schiff hinüber. Sie behaupten, keine Ahnung davon gehabt zu haben, daß noch ein russisches Schiff hier sein würde. Wie denn, sind unsere Radar- und Funkanlagen nicht in Schuß? Also wäre dies kein Rendezvous, sondern tatsächlich Zufall ...? Was soll man da glauben? Aber jedenfalls ist die Zeit knapp, und Bogdanow & Co. müssen sich mit ihren Landsleuten rasch einig werden, denn die *Logatschow* hat einige lange Kabel ausgelassen (Sonar? Kernbohrungen?), und die müssen eingeholt werden, bevor die MIRs starten können – alles andere wäre viel zu gefährlich. Auf der *Keldysch* schickt man sich nun an, Transponder auszuwerfen, und, wie wir von Klein-Andrei erfahren, hilft uns die *Logatschow* mit exakten Koordinaten und einer Triangulation mit ihren eigenen Transpondern. Als Fortsetzung zur Suche nach *Dolphin* ist das alles sehr seltsam, ein undurchsichtiger Einschub von einer anderen Ebene her, die, könnte man vermuten, schon immer die realere von beiden war.

Ich werde das Gefühl nicht los, daß die Suche nach der *Aurelia* ebensowenig Erfolg haben wird wie die nach *I-52.* Hätte ich es nicht selbst gesehen, hätte ich nie begriffen, wie schwer es ist, ein so großes Objekt auf dem Meeresboden zu finden. Als ich zum erstenmal die alte Geschichte hörte, wie die beiden MIRs die *Titanic* nicht wiedergefunden hatten, obwohl sie schon einmal zu ihr getaucht waren und ihre Position auf wenige Meter genau bestimmt hatten, fand ich das fast unglaublich. Jetzt glaube ich's nur allzu gern. Im Tauchboot sieht man nur, was sich in dem winzigen Lichtfleck befindet, in dem man blind durch die Schwärze kriecht. Es ist, wie wenn man an einem Sandstrand nach einer Kontaktlinse sucht, indem man durch die Öffnung einer Streichholzschachtel blickt. In fünfzig Jahren wird man solche Methoden gewiß lachhaft primitiv und grobschlächtig finden, aber einstweilen gibt es nichts Besseres, und was das damit verbundene Erlebnis angeht, könnten sie auch gar nicht verbessert werden. Mir ist nun klar, daß ich eher *befürchtet* habe, unser MIR könnte das U-Boot finden. Ich bin mir noch nicht sicher, was für einen Eindruck es mir gemacht hätte, auf diesen großen schwarzen Sarg zu stoßen, der dort unten in der Kälte und Dunkelheit festliegt. Es hätte einschüchternd hoch über unsere kleine Kapsel aufgeragt und uns frösteln gemacht, eine Reliquie von einem Schlachtfeld, völlig fehl am Platz zwischen den zeitlosen Igelwürmern, die für die Evolution sorgen. Zum Glück (allerdings nur für mich) haben wir es nicht gefunden. Wo das U-Boot auch liegen mag, es ist in eine andere Dimension übergegangen. Aber es durch den Spalt einer Streichholzschachtel zu sehen, wäre herzbeklemmend gewesen.

23.2.95

Ich erwache, wie ich schon geschlafen habe, verstandesklar unter dem Einfluß der Tiefsee, der Droge, die noch immer in meinen Blutbahnen kreist. Auf der inneren Netzhaut sehe ich vom Rand unseres Halbschattens einen Fisch herankommen, ganz langsam, in vorgebeugter Haltung, den Kopf ein wenig gesenkt. Sein Schwanz schlägt Wellen. Dieses abgeschiedene und friedliche Land ist nicht nur prochronisch, sondern auch *prophotisch,* älter als das Licht. „Es werde Licht" heißt es (und die Bewunderer der *Schöpfung* werden einen strahlenden C-Dur-Akkord hören), aber hierher ist Licht nie gedrungen. Kein Sonnenschein. Nicht hierher, niemals. Nur ewige kalte Schwärze, deren Bewohner sich bestens auf anderen Wellenlängen zurechtfinden und auf andere Rhythmen einstellen. Was ich gesehen habe, war das Herz der Evolution, ein zeitloses Ei, in dem ein Keimungsvorgang stattfindet. Jahrtausende, nachdem die Menschheit ausgelöscht worden ist, wird eine neue Lebensform sich in diesen Regionen entwickeln, alle tausend Jahre in der Wassersäule ein paar Zentimeter höher steigen, bis sie schließlich die euphotische Schicht kolonisiert, das Dasein als Teil der marinen Nahrungskette zu langweilig findet und den Strand hinaufkriecht... Und der ganze langwierige Vorgang fängt wieder von vorn an. *Nächstes* Mal aber ohne Bewußtsein, ohne Bücher; ohne die elende Selbstgefälligkeit von Sehnsucht und Trauer oder die leere Inbrunst des Gebets. Ohne launische Gottheiten, die schäbigen Lohn versprechen und mit endlosen Strafen drohen.

Und die Liebe – was ist mit diesem angeblich elementaren Merkmal, dessentwegen der Homo sapiens um die ewige Verdammnis herumzukommen glaubt? Auf jenem fernen, nahezu unerreichbaren Stück Planetenoberfläche ist es ein Wunder zu sehen, wie die Fische langsam in den Lichtkreis schwimmen. Die unermüdliche Maschine tickt und tickt wie der Mechanismus einer wasserdichten Uhr, mit präzisem Ineinandergreifen der Speichengräben und der Navigationsleistungen in einer Dunkelheit, die für ihre Bewohner nicht dunkel ist. Da ihnen die gequälte Selbstgefälligkeit menschlicher Liebender mangelt, sind diese Geschöpfe zumindest offen für diese im Wasser aufgelöste Freundlichkeit, die überall aus und ein strömt, durch die Poren im Sediment, in die Gehirne, Tast- und Flimmerorgane. Die Beobachter in ihrem gepanzerten Fahrzeug waren dort unten niemand, nichts. Allenfalls ein flüchtiger Zwischenfall, Eindringlinge für einen Sekundenbruchteil, die durch Acryllinsen glotzten, während sie mit ihren Milchtüten und Urinflaschen herumwirtschafteten. Doch sahen auch sie die Freundlichkeit, an der sie teilhatten. Sie sahen den verborgenen Quell allen Lebens auf dem Planeten. Sie sahen etwas, das sie nicht vergessen werden.

Gestern ging ich zu Goldhändchen (das bedeutet sein Spitzname auf russisch) in seine Werkstatt hinunter. Ein Dorn am Armband meiner Uhr ist beim Tischtennis aufgegangen und hat sich verbogen, weil jemand draufgetreten ist; nun wollte ich mir einen kleinen Hammer leihen. Goldhändchen war da, zwischen seinen Drehbänken, und bei ihm war mein Ko-Aquanaut Sergei Smolitzki.

Wir umarmten uns wie alte Kameraden. Sein Bart roch nach Lindenblüten. Er war mit einer schönen Einlegearbeit am Griff eines Messers beschäftigt, das er jemandem zum Geburtstag schenken wollte. (Nebenbei gesagt, nicht weniger als dreißig Personen auf der *Keldysch* haben im Februar Geburtstag, sagt Anatoly. Was ist so erotisch am russischen Mai? Das Ende des Winters?) Goldhändchen hatte meinen

Dorn im Nu geradegebogen. Er fräste gerade irgendein neues Teil für eines der MIRs aus einem Block massiven Metalls. Was sie in dieser Werkstatt alles können, egal ob es um ein Geburtstagsgeschenk geht oder um die Schiffsausrüstung, ist bezeichnend für die gesamte Arbeits- und Lebensauffassung dieser außergewöhnlichen Mannschaft. Zu meinem Erstaunen erfuhr ich, daß Goldhändchen achtundsiebzig ist. Es erstaunt mich, weil dieser ungebeugte weißhaarige Mann, der jeden Morgen an Deck seine Gymnastik macht, für einen guterhaltenen Sechziger gelten könnte, hauptsächlich aber, weil man wohl nur auf der *Keldysch* noch jemanden in diesem Alter findet, auf dessen Können andere sich beim Einsatz ihres Lebens verlassen. Er sagt mir, daß er ab und zu noch eine Tauchfahrt mitmacht.

Und heute morgen beim Frühstück kam Anatoly und schlang die Arme fest um Goldhändchen, der neben mir saß. Während er ihn drückte, erzählte er mir: „Er hat heute Geburtstag. Er ist 1917 geboren, im Jahr der Revolution. Die Rote Armee wurde 1918 gegründet, und heute ist der Tag der Roten Armee, aber jetzt nennt man ihn Tag der Vaterlandsverteidiger. Dieser Mann hat im Zweiten Weltkrieg bei der Verteidigung von Leningrad mitgekämpft." Die Achtung und Sympathie in seiner Stimme sind nicht zu verkennen. Diese beiden Männer, die sich halb über meinen Teller gebeugt umarmen, sind echte Veteranen einer anderen Weltordnung. Ich wurde erst zwei Monate nach Beginn dieser höllischen Belagerung geboren, bei der mehr als eine Million Menschen umkam. Wieder einmal habe ich das Gefühl, in eine Familie eingebrochen zu sein. Ich bin von ihr nicht nur durch die Chronologie ausgeschlossen, sondern durch ein in jeder Hinsicht leichteres Leben, für das ich glaube dankbar sein zu sollen. Trotzdem bin ich auch froh, daß der bescheuerte Ronald Reagan mit seiner puritanischen Hexenjägerrhetorik nie mein Mann gewesen ist, wenn er vom Reich des Bösen sprach. So wie sie sich hier umschlingen, scheinen diese beiden Russen sich zu trösten, sich zu versichern, daß ihr Vaterland doch das größte Land der Welt bleibt, daß bittere Erfahrungen, unerhörte Leiden und Heldentaten ihren Wert behalten, unberührt von den Modelaunen der Politik. Kameradschaft allein entzieht sich jeder Ironie, allen Zufällen und Rückschlägen des Schicksals.

Zuzuschauen, wie die MIRs für die Tauchfahrt zu Bogdanows hydrothermalem Kamin ausgeschwenkt werden, ist dieses Mal anders. Ich kenne nun aus eigener Erfahrung die Wahrnehmungen, Geräusche und Bewegungen, die die Mitfahrenden erleben, und ebenso ihre gespannte Erwartung. MIR 1 besteigen Anatoly, Bogdanow und ein Kopilot, während in MIR 2 noch ein Fremder mitfährt, ein hagerer junger Geologe von der *Professor Logatschow*. Lonja vollführt seinen üblichen todesmutigen Sprung aus dem Zodiac-Schlauchboot auf den runden orangeroten Rücken von MIR 1, kommt unglücklich auf und verletzt sich offenbar. Der Seegang ist beträchtlich, der Höhenunterschied zwischen den beiden Booten schwankt gewaltig. Eine hohe Welle bricht über ihn hinweg, während er die Krantrosse aus der Nute löst. Als grünen Schatten sieht man seine geduckte Gestalt unter Wasser wieder. Quentin macht Fotos; im britischen Forschungsbetrieb, sagt er, wäre so was heutzutage nicht möglich; da gäbe es einen Gesundheits- und Sicherheitsbeauftragten, der ein solches Risiko unvertretbar fände. Wie würden wir es denn machen? Na, überhaupt nicht. Wir müßten auf Windstille warten, was in dieser Region des Atlantiks einen Monat dauern könnte. Bei rund 38 000 Dollar pro Tag ginge damit der Forschungsetat für ein ganzes Jahr drauf – alles aus Mangel an Courage. Halsbrecherische Forschungsvorhaben sind nichts mehr für uns. Unsere Zeit ist vorüber, und es ist kaum zu sehen, wie wir in der Ozeanographie wieder nach vorn kommen könnten. Oder in jedem anderen wissenschaftlichen Unternehmen, das mit Risiken verbunden ist. Ein Volk von quengelnden Sesselfurzern, die ständig um ihre Sicherheit besorgt sind ... (ein Thema, mit dem Quentin nicht so schnell fertig wird, wenn er einmal davon angefangen hat). Inzwischen humpelt Lonja an uns vorüber, den einen Fußknöchel schon in einem Verband. MIR 2 wird ohne ihn starten müssen. „Ist nichts weiter", sagt er mürrisch, als man ihn fragt, anscheinend böse auf sich selbst wegen des Versagens seiner tänzerischen Konzentration. Inzwischen wird sein Ersatzmann schon über die Reling in die Zodiac hinuntergeschwenkt.

Später gehen wir aufs Deck über der Brücke, um mit unserer letzten Flasche von Blandys Madeira dem Sonnenuntergang zuzutrinken. Die See ist unangenehm kabbelig. Gönnerhaft schauen wir zu, wie die Leute sich ins Zeug legen müssen, um MIR 1 wieder an Bord zu holen. Klein-Lew scheint sich zu blamieren, weil er zuläßt, daß sich das Schlepptau in die Schraube der *Koresch* verwickelt. Daraus ergibt sich eine lange Verzögerung – das reine Vergnügen für uns, wenn wir an die ungemütliche Lage der Besatzung in dem schlingernden Tauchboot denken. Schließlich sind wir jetzt Kollegen und haben daher ein Recht auf Schadenfreude. Als MIR 1 wieder an Bord ist, treffe ich Bogdanow auf der Kajütentreppe. Er ist noch im Springeranzug und macht ein Gesicht wie ein glücklicher Schuljunge. „So viele schwarze Raucher!" sagt er. „Soviel Geologie!" Und dabei ist er noch ein bißchen grün im Gesicht, weil er eine Stunde lang von der See kräftig durchgeschüttelt worden ist.

Nach dem Abendessen sehen wir selbst, was für fabelhafte Proben sie mit heraufgebracht haben. Große schwärzliche Gesteinsbrocken, geädert und marmoriert von glitzernden Mineralen und metallischen Ablagerungen. Sogar ein ganzes Stück von einem Kamin, ein zackig abgebrochenes Schachtende mit ovalem Loch durch die Mitte, umrandet von grünen Salzkristallen: ein Nasenloch des Planeten! Quentin flippt ebenso aus wie Bogdanow. „Nicht anfassen, nicht anfassen ... So was hab' ich noch nie ... Institutsleiter überall auf der Welt, da würde jeder sein linkes Ei für hergeben, wenn er sehn könnte, was wir jetzt sehn ... Du hast ja keine Ahnung, wie selten das ist, Proben von dieser Qualität ... wie Mondgestein ..." Anfassen darf ich's also nicht, aber riechen kann ich's. Eine Probe riecht scharf schweflig, wie Anthrazit oder frischer Koks. Eine andere riecht nach feuchter Hundedecke – wohl auch wieder Schwefel. Die Aufregung wächst noch, als MIR 2 kommt und weitere Kaminteile mitbringt, einen Korb voll rostbrauner Muscheln und eine Plexiglastrommel mit Behältern voller Garnelen, Krabben und kleiner Fische. Wir erfahren, daß der Ingenieur Viktor Browko, unser Tischgenosse, selbst den „Staubsauger" entworfen und gebaut hat, mit dem es möglich wurde, all diese Exemplare unversehrt durch einen flexiblen Schlauch an die Oberfläche zu bringen. Als niemand hinsieht, lecke ich an einer der Muscheln; dann überlege ich, ob sie wohl radioaktiv ist.

Unter den entzückten Wissenschaftlern steht Sascha, der Geologe von der *Professor Logatschow.* Er kann wohl sein Glück nicht fassen. Vor zwei Tagen war er noch ein gewöhnlicher Geo-Nerd, hing über dieser „geheimen" Stelle am mittelatlantischen Rücken und konnte nur Sonden runterschikken. Und plötzlich darf er mit an Bord der *Keldysch,* wird kurzerhand in eines der berühmten MIRs gesteckt und fährt auf 3000 Meter runter, um die schwarzen Raucher endgültig mit eigenen Augen zu sehen, kommt mit einzigartigen Schätzen reichbeladen wieder rauf! Er wandert wie im Traum umher, ein Dauergrinsen übers ganze Gesicht, schüttelt fremden Leuten die Hand und kann sich an diesem Abend wohl nicht vorstellen, daß es auf der Welt einen Menschen geben könnte, der kein Geologe ist. Seine Augen sehen aus, als ob auf der Innenseite der Netzhaut immer noch der Film liefe, der 10 000 Fuß unter dem Deck aufgenommen wurde, auf dem er nun steht. Er kommt auf mich zu, einen dunklen, nassen Klumpen von etwas, das wie Koks aussieht, in der Hand, fragt mich auf russisch, ob das *Serpentinitije* sei, bricht ein schwarzgrünliches Stück davon ab und gibt es mir. Als ich auf englisch etwas dazu nuschele, strahlt er mich an und sagt mit schwerer Zunge, *„magnese silica 'ydrate?"* Kein Priester könnte mit der Hostie andächtiger umgehen. Schließlich wird er schnell weggeschleppt, wie ein Kind, das aus besonderem Anlaß über die Schlafenszeit hat aufbleiben dürfen. Anatoly und Bogdanow müssen ihn mit der *Koresch* zu seinem Schiff zurückbringen und eine freundschaftliche Einigung über die Teilung der wissenschaftlichen Ausbeute erzielen, und wenn sie zurück sind, kann die *Keldysch* endlich nach Dakar abfahren.

Mitten in die allgemeine Enttäuschung hinein wurde nun also in letzter Minute dieser außerordentliche Erfolg für die Forschung errungen. In echter Anwaltsmanier stellt Clive fest, daß die *Keldysch* und ihre MIRs ohne Orca gar nicht hierhergekommen wären. Was die Wissenschaft angeht, ist alles vergeben und vergessen. Wir haben zwar kein japanisches U-Boot gefunden, aber dafür sind wir an Juri Bogdanows Fundstelle gewesen, und die Filme und Proben, die er mit heraufgebracht hat, werden einen großen Artikel in *Nature* ergeben und ihn berühmt machen. Natürlich ist er auch jetzt schon als Geologe international bekannt, aber es scheint, die Schlote an dieser Stelle, die er entdeckt hat, sind von den anderen, einige hundert Meilen weiter nördlich, ganz verschieden. Auch in anderer Hinsicht wird diese Entdeckung wahrscheinlich weitreichende Folgen haben. Die Molekularbiologen interessieren sich schon seit langem für die Genetik der Schlotgemeinschaften. Augenscheinlich sind die Bioten in der Umgebung jedes Schlots an die spezifischen lokalen Lebensbedingungen angepaßt, an die hohen Temperaturen, Vorhandensein von ungebundenem Eisen, Schwefelwasserstoffkonzentrationen oder was auch immer. Mit der Entdeckung dieses atlantischen Schlots wird es nun möglich sein, durch Untersuchung der DNS festzustellen, ob diese Organismen mit ihren Entsprechungen aus dem Pazifik direkt verwandt sind oder ob es sich hier um ein schönes Beispiel für konvergierende Evolution handelt. (Nach Ende der Expedition wurde bestätigt, daß Bogdanows Fundstelle einige neue Tierarten und Mineralien und einen bisher unbekannten Typ von schwarzem Raucher aufwies.)

Im Rückblick erscheint es wie ein Wunder, daß ich an Deck gewesen bin, als nie gesehene Dinge zum erstenmal tropfnaß heraufgezogen wurden. Ähnlich muß es auf einem Forschungsschiff des vorigen Jahrhunderts gewesen sein, an den großen Tagen der Ozeanographie – auf der *Beagle* etwa oder der *Challenger*. Niemanden kümmerte, daß es mitten in der Nacht war. Leute kamen im Bademantel an Deck, griffen sich ihre Proben und trugen sie in heller Aufregung in ihre Labors. Die klapprige ältere Biologin, die wir nur als „Ms. Zimmer" kannten, verlor einen Nylonpelzpantoffel, der auf dem nassen, öligen Deck kleben blieb, als sie mit einem Behälter von irgendwas zu ihrem Mikroskop davonrannte. Alle brachten schleunigst ihre Beute in Sicherheit und machten sich ans Präparieren, Sortieren und Analysieren. Manche fertigten von ihren Objekten sogar Zeichnungen an, denn das sowjetische System der naturwissenschaftlichen Ausbildung stand dem alten Ideal noch nahe, das die Aufgaben des Beobachtens und Berichtens dem Menschen zuwies und die Instrumente nur als Hilfsmittel duldete.

Ich für mein Teil nahm das Stück von dem Zeug, das Sascha mir gegeben hatte, mit auf meine Kabine. Er liegt nun da in einer Plastikhülle, ein bröseliger Klumpen irgendwelcher Hydroxide, Erzeugnis der großen chemischen Fabrik, auf der wir schwimmen. Als ich mich heute abend über die Platte mit den Funden von MIR 2 beugte und schnupperte, stieg mir ein Geruch von etwas Beruhigendem in die Nase. Ich will nicht schon wieder von „Freundlichkeit" sprechen, denn das wäre etwas zu Absichtsvolles, ein vom Anthropomorphismus unterwandertes Wort. Man bräuchte ein Wort für einen Geruch, der anzeigt, daß etwas *im Gange* ist (aber auf keinen Fall *fortschreitet*). Die unermeßlich langsamen Mechanismen des Lebens, die ich dort unten in drei Meilen Tiefe am Werk gesehen habe, die leichte Gasentwicklung aus chemischen Reaktionen in dieser kleinen Plastikhülle: beides ist Teil dieses umfassenden Vorgangs, der nicht geradezu hoffnungsträchtig, aber auch nicht völlig neutral ist. Dann fällt es mir wieder ein. Was ich in den letzten Tagen gesehen, gerochen und betastet habe, ist eben die Evolution. Die Evolution riecht wie nasses Anthrazit und Hundedecken und schmeckt salzig-rostig wie eine Muschelschale aus der Umgebung eines hydrothermalen Schlots.

Einundzwanzig

24. 2. 95

Diese Etappe ist so gut wie vorüber, und wir haben Kurs auf Dakar. Den ganzen Tag ist die *Keldysch* gen Afrika galoppiert, geradewegs in den Passatwind hinein, wie durch knietiefes Unterholz, mit wehender Mähne und umstiebt von Distelwolle. Ihre bronzenen Hufe hämmern. Der Horizont ist leer, der tropische Himmel mit Zirruswölkchen drapiert. Ich sitze an Deck und lese einen Roman von „Abraham Tertz" im Schutze des dröhnenden Lüftungsschachts. Der Wind peitscht die Seiten.

Die schwärzlich-violetten Brocken, die gestern abend von den MIRs abgeladen wurden, hätten auch eine Art Gold sein können; jedenfalls wurden sie so aufgenommen, als wären sie's. Sie wirkten wie unauffällige Informationsfragmente, vielleicht unentbehrlich für unsere Art, wenn sie diesen Planeten noch länger in Pacht behalten will, doch unauffällig nur wie die Stückchen von Himmel und Meer in einem Puzzle, die alle gleich aussehen und dennoch grundverschieden sind. Das japanische Gold dagegen, das Orca an Deck zu stapeln gedachte, erscheint als eine vergleichsweise akademische Angelegenheit, ein belangloses, vielleicht sogar ungutes Herumrühren in der Vergangenheit. Voran, voran, summt es in den Masten. Voran, summt der Generator, der die großen, ölbedeckten Batterien der MIRs auflädt. Voran.

Jedenfalls, wir sind schon ein Stück vorangekommen, haben das Suchgebiet schon hinter uns gelassen, und unsere leeren Flaschen und Plastiktüten liegen jetzt zwischen den Seegurken irgendwo achteraus hinter dem Horizont. Damit soll nichts Belastendes oder Ironisches über die Abfallbeseitigung auf Forschungsschiffen gesagt sein. „Es gibt nichts auf Erden, das wir uns nicht zunutze zu machen verstünden", denkt Abraham Tertz' kleiner Jinx in finsterer Laune, und das gilt für andere Lebewesen nicht weniger als für uns. Unvermeidlich schafft das eine Tier dem andern die Lebensgrundlage. Fledermausdung, der sich jahrhundertelang auf dem Boden einer Höhle sammelt, ernährt eine reiche Bakterienkultur, und langsam sickert der Stickstoff, den die Bakterien binden, ins Grundwasser ein, von dem sich die benachbarten Wälder und damit wiederum die lokalen Populationen ernähren. Ebenso werden menschliche Abfälle auf dem Meeresgrund oft zur Nahrung oder zum Lebensraum für ganze Kolonien unsichtbarer Kreaturen. Ein Jahrhundert lang wurden die großen Schiffahrtswege von den Dampfern markiert, die Millionen Tonnen Schlacke über Bord kippten, den sie aus ihren Kesseln kratzten. Heute bedecken große, lange abgelagerte Schlackenflächen den Meeresboden unter diesen Routen und bilden das Habitat für Teppiche von sessilen, krustenbildenden Organismen, die es zuvor dort nicht oder kaum gegeben hat. Irgendwas wird schon in unseren Flaschen Zuflucht finden – genau wie wir.

Wie jeder Taucher weiß, bieten Wracks vielerlei Kreaturen einen vorzüglichen Lebensraum. Vor kurzem wurde in einem in 1500 Meter Tiefe versunkenen Frachter die einzige (abgesehen von der Umgebung der unterseeischen Schlote) bisher bekannte Kolonie von drei Meter langen roten Würmern entdeckt, die in ihrem Metabolismus Schwefelwasserstoff umwandeln. Der H_2S stammt in diesem Fall von einer verfaulenden Ladung Kaffee. Mit Ausnahme mancher riesiger, in Küstennähe gescheiterter Rohöltanker scheinen untergehende Schiffe erstaunlich wenig an Verschmutzung zu bewirken. All die Tausende von Stahlrumpf-Schiffen, die in Kriegs- und Friedenszeiten während der letzten hundert Jahre in den Weltmeeren untergegangen sind, oft mit extrem giftigen Ladungen, haben so wenig Spuren hinterlassen, daß sie oft auch mit den empfindlichsten Geräten nicht mehr aufzufinden sind. Irgendwann vor einer Woche ist eines von unseren Tauchbooten wahrscheinlich ein paar hundert Meter – vermutlich weniger – an dem japanischen U-Boot vorbeigefahren. Aber nichts davon war auf dem Meeresboden zu sehen; kein von Menschenhand geschaffener Schandfleck, der sich über das Sediment ausbreitete wie das tote Erdreich um den mythischen Upas-Baum der Javaner.

Natürlich ist es richtig, daß die Meere nicht als Müllkippe oder zur unbefristeten „Endlagerung" für den Abfall der Menschheit benutzt werden sollten. Aber wenn man sich über die verdreckten Küstengewässer (z. B. die Bucht von Santa Monica) und die verwüsteten Flachwassermeere (wie die Nordsee) entsetzt, vergißt man oft, daß die Oberfläche des Planeten zu sieben Zehnteln mit Wasser bedeckt ist, das im Durchschnitt 3800 Meter (oder 2,36 Meilen) tief ist. Dieses Lösungsmittel in solch unvorstellbarer Menge ist selbst eine chemische Industrie von solcher Komplexität, daß wir noch kaum die ersten Anfangsgründe davon begriffen haben, wie sie arbeitet. Die bei weitem größte Pollutionsgefahr für die Meere geht vom Land aus, in Form stetig zufließender landwirtschaftlicher und industrieller Abwässer, durch Straßen-Entwässerung, Plastikmüll und synthetische Hormone wie z. B. Östrogene. Das schlimmste sind nicht die manchmal publizistisch beschrienen giftigen Schiffsladungen.

Die panischen Selbstbezichtigungen, nach denen fast alles, was unsere Art tut, zur Verwüstung des Planeten beiträgt, hat ihren wesentlich religiösen Ursprung in der biblischen Schöpfungsgeschichte vom Garten Eden. Hier zum Beispiel ein Greenpeace-Manifest, das mir in Falmouth in die Hand gedrückt wurde und das ich bis heute vergessen hatte. Ich gebe diese Predigt für künftige Sozialhistoriker zu Protokoll, weil sie als reiner Ausdruck einer Modegesinnung andernfalls bald wieder verschollen wäre. Sie beginnt mit der Erklärung, daß die Erde vermutlich etwa 4600 Millionen Jahre alt ist. Weil ein solches Alter unser Vorstellungsvermögen übersteigt, vermenschlicht es der grüne Pfaffe durch Umrechnung auf die Lebenszeit einer Person im mittleren Alter von 46 Jahren. Demgemäß wären moderne Menschen

> erst seit ein paar Stunden auf der Welt. Im Lauf der letzten Stunde haben wir die Landwirtschaft entdeckt. Die industrielle Revolution hat vor einer Minute begon-

nen. In diesen sechzig Sekunden biologischer Zeit haben die Menschen aus dem Paradies eine Müllhalde gemacht.

Wir haben das Aussterben vieler Hunderter von Tierarten verursacht, von denen viele schon länger da waren als wir, und den Planeten nach Brennstoffen durchwühlt. Nun weiden wir uns an unserem kometenhaften Aufstieg zur Macht und stehen wie viehische Kinder auf dem Sprung zur endgültigen, massenhaften Austilgung und zur völligen Zerstörung dieser Oase des Lebens im Sonnensystem.

Dies ist die reine, von keinem Zweifel angekränkelte religiöse Auffassung von der Sündhaftigkeit des Menschen, wie man sie im vorigen Jahrhundert von fast allen Predigtkanzeln hören konnte, mit den gleichen Hinweisen aufs Paradies und im gleichen Ton überschäumender Hysterie. Bemerkenswert ist, daß heute, wo das zwanzigste Jahrhundert in den letzten Zügen liegt, dieser Aberglaube immer noch an der vordarwinschen Auffassung von der Welt als einem statischen Eden festhält, das wir erst in jüngster Zeit rücksichtsloserweise besudelt hätten. Es ist eine Rhetorik, die es schwerer, nicht leichter macht, das Thema der Verunreinigung vernünftig zu bedenken, denn sie unterstellt, daß alle „natürlichen" Vorgänge nicht belastend wirken könnten (offenbar ist Homo eine unnatürliche, obzwar „viehische" Art). Wir müssen unbedingt ein anderes, moralfreies Wort für diese Tätigkeit finden; andernfalls, was sollen wir zu den gewaltigen Mengen komplexen chemischen Gebräus sagen, das beständig aus den Vulkanen, unterseeischen Schloten und natürlichen Ölaustritten strömt, und das seit Millionen Jahren? Greenpeace dämonisiert Chlor als „das Teufelselement" (wiederum in religiöser Bildhaftigkeit), obwohl doch Meeresalgen, Mikroben und Pflanzen in aller Welt ständig Unmengen organischer Chlorverbindungen produzieren, darunter verbotene oder nur beschränkt zugelassene Stoffe wie Chloroform, Kohletetrachlorid und verschiedene Dioxine. Dioxine bilden sich sogar ganz natürlich in jedem Feuer, das je irgendwo entzündet wurde, besonders bei Waldbränden. Immer schon, sogar im Garten Eden, haben wir mit Dioxinen in unserer Umwelt gelebt. Und was die Radioaktivität angeht, so kann man beim Gang durch eine Edinburgher Straße mit Granitbauten eine stärkere Strahlendosis abbekommen als auf dem Mururoa-Atoll oder am Strand von Sellafield. Wenn dies aber nicht zu den „Belastungen“ gezählt werden kann, wie sollen wir dann je für die Umwelt eine Bilanz ziehen?

Die Greenpeace-Kirche mag dies zu einer Sache der Moral erklären, aber von außen betrachtet nimmt sich ihr Kreuzzug etwas anders aus. In dieser eben erst erwachten und nun laut verkündeten Anteilnahme am Schicksal aller Kreaturen, ob groß oder klein (doch unter wohlweislicher Ausblendung der alltäglichen Massenexekutionen im Namen der globalen Hamburger- und Brathähnchen-Ketten), schwingt die panische Furcht einer Tierart mit, die in erster Linie ans eigene Wohlergehen und an die Zukunft ihrer „Rasse“ denkt. Dies mag es sein, was einen nicht mehr ganz jugendlichen Skeptiker unangenehm berührt, wenn er liest, wie Chris Rose, Kampagnenleiter bei Greenpeace, auf die Notwendigkeit hinweist, „Handlungen durchzuführen, die eher durch das moralische Defizit, das sie ansprechen, als durch die angewandten Mittel legitimiert sind“. Eine grausame Ironie läßt diesen gewiß wohlmeinenden und nachdenklichen Menschen auf das gute alte Argument vom Zweck, der die Mittel heiligt, zurückgreifen.

Obwohl ich also im Herzen Naturforscher und über das Artensterben ebensowenig glücklich bin wie nur irgendwer, habe ich mir mit der Greenpeace-Gemeinde zu diesem Thema wenig zu sagen. Vor ein paar Tagen habe ich auf dem Meeresboden nicht nur die Namen von alten Freunden gelesen, sondern auch eine unverschlüsselte Botschaft: daß die Entwicklung sich nach den jeweiligen Umständen richtet. Es gibt keinen Plan, kein Modell und kein Gesetz dafür, wie die Erde sein soll. Da der *Homo sapiens sapiens* eine Art ist wie andere auch, ist alles, was er tut, natürlich. Egal, wie alles ausgeht, es ist gut so, denn auch dieser Zustand geht ja vorüber. Egal, wie wir uns auf dem Planeten betten, wir werden dort liegen müssen, und zu unserem Grab wird er früher oder später ja sowieso. Es ist egal, und weiter ist nichts dazu zu sagen. Zwischen den Galaxien verschwinden wir ebenso wie nur irgendeine alte Seegurke auf ihrem Fleckchen Sedimentboden, und darin liegt überhaupt kein Problem.

„Offizielle“ Party unten im MIR-Labor um 19 Uhr 30. Quentin und ich kommen etwas zu spät, nach mehreren Gängen zum Funkraum und den rituellen Kommunikationsversuchen. Nur einmal hat es geklappt, was angesichts unserer unbezahlten Rechnungen ein Wunder ist. Also schieben wir uns in den gedrängt vollen Raum, wo Anatoly schon mitten in einer Ansprache ist, diesmal im Ton eines besorgten Schuldirektors bei der Abschlußfeier. Wurst und Pizza kauend, die Wodkabecher griffbereit, hören die Leute zu, wie er sein Fazit der letzten sechs Wochen zieht. Alles in allem war es gar keine so schlechte Zeit, scheint er zu sagen. Die neuen Jungen (und Mädchen) haben sich gut eingefügt. Ein paar beachtliche Erfolge hat es gegeben, besonders bei wissenschaftlichen Neulingen, denen er nur gratulieren kann. Auch in sportlicher Hinsicht haben sich alle ordentlich Mühe gegeben, und darum ist es natürlich eine herbe Enttäuschung, daß die Saison mit einer Niederlage enden mußte, als die Schule es mit den Japanern aufnahm. Zwar hat man sich wacker geschlagen, wie zu erwarten war, aber letzten Endes waren die gerissenen Asiaten einfach zu stark für uns, und der Goldpokal bleibt in Japan. Die Schule hat ehrenvoll abgeschnitten, ist aber leer ausgegangen...

Pflichtschuldig trinken wir drauf. Fünf Minuten Pause, Zeit, sich eine Wurst einzuverleiben und sich ein Glas mit etwas Trinkbarem zu greifen, und schon setzt der Herr Direktor wieder zu einer kleinen Rede an, die in einen Trinkspruch mündet. Und noch einmal... und noch einmal... Manche Völker haben schon sehr eigenartige Trinksitten, und der russische Ritus gehört zu den sonderbarsten, die ich kenne, weil er so verwirrend ist. Wenn man eben glaubt, nun etwas lockerer werden und ein Gespräch mit dem Nachbarn beginnen zu können, wird man unterbrochen, weil die ganze Gesellschaft erstarrt, um eine offiziöse Verlautbarung banaler Gefühle über sich ergehen zu lassen, gefolgt von einem Glas Schnaps, das wie ein Keulenhieb wirkt. Förmlichkeit und Alkohol – ein bedenkliches Gemisch. Trotzdem, manche Funken werden gezündet, und zu den denkwürdigsten Momenten gehört, wie Anatoly einen Toast „auf alle schönen Frauen" ausbringt, den Andrea prompt und mit lauter, deutlicher Stimme erwidert: „Darauf trink' ich!" Quentin und Clive schnappen über vor Begeisterung über diese schneidige Zweideutigkeit, die das gravitätische Zeremoniell unterläuft. Anatoly lächelt versonnen, ein Schulmeister, der einen Witz nicht kapiert hat, der aber weiß, daß er immer zuletzt lacht. Irgendwann geht der Abend in eine allgemeine Preis- und Urkundenverleihung über. Die Orca-Leute defilieren an dem nun schon ein wenig glasig dreinblickenden Zeremonienmeister vorüber und erhalten jeder ein von ihm unterschriebenes Zertifikat für ihre Tauchfahrt, nebst Erinnerungsfotos von MIR 1 und der *Keldysch*. Wir finden es nett und gutmütig von ihm, daß er daran gedacht hat, und stoßen alle darauf an.

Ich habe Parties noch nie gemocht. Ich mag den Lärm nicht, ich stehe nicht gern auf, um jemandem zuzutrinken, mein Gesicht verkrampft sich schmerzhaft unter der Anstrengung des Dauergrinsens, mit dem ich mich Leuten gefällig zeige, denen ein bißchen plastische Chirurgie – oder am besten gleich die Enthauptung – guttun würde. Und ein Grund, warum ich Parties geradezu hasse, ist die Trübe und Verschwommenheit, in der dort alle Dinge erscheinen. Furchtbare Dinge werden gesagt ohne erkennbare Folgen. Leute zerfleischen einander, ohne eine Miene zu verziehen. Als der Zeremonienmeister Ralph aufs Korn nimmt, kommt es zu einer Szene, einem öffentlichen Auftritt, der sich jahrelang vorbereitet haben muß.

Dem ersten Eindruck nach ist Ralph heute abend in seinem Element. Dieser große, bärtige Typ, für den Abend stilvoll zurechtgemacht mit ledernen Patronentaschen am Gürtel und in blanken schwarzen Wildweststiefeln, ist, wie wir alle wissen, ein Veteran, der viele Fahrten auf der *Keldysch* mitgemacht hat, viele Male mit den MIRs getaucht ist (ausgebildeter Kopilot), viele Male mit den Jungs Kopf und Kragen riskiert hat – ach was, war doch irgendwie schön, wenn auch dann und wann mal ein bißchen mulmig! Er ist der alte Hase an Bord, aber gerade daraus erwächst eine gewisse Verlegenheit. Daß er mit so vielen aus der Mannschaft gut Freund zu sein scheint, verträgt sich nicht mit der Tatsache, daß er überhaupt kein Russisch spricht. Wenn er mehr Tauchfahrten mit den MIRs mitgemacht hat als jeder andere Westler, wie er sich rühmt, und beruflich in letzter Zeit so viel mit der *Keldysch* zu tun gehabt hat (besonders beim Filmen der *Titanic*), warum hat er dann die Sprache nicht wenigstens ein bißchen radebrechen gelernt? Und tritt er nicht in den Vereinigten Staaten als Bankverbindungsmann für das Schirschow-Institut auf? Es ist schon merkwürdig. Mike Anderson gibt sich mit dem Russischen wirklich Mühe und findet dafür auch Anerkennung. Aber Mike ist eben jemand, der keine Anstrengung scheut. Weil er von seinem schottischen Vater die presbyterianische Ethik geerbt hat, weiß er, daß man in dieser Welt ohne Arbeit zu nichts kommt. Ralph dagegen, was auch immer sein Erbteil sein mag, bringt die kalifornische Großspurigkeit mit: Was du bist, hängt nicht so sehr davon ab, was du weißt, als vielmehr davon, als was du dich verkaufen kannst – kurz, Selbstdarstellung. Oder jedenfalls Schauspielerei, denn heute abend stellt er eine sonderbar künstliche Figur dar, mit den Wildweststiefeln und den Patronentaschen voller elektronischem Spielzeug, eine Kreuzung zwischen Sheriff und High-Tech-Guru, der alte Hase aus der Geheimwaffenproduktion der US Air Force. Und nun steht er vorn und albert mit Anatoly herum, über die Köpfe von einigen anderen hinweg, die dazwischen stehen.

Anatoly ist nun nicht mehr der Oberschulmeister. Nun ist er der Räuberhauptmann, der den Anführer einer kleinen Bande von Fremden einlädt, doch noch einen Schritt weiter in seine Höhle zu treten. Ich ahne irgendwie, was passieren wird, aber nicht, wie es passieren wird, und ich mag dem Opfer nicht ins Gesicht sehen, weil der arme Ralph gar nicht zu merken scheint, daß irgendwas faul ist. Statt dessen hefte ich den Blick auf seine blitzblanken Stiefel. Ralph versucht nun seinerseits, einen Trinkspruch auszubringen, aber er spricht Kalifornisch, was niemand so recht versteht, auch ich nicht, und die Leute reden weiter durcheinander. Er versucht es mit noch lauterem Gepolter, um wenigstens soviel klarzustellen, daß wir doch alle gut Freund sind. Dann macht er einen taktischen Fehler. Er benutzt diesen Moment für eine ernsthafte Ankündigung. Was er seinen Kameraden im MIR-Team sagen möchte, ist, daß sie alle als Ehrenmitglieder in den Verein der Tiefseetauchboot-Piloten (DSPA) aufgenommen sind und daß der Verein auf die normalen Mitgliedsbeiträge verzichtet hat, in Anerkennung der außerordentlichen Pioniertaten der Russen. Das bedeute, erklärt Ralph, daß sie die Kanonenmetall-Plaketten und das Mitteilungsblatt des Vereins ganz umsonst bekommen und daß ein Paket mit Abzeichen, Urkunden und was nicht noch allem in Dakar auf sie wartet.

Inzwischen ist einiges an Wodka durch die Kehlen geflossen, die Leute reden weiter durcheinander, und noch immer versteht niemand Kalifornisch. Die frohe Botschaft von der amerikanischen Großmut bleibt ungehört. Ich bin sicher, Ralph hat die ganze Geschichte mit dem Pilotenverein vorab arrangiert, und es würde mich nicht wundern, wenn er die Mitgliedsbeiträge aus eigener Tasche bezahlt hätte, denn er ist ein netter und spendabler Typ. Nun möchte er, daß sein alter Freund, der Bandenchef, ihm zu Hilfe kommt und für ihn dolmetscht, und der sieht nun seine Chance. Er hebt die Hände und gewinnt mühelos die allgemeine Aufmerksamkeit. Seine Banditen werden mehr oder weniger still und kauen an ihren Würstchen. Er erklärt, daß er etwas Wichtiges zu übersetzen hat, und nickt Ralph zu. „In Dakar...“ fängt Ralph an – „v'Dakari“, unterbricht ihn der Räuber lässig, mit einer wegwerfenden Handbewegung, wie um zu zeigen, daß ein Übersetzer seines Kalibers hier noch gar nicht richtig gefordert ist. Schallendes Gelächter. „In Dakar...", setzt Ralph noch mal an, nun lauter – „v'Dakari", imitiert ihn der Schurke. Alles geht nun in seinem Sinne. Die Banditen kringeln sich vor Lachen, besonders die Frauen. „Listen, fellas", brüllt Ralph, hektisch durch seinen Bart grinsend, „in Dakar..." Ein Künstler hätte es damit vielleicht genug sein lassen, aber der Bandenchef hat etwa das Zartgefühl eines Nikita Chruschtschow, dem er mehr und mehr zu ähneln beginnt. Der Wodka steigt wirklich irgendwie in die Augen. „V'Dakari", deklamiert er. Der Saal tobt. Tapfer kämpft Ralph weiter gegen das Getöse an. Im allgemeinen Tumult höre ich einzelne Wörter wie „insignia" und „waived" heraus, aber man versteht ihn nicht. „All charges are waived by agreement of the DSPA, you guys", schreit er verzweifelt und blickt in die Runde, ob denn nirgends ein Gesicht in freudigem Verstehen aufleuchtet. Endlich besinnt sich der Hauptmann auf den vollen Umfang seines fremdländischen Vokabulars und findet ihn ausreichend zur allgemeinen Belustigung. „Waives!" ruft er, mit den Armen Wellen schlagend. Die Sache artet aus. Bis wenigstens soviel klargeworden ist, daß der MIR-Gruppe irgendeine kostenlose Ehre zuteil wird, hat sich die Aufmerksamkeit längst von der Botschaft auf das Medium verlagert, auf den hypnotischen Briganten, der sie alle hier offenbar um den Finger wickeln kann – oder jedenfalls könnte man das denken, so wie seine Bande sich aufführt.

Was ist wirklich los? (Mein Gott, wie ich Parties hasse!) Liegen sie denn alle vor dem Häuptling auf dem Bauch, weil er die wundervollen stählernen Kutschen erfunden hat, in denen sie über den Meeresgrund traben können? Oder gönnen sie ihm nur seinen Spaß, aus schierer Erleichterung darüber, daß er ja in ein paar Tagen von Bord geht? Oder ist es die Solidarität der Russen angesichts eines *Amjerkanjets?* Oder finden sie es an der Zeit, dem Fremden zu verstehen zu geben, daß er, wenn er schon unbedingt ihr alter Freund sein will, sich irgendwann auch mal mit der Sprache seiner alten Freunde anfreunden müßte? Oder sind sie einfach nur eine betrunkene Horde, die etwas zum Lachen haben muß, weil das eben zu einer Party gehört? Plötzlich merke ich, daß der Bandenhäuptling, als der Gipfel seiner Popularität erreicht war, den Raum verlassen hat, vermutlich um seine Gitarre zu holen. Ich schleiche mich aufs MIR-Deck hinaus und blicke auf die dunklen, vorüberrasenden Wellen. Nach einer Weile kommt Ralph heraus, untröstlich. Ich bin gespannt, wie er mit seiner öffentlichen Abstrafung fertig wird, und denke mir, daß es ihm ähnlich sähe, so zu tun, als wäre nichts geschehen. Ich habe mich geirrt. Er beginnt das Gespräch mit einer rührenden und nicht ungeschickten Ellipse.

„Du bist ein Poet, ich hab' dein Meerbuch gelesen. Viel Kohle gibt's nicht für Poesie, denk' ich mal. Genau wie bei mir. Denkst du, ich könnte nicht die ganze Hollywood-Tour gemacht haben? Klar, kannst du viel Geld mit machen – ist aber nichts für mich. Mußt du die Linsen mit Vaseline einschmieren, damit aufgetakelte Omas wie taufrische Jungfern aussehn. Ich denk' mal, wir haben uns beide Jobs ausgesucht, die wir machen wollen, die wir gern machen, interessante Jobs mit 'nem bißchen Spaß und Kitzel dann und wann, und pfeif' aufs große Geld ... " Er hat keinen Blick für das MIR, neben dem er steht. „Das hätte Toly nicht machen dürfen. Es einfach so abzufertigen! Es war ein echt großzügiges Angebot von der DSPA. Die wissen doch, daß die Kerls keinen Cent in der Tasche haben. Hättest du sehn sollen, als die *Keldysch* in den Staaten war. Das erste Mal seit fünfzig Jahren, daß ein russisches Schiff den Potomac rauffahren durfte. Am 5. Juli 1989. Sie hat am alten Ford-Dock in Alexandria, Virginia, angelegt, nur einen Steinwurf weit vom Pentagon. Na, sagen wir, so etwa vier Meilen. Denkst du, die durften auch nur die Luken aufmachen? Für alle Fälle, damit sie nicht in aller Stille eine Rakete aufs Pentagon oder aufs Weiße Haus abschossen. Stimmt wirklich. Aber unsere Leute haben echt was los gemacht um das Schiff und seine Mannschaft. Anatoly sprach mit tausend Leuten und erhielt allerlei Ehrungen. Als erster Russe zum Ehrenmitglied im renommierten Adventurers' Club gewählt – bin selbst Mitglied, darum weiß ich's. Himmel, da kamen US-Admirale in Zivil an Bord, Offiziere vom Nachrichtendienst der Marine als gewöhnliche sterbliche Zivilisten verkleidet, hättest du mal sehn sollen, wie die mit den Augen die MIRs fotografiert haben! Ich denk' mal, ich will sagen, wir haben Anatoly das Boot flottgemacht. Er hätte die Sache nicht so abfertigen dürfen."

In seiner Gekränktheit hat Ralph natürlich recht. Ich merke, wie ich eine echte Zuneigung zu diesem so tüchtigen und nun verletzten Menschen fasse, der auf eine sonderbare Art liebenswürdig sein kann und der manchmal hektische Anstrengungen unternimmt, um sich aus der Karikatur herauszuwinden, die er zunächst zur Tarnung benutzt haben mag, bis sie ihm allmählich zum Gefängnis wurde. Er macht atemberaubend schöne Fotos und hat ein empfindliches Auge. Ich glaube, er weiß selbst, daß diese Empfindlichkeit sich nicht auf das Auge beschränkt, aber ein ehemaliger Marineinfanterist darf dergleichen nicht preisgeben, und darum hat er sehr gekonnt den unnatürlich Furchtlosen gespielt. Heute abend mußte erst ein Freund kommen, noch dazu ein ausländischer Gauner, um Ralphs Bild von einem Mann, der mit allen auf du und du ist, öffentlich anzukratzen. Es war keine Freude, das miterleben zu müssen. Anatoly ist manchmal von einem düsteren, wilden Argwohn erfüllt; er schiebt den Unterkiefer vor, und was dann aus ihm spricht, ist nicht nur der Wodka. Seine Bonhomie kann ebenso bedrückend sein wie sein Zorn. Die Schutzhüllen anderer, sogar die von alten Freunden wie Mike oder Ralph, sind dazu da, zerschlagen zu werden, wenn ihm nach Dreinschlagen zumute ist. Es tut mir leid, daß ich in Dakar von Bord gehen werde, denn mir scheint, bis dahin werde ich Ralph noch nicht im mindesten kennengelernt haben, und er könnte es wert sein, daß man mehr über ihn wüßte. Schiffsbekanntschaften. Mein erster Eindruck war also doch richtig: Bei einer Schatzsuche sind die Persönlichkeiten wichtiger als die Technik. Eine Meeresbiologin kommt heraus, von einem Schwall Volksliedgegröl begleitet und den Arm voller leerer Flaschen, die sie über Bord schmeißt. Die Wellen reißen sie fort, und der Morgen steht nun schon über Kairo und stürmt uns über den afrikanischen Kontinent entgegen.

25.2.95

Wie Ralph selbst heute morgen den Verlauf der Party schildert, ist alles andere als dumm, obendrein großmütig. Er gibt sich selbst die Schuld. Warum mußte er seine Ankündigung ausgerechnet bei einer solchen Gelegenheit machen?

„Ich wollte in Anatolys Anwesenheit zu Anatolys Jungs sprechen, eine gute Nachricht bekanntgeben. So was mag er nicht. Lieber läßt er sie in sein Büro kommen und sagt es ihnen selber, dann sieht es so aus, als hätte er alles für sie arrangiert. Alles muß von ihm kommen. Das ist noch wie im alten Sowjetsystem."

Und natürlich hat er recht. Anatoly war gestern abend nichts anderes als ein *amo,* ein *padrone.* Jedenfalls, Ralph ist heute wieder ganz der *Marine.* Um 2 Uhr nachmittags gibt es eine Vorbesprechung über das Suchgebiet für *Marlin.* Anatoly sagt etwas zu Ralph, und ich höre die Antwort: „Du hast mit ihm geredet, Toly? Hervorragend!"

„Also weiter", sagt Anatoly, schwerlidrig blinzelnd, „zu Gold Nummer zwei!" Unsere bathymetrischen Unterlagen über die Zone, wo *Marlin* versenkt wurde, sind so ziemlich auf dem neuesten Stand, ausreichend, um erkennen zu lassen, daß der Meeresgrund bei 1° S/10° W steil abfällt und voller Schluchten ist. „Wie ein Grand Cañon unter Wasser", meint Ralph und schüttelt seinen erfahrungsschweren Kopf. Trotzdem, alle sind sich einig, daß ein großes Passagierschiff leichter zu finden sein müßte als ein U-Boot. Denen am Tisch, die auf der nächsten Etappe dabeisein werden, ist ganz deutlich eine gewisse Begeisterung anzumerken, besonders Juri Bogdanow und Nik Schaschkow. Man könnte denken, es ist wie bei den Suchzonenbesprechungen für *Dolphin,* aber einige von uns sind praktisch schon nicht mehr da: Anatoly selbst, Clive, Quentin und ich. Das einzige Thema ist nun die *Marlin.*

Zweiundzwanzig

Thomas Hardys Gedicht über den Untergang der *Titanic,* „The Convergence of the Twain", schildert, wie die beiden Protagonisten der Tragödie, der Eisberg und der Dampfer, pünktlich zusammentreffen, wie es das unausweichliche Schicksal oder der „immanente Wille" vorgesehen haben. Für Hardy liegt etwas Exemplarisches darin, wie die Jungfernfahrt des stolzen Schiffes (das technisch, wie man heute sagen würde, auf dem neuesten Stand war) durch das gedankenlose Einwirken der Natur beendet wird. Soviel zur menschlichen Hybris, gibt der alte Grantler zu verstehen.

Das Zusammentreffen der *Aurelia* mit dem italienischen U-Boot *Michelangelo* im Februar 1943 war zwar ebenfalls vom Zufall, weit mehr aber von Absichten und mancherlei interessanten Umständen des Krieges bestimmt. Ich wollte zwar in Dakar von Bord gehen, bevor die *Keldysch* zur zweiten Etappe auslief, um das Wrack der *Aurelia* zu suchen, und darum hatte ich es nicht unbedingt nötig, an den Vorbesprechungen für eine Sonar-Vermessung teilzunehmen, die ich ja nicht miterleben würde. Trotzdem, ich hatte Andreas Unterlagen über die Versenkung aufmerksam gelesen. Mir schienen sie überaus gründlich zusammengestellt zu sein, mit dem Blick fürs Detail, den ich von Andrea nun schon erwartete, aber sie selbst war nicht zufrieden. Da wir inzwischen auf dieser Reise das Stadium schonungsloser Offenheit erreicht hatten, konnte sie mir gestehen, daß ihre Nachforschungen nur soviel taugten, wie unter den von Orca vorgegebenen Beschränkungen an Zeit und Geld möglich war. Ihr war deutlich bewußt, daß sie der Geschichte von der italienischen Seite her nicht richtig hatte nachgehen können und daß wir uns allzusehr auf Dokumente der Alliierten verließen. Vor allem hatten sich ihre Recherchen nur auf das Gold selbst erstreckt: wo es herkam, für wen es bestimmt war und ob es überhaupt existierte. Daran war sicher nicht Andrea schuld, aber trotzdem befürchtete sie, daß ihr unvollständiges Wissen ihre Kompetenz in ein schlechtes Licht rückte.

Seit der Zeit gegen Ende der 80er Jahre, als der kanadische Pensionär Jock Walker mit Mike Anderson Kontakt aufnahm, hatten sich so gut wie alle Ermittlungen auf das Bemühen um den Nachweis konzentriert, daß die vermutlich für die Bank von England bestimmte Goldladung an Bord der *Aurelia* vorhanden gewesen war. Als erster Ermittlungsschritt war dies natürlich richtig. Ohne hinreichende Gewißheit, daß das Schiff eine Goldfracht mitführte, hätte keine Aussicht bestanden, irgendeinen Kapitalanleger für ein Bergungsunternehmen zu interessieren. Zu der Zeit, als Orca gegründet worden war (nachdem man, wie erinnerlich, *I-52* mit „in den Topf geworfen" hatte, um den riskanteren Einsatz für die *Aurelia* schmackhafter zu machen), waren alle zu 95 Prozent überzeugt, daß das Gold an Bord gewesen sein mußte. Tatsächlich beruhte diese Überzeugung einzig auf der Aussage des Schiffsoffiziers, ebenso wie die 2000 Tonnen Silber an Bord der *John Barry* nur durch die Aussage des Schiffszahlmeisters gewährleistet waren. Die genaue Menge des Goldes blieb ungewiß; Andrea war bei ihren Nachforschungen in mehrere Sackgassen geraten. Am meisten störte, daß die Bank von England anscheinend keine Unterlagen über den beabsichtigten Goldtransport hatte. Im übrigen betrafen die Ermittlungen die Versenkung selbst, insbesondere die verschiedenen Rettungseinsätze von Schiffen der Royal Navy und den Catalina-Flugbooten der britischen Luftwaffe. Der Theorie nach sollte es möglich sein, aus den Berichten und Logbuchvermerken so vieler Schiffe und Flugzeuge, die ins Versenkungsgebiet beordert worden waren, die Position, bei der das Schiff untergegangen war, mit einiger Genauigkeit zu bestimmen.

Bald wurde deutlich, daß sich aus diesen Daten wieder die üblichen – wahrscheinlich hitzigen – Diskussionen über Zeitzonen, Kompaß- und Koppelnavigation, Windgeschwindigkeiten, Strömungen usw. ergeben würden. Mehr oder weniger dasselbe wie bei den Suchzonen-Besprechungen für *I-52*. Viel interessanter fand ich die allgemeinen Voraussetzungen in einem Krieg, der damals auf die eine oder andere Weise schon die ganze Welt in Mitleidenschaft gezogen hatte, und wie das Zusammenwirken all dieser Umstände zur tödlichen Begegnung eines kanadischen Passagierschiffs mit einem italienischen U-Boot vor der Küste Westafrikas führte. Da ich in Italien lebe, war es mir möglich, selbst ein paar Recherchen anzustellen, sobald ich von Dakar heimgeflogen war. Daß ich auf die Vorgeschichte dieser Versenkung so ausführlich eingehe, bedarf keiner Rechtfertigung. Auf der Verliererseite hört man von einem Krieg selten etwas anderes als die Berichte der Sieger, und die meisten Italiener scheinen über die Rolle ihrer U-Bootflotte im Zweiten Weltkrieg erstaunlich wenig zu wissen (allenfalls haben sie eine Ahnung von den außerordentlichen Leistungen der berühmten *maiali*, der Zweimann-Boote, die dem Schiffsverkehr der Alliierten im Mittelmeer so großen Schaden zufügten). Und das Schicksal der *Aurelia* ist auch in England wenig bekannt. Dabei wäre es wohl geblieben, hätte man nicht später erfahren, daß sie vielleicht Gold geladen hatte. Jedenfalls nahmen mich bald die Berichte der italienischen U-Bootfahrer gefangen, die einen wie alle solche Geschichten mit Bewunderung für den Mut und das Können von Männern erfüllen, die den Krieg unter den Wellen austrugen – einen Krieg, wie zu ergänzen ist, nicht allein gegen die Elemente und gegen den Feind, sondern auch gegen die Torheiten einer Politik, auf die sie keinen Einfluß hatten. Viele der kompetentesten Berichte aus diesem Krieg wurden in Giulio Raiolas vortrefflichem Buch *Timoni a salire* (1978) wiedergegeben, dem ich für einen großen Teil der folgenden Darstellung tief verpflichtet bin.

Dem Einfluß der Italiener entzogen war vor allem die Leitung ihres U-Bootkrieges, die dem strategischen Oberbefehl ihrer deutschen Bundesgenossen in der Person des Admirals Karl Dönitz unterstand. Auch Kriegführung, ähnlich wie

Schatzsuche, muß mit den Folgen rechnen, die sich aus dem Zusammenstoß der Temperamente ebenso wie aus dem der Waffen ergeben. Auf ihre je besondere Art leisteten die besten deutschen und die besten italienischen U-Bootfahrer Hervorragendes; das Problem war nur, daß sie meistens nicht gut zusammenarbeiteten. Die Italiener, aus welchen kulturellen oder klimatischen Gründen auch immer, verabscheuten den eisigen Nordatlantik. Gerade dort aber wollten die Deutschen ihre Kräfte konzentrieren, weil sie festgestellt hatten, daß der wirksamste Einsatz ihrer großen U-Bootflotte darin bestand, die Geleitzüge der Alliierten anzugreifen, die kriegswichtige Lieferungen an Nahrungsmitteln, Treibstoff und Munition aus den Vereinigten Staaten ins belagerte England brachten. Dönitz' taktisches Meisterwerk war die sogenannte „Rudeltaktik", bei der große Verbände von U-Booten einem Konvoi auflauerten und bei Nacht massenhafte Überwasser-Angriffe mit Torpedos durchführten; zur Koordination ihrer Bewegungen waren sie stark auf Funkverbindung angewiesen (eine Taktik, die bei Unterwasserfahrt nicht anwendbar war).

Diese Methode schien den Italienern nicht zu liegen, die ihre eigenen, individualistischen Verfahren entwickeln wollten. Dönitz erkannte das ein bißchen widerwillig an und übertrug ihnen im Spätherbst 1940 eine etwas selbständigere Rolle. Nach dem Frühjahr 1941 war kein italienisches U-Boot mehr nördlich vom spanischen Kap Finisterre im Kampfeinsatz. Die Boote der italienischen Flotte, die im Vergleich zur deutschen nicht groß war, operierten von da an meistens als „Einzelkämpfer", oft über weite Anmarschwege (z. B. bis in den Indischen Ozean oder zu den südamerikanischen Küsten). Eine solche Einsatzart, bei der man von allen Hilfs- und Versorgungsstützpunkten oft weit entfernt war, erforderte eine andere Art Tapferkeit als die Geleitzugbekämpfung und verlangte von den Mannschaften mehr als das gewöhnliche Maß an Selbständigkeit und Erfindungsgeist.

Als sich der Krieg mit dem Eingreifen Japans und der USA

ausweitete, wurden die Seewege östlich des Kaps der Guten Hoffnung zur verwundbarsten Stelle des britischen Empire, weil die Verkehrs- und Nachschubverbindungen hier gefährlich dünn wurden. Doch die Achsenmächte haben diesen Vorteil nie in vollem Maß ausgenutzt. Es gelang ihnen nicht, militärisch zu kooperieren. Ihre neuen Verbündeten, die Japaner, zeigten wenig Neigung zu gemeinsamen Operationen, und für die Idee, den europäischen Kriegsschauplatz auf die asiatischen Meere auszuweiten (nach einem Vertrag von 1942 alle Gewässer östlich des 70. Längengrads, also etwa der heutigen Grenze zwischen Indien und Pakistan), konnten sie sich überhaupt nicht begeistern. Diese Großregion hatten sie für sich selbst abgesteckt.

Auch unaufhebbare geographische und politische Faktoren erschwerten den Einsatz der italienischen U-Bootflotte. Ein italienischer Hafen konnte nur den im Mittelmeer operierenden Booten als Stützpunkt dienen, denn die Gefahren der Straße von Gibraltar waren unter den U-Bootfahrern aller Nationen berüchtigt. Die Gezeitenströmungen in diesem Flaschenhals sind stark genug, um ein Boot sogar mit auf volle Kraft voraus laufenden Maschinen zurückzutreiben. Um diese Strömungen zu vermeiden, war es ratsam, sich dicht ans Ufer zu halten; dort aber war der abfallende felsige Grund für ein getauchtes Boot, das sich damals noch ohne zuverlässige Sonargeräte hindurchschleichen mußte, voller Tücken. Ohnehin hätte es kaum Sonartöne aussenden dürfen, wenn es unentdeckt bleiben wollte. Die britische Präsenz in Gibraltar erlaubte es den Alliierten, den Schiffsverkehr durch die Meerenge wirksam zu überwachen. Den Booten der Achsenmächte konnte die Durchfahrt nur im Schutze der Nacht oder unter Wasser gelingen. In beiden Fällen waren die Risiken gewaltig.

Für ihre außerhalb des Mittelmeers operierenden Boote bekamen die Italiener daher einen Stützpunkt in Bordeaux, in der vergleichsweise sicheren Gironde-Bucht. Ihr Hauptquartier dort trug den Kode-Namen „Betasom“ („Beta“ für „B“, Bordeaux,, und „som“ für *sommergibile,* ital. U-Boot).

Nachdem sie von gemeinsamen Aktionen im Nordatlantik entbunden waren, wurden die Betasom-Boote umgebaut, um ihren Aktionsradius für den Ferneinsatz zu vergrößern. Selbst die größten Kampfboote (im Unterschied zu U-Bootfrachtern, ähnlich dem japanischen *I-52,* die später für Missionen im Fernen Osten eingesetzt wurden) hatten auf diesen Fernfahrten große Schwierigkeiten zu überwinden. Die knappen Lade- und Mannschaftsräume wurden durch zusätzliche Treibstofftanks noch enger, die außerdem Auftrieb, Längsstabilität und Manövrierfähigkeit beeinträchtigten. Im Interesse maximaler Leistung mußten sie über Wasser fahren, wo sie dem Wetter und den Luftangriffen ausgesetzt waren.

Im September 1941 übernahm bei Betasom Romulo Polacchini den Befehl und beorderte gleich darauf fünf seiner erfolgreichsten Boote in die Karibik, zu ihrem ersten Einsatz in amerikanischen Gewässern. Dies waren die Boote *Torelli, Morosini, Tazzoli, Finzi* und *Michelangelo.* Im Gegensatz zur Rudeltaktik der Deutschen wurde ihre Kampfesweise als *la guerra corsara,* Piratenkrieg, bekannt: In den Schiffahrtsstraßen zwischen den Inseln lauerten sie wie Bukaniere des siebzehnten Jahrhunderts ihren Opfern auf. Das erwies sich als so wirksam, daß es später auch die deutschen U-Boote in diesen Gebieten übernahmen. Zusammen brachten die italienischen und deutschen Boote den Alliierten große Tonnageverluste an Tankern und Frachtschiffen bei.

Jedoch in der Technologie begann sich nun das Blatt zu wenden. Durch die schweren Verluste aufgestört, die ihre Schiffe in den ersten beiden Kriegsjahren erlitten hatten, begannen die Alliierten, Anti-U-Bootwaffen zu erfinden, die ihnen langsam einen Vorteil verschafften. Dazu gehörte auch ein Radar-Gerät, das eigens für die Ortung über Wasser fahrender U-Boote bestimmt war. Das Boot merkte gewöhnlich nicht, daß es gesehen worden war, und war dann besonders bei Nacht verwundbar für Leuchtbomben und überraschende Luftangriffe. Die Deutschen antworteten darauf mit dem Metox-Gerät zur Erkennung von Radarstrahlen, aber die Alliierten stellten prompt ihre Detektoren auf die von den Deutschen nicht erfaßte Zehnzentimeter-Wellenlänge um. (Höchstwahrscheinlich war es die neueste Verbesserung des Metox-Geräts, die *U-530* dem japanischen *I-52* übergab, um ihm durch die Blockade der Alliierten in den Hafen Lorient zu helfen.) Die Alliierten stellten auch das Funkpeilgerät „Huff-Duff" her (oder HF/DF, für high frequency direction-finding), mit dem ein Schiff oder Flugzeug ein U-Boot orten konnte, wenn es unvorsichtigerweise Funkmeldungen abgab. Und sobald ein Schiff auf dem Sonarschirm ein getauchtes feindliches U-Boot ausgemacht hatte, konnte es einen neuen Wasserbombenwerfer, den „Hedgehog", einsetzen, ein mehrrohriges Ding, das vierundzwanzig Bomben voraus abwerfen konnte, während die alten Heck-Werfer den Nachteil gehabt hatten, daß sie den Sonar-Kontakt unterbrachen.

Ende 1942 begann die neue Technologie der Alliierten echte Erfolge zu erzielen. Speziell für die U-Bootbekämpfung ausgerüstete Flugzeuge wie die Sunderland-Maschinen überwachten (vom Stützpunkt auf der Insel Ascension aus) den Atlantik bis in die entferntesten Regionen, während durchs Vorfeld der westeuropäischen Küsten, besonders die Bucht von Biskaya, für kein U-Boot mehr ein Durchkommen war, das in Überwasserfahrt Bordeaux anlaufen oder verlassen wollte. Betasom (und Italien) erlitt einen schweren Verlust, als der exzentrische Kommandant Primo Longobardo, der mit *Torelli* große Versenkungserfolge erzielt hatte, im Maschinengewehrfeuer fiel, während sein neues Boot *Calvi* gerammt und versenkt wurde.

Auch auf anderen Kriegsschauplätzen blies der Wind nun den Achsenmächten ins Gesicht. Große italienische Truppenverbände gerieten in Nordafrika in Gefangenschaft. Die privaten Tagebücher mehrerer italienischer U-Bootmänner verraten Pessimismus, auch Vorahnungen der Niederlage, die binnen eines Jahres dann auch eintrat (im September 1943 unterzeichnete Italien einen Waffenstillstand). Dieselben Tagebücher sprechen auch mit Bedauern vom

Schwinden einer gewissen Ritterlichkeit, die den harten, doch heroischen Krieg in den weiten Wasserwüsten oftmals ausgezeichnet hatte. Nicht selten tauchte das siegreiche U-Boot nach dem Torpedo-Schuß auf, nicht nur um das getroffene Schiff visuell zu identifizieren, sondern auch um den Überlebenden zu helfen. Das bedeutete meistens nicht, daß Menschen an Bord genommen wurden, denn dafür war auf den Booten zuwenig Platz, oft aber, daß man erschöpften Schwimmern half, gekenterte Rettungsboote aufzurichten, und ihnen den Kompaßkurs zur nächsten Küste mitteilte. Auf den Kriegsschiffen aller größeren seefahrenden Nationen war dies die Regel gewesen, sicherlich unter dem Einfluß einer alten Tradition, die eine Bruderschaft aller Seefahrer angesichts eines gemeinsamen, nicht menschlichen Feindes anerkannte, der so oft triumphierte. 1942 aber, mit der Intensivierung des Krieges durch die immer stärkere Technologie und die immer höheren Einsätze an Menschen und Material, wirkte alles darauf hin, eine neue Rücksichtslosigkeit ins Spiel zu bringen. Nichts bringt dies deutlicher zu Tage als die Vorfälle bei der Versenkung der *Laconia.*

In der Nacht vom 12. zum 13. September 1942 wurde die *Laconia* von *U-156* torpediert. Sie war ein großer (19 695 BRT) Cunard-Passagierdampfer und wie alle derartigen Schiffe für die Dauer des Krieges von der britischen Admiralität dienstverpflichtet worden. Ebenso wie die *Aurelia,* die aus dem gleichen Baujahr (1922) und von ähnlicher Tonnage war, hatte die *Laconia* italienische Kriegsgefangene an Bord, und zwar 1800. Diese waren die unglücklichen Opfer einer Wachmannschaft von Exilpolen, die später als „gewöhnliche Kriminelle in Soldatenuniform" bezeichnet wurden. Als *U-156* neben dem sinkenden Dampfer auftauchte, hörte der Kommandant Hartenstein aus dem Wasser ringsum die Schreie der Überlebenden. Er wußte nicht, daß es ziemlich wenige waren: Über 1200 Italiener waren schon wie Ratten ertrunken, weil ihre polnischen Bewacher sich nicht die Zeit genommen hatten, ihnen die Türen der Räume, in denen sie tief unter Deck eingeschlossen waren, zu öffnen. Als die näheren Umstände der Versenkung dem britischen Oberkommando bekannt wurden, schickte Churchill dem Ersten Seelord eine Botschaft: „Die Berichte der 650 Überlebenden von der *Laconia* und einem anderen Schiff zeigen, daß eine große Tragödie stattgefunden hat ..."

Aber noch tragischer waren die weiteren Folgen dieser Versenkung. Die alliierte Luftüberwachung nahm sofort die Jagd nach dem deutschen U-Boot auf. Schließlich entdeckte es ein amerikanischer B-24 Liberator, während es aufgetaucht war und den Überlebenden in die Boote half. Der Pilot des Bombers, Lieutenant James H. Harden, sah sich vor ein moralisches Dilemma gestellt, das durch den Umstand nicht erleichtert wurde, daß er sich weit draußen auf dem Atlantik befand und nicht mehr viel Treibstoff hatte. Er fragte per Funk bei dem amerikanischen Luftwaffenstützpunkt Wideawake auf Ascension an, was er tun solle. Es gab eine lange Pause, in der Wideawake in Washington anfragte, aber schließlich bekam Harden den Befehl: „U-Boot versenken." Der Bomber, der inzwischen kaum mehr genug Treibstoff für die Rückkehr zur Basis hatte, unternahm den Angriff auf das nun nicht leicht zu verfehlende Ziel. Harden glaubte *U-156* versenkt zu haben, aber das Boot kam davon, und der Vorfall wurde bekannt.

Daß die Alliierten die Überlebenden von ihren eigenen Schiffen ebenso wie das hilfeleistende U-Boot bombardierten, provozierte Dönitz zu seinem berüchtigten „Triton null"-Befehl:

> 1. Jegliche Rettungsversuche von Angehörigen versenkter Schiffe, also auch Auffischen von Schwimmenden und Anbordgabe auf Rettungsboote, Aufrichten gekenterter Rettungsboote, Abgabe von Nahrungsmitteln und Wasser haben zu unterbleiben, Rettung widerspricht den primitivsten Forderungen der Kriegführung nach Vernichtung feindlicher Schiffe und Besatzungen.
>
> 2. Wem dies hart erscheint, der soll daran denken, daß der Gegner bei seinen Bombenangriffen auf deutsche Städte auf Frauen und Kinder keine Rücksicht nimmt ...

„Es war ein grimmiger Entschluß“, bemerkt Giulio Raiola; „aber inzwischen hatte auch Betasom schon ähnliche Befehle ausgegeben, und im allgemeinen verhielten sich die Alliierten in dieser Phase des Krieges genauso.“ All dies hinderte die Mannschaften beider Seiten nicht, den Erlaß zu bedauern. Bei Betasom jedenfalls war er äußerst unpopulär, und einzelne Kommandanten haben ihn bei vielen Gelegenheiten mißachtet.

Die traurige Geschichte der *Laconia* und deren weitere Folgen für den U-Bootkrieg hatten, wie wir gleich sehen werden, unmittelbaren Einfluß auf die Versenkung der *Aurelia* durch *Michelangelo.* Unterdessen traf der immanente Wille die ersten Vorkehrungen um dafür zu sorgen, daß die Bahnen dieser beiden Schiffe sich kreuzten. Im September 1942 wurde das Kommando über das tüchtige und schon oft erfolgreiche Boot *Michelangelo* dem eben aufkommenden Star unter den jungen italienischen U-Bootführern, Gianfranco Gazzana, übertragen. Es war eine starke Besetzung, und am 6. Oktober trat Gazzana die erste von zwei Fahrten an, mit denen er seinen Namen in den Geschichtsbüchern als erfolgreichster italienischer U-Bootkommandant aller Zeiten verewigte. Im Nordatlantik sollten die Schlachten zwischen den Konvois und den deutschen Rudeln in den nächsten Monaten den Höhepunkt erreichen. Nirgendwo auf den Routen zwischen Kanada und Irland waren noch alliierte Handelsschiffe ohne bewaffneten Geleitschutz zu finden, und gewöhnlich fuhren alle Schiffe in stark gesicherten Konvois. Anderswo aber hatten einzelne, nach Freibeuterart jagende U-Boote eine Chance. Auf den Routen um das Kap und die afrikanischen Südküsten gab es noch immer ungeschützte Handelsschiffe, die sich in der Hauptsache darauf verlassen mußten, daß sie schnell genug waren, einem Angriff zu entkommen. Die Alliierten hatten für ihren Schutz einfach keine Seestreitkräfte mehr übrig. Alle verfügbaren Kriegsschiffe waren entweder im Nordatlantik beschäftigt oder hatten anderswo wichtige Aufgaben zu erfüllen, z. B. bei den Vorbereitungen zur Operation Torch, den Truppenlandungen in

Nordafrika, die im November 1942 begannen. Darum wurden etliche deutsche und italienische U-Boote zu den südamerikanischen Küsten, in die Region vor Kapstadt und in den Indischen Ozean geschickt, um dort zu holen, was es noch zu holen gab. Von September bis zum Ende des Jahres versenkten allein die deutschen Boote in den Gewässern um Südafrika sechzig Schiffe mit insgesamt über 400 000 BRT.

Auf der ersten Fahrt unter Gazzana wurde auch *Michelangelo* zu den Routen westlich von Afrika beordert, um zu sehen, was dort zu finden war. Mit ihm zusammen fuhr *Tazzoli,* unter dem Befehl von G. N. Battisti, bei dem Gazzana seine Ausbildung erhalten hatte. *Michelangelo* versenkte den 7000-Tonner *Empire Zeal,* und Battisti, in offenem Verstoß gegen die Befehle seines Oberkommandos, rettete den Kapitän und den Funker des Schiffes. Beide übergab er Gazzana, der ihnen gegen ehrenwörtliche Zusage des Wohlverhaltens gestattete, sich an Bord des *Michelangelo* frei zu bewegen. Die Alternative wäre gewesen, sie beide in der winzigen Offizierstoilette einzusperren; darum gingen der Kapitän McPherson und sein Funker auf die Abmachung bereitwillig ein. Während der Funker jede Aussage verweigerte, sprach McPherson, ein älterer und besonnenerer Mann, mit Gazzana und sagte ihm, daß er ohne Ladung auf dem Weg von Durban nach Trinidad gewesen war. Er gab auch zu, daß in diesem Gebiet oft einzeln fahrende Schiffe anzutreffen waren, was der Italiener aber schon wußte. Kurz darauf versenkte *Michelangelo* noch ein Frachtschiff, die *Andreas,* und fünf weitere Überlebende wurden gerettet. Dann kehrte das Boot nach Bordeaux zurück, wo Kapitän McPherson sich persönlich bei Gazzana für sein nobles Verhalten bedankte und versprach, in einem amtlichen Schreiben an die britische Regierung über die humane Behandlung, die sie erfahren hatten, zu berichten. Gazzana erwiderte das Kompliment, indem er sich bei den Gefangenen für ihr redliches Verhalten bedankte.

Man sieht, wie die meisten U-Bootkommandanten war Gazzana Individualist, keiner, der sich streng an die Vorschriften seiner Oberen gebunden fühlte, wie man sich auf See zu verhalten habe. Offensichtlich war er ein tapferer und dabei menschenfreundlicher Offizier, soweit sich das mit seiner Rolle als Befehlshaber in einem Krieg vereinbaren ließ, der politisch kaum nach seinem Geschmack und wohl auch schon so gut wie verloren war. Dies muß im Hinblick auf die Anschuldigungen gesagt werden, die gegen ihn erhoben wurden, nachdem er auf seiner nächsten Fahrt die *Aurelia* versenkt hatte.

Diese, seine zweite und letzte Fahrt mit dem *Michelangelo*, begann am 20. Februar 1943, als er von Bordeaux auslief mit dem Auftrag, die *guerra corsara* vor die argentinische Küste zu tragen, einzeln fahrende feindliche Schiffe anzugreifen und alle etwa gesichteten Geleitzüge zu melden. *Michelangelo* hatte Vorräte für drei Monate und Aussichten auf Nachversorgung im Einsatzgebiet. Die Funkmeldungen zwischen Boot und Stützpunkt zeigen, daß es für Gazzana an den ersten Anmarschtagen, auf einer Route, die er schon oft befahren hatte, keine Probleme gab. Dann, am 26. Februar, ordnete Betasom plötzlich einen Kurswechsel an, von der allgemeinen Richtung Südamerika zu den südafrikanischen Küsten hin.

Diese überraschenden neuen Befehle sahen ein Treffen mit dem *Finzi* vor, das Bordeaux neun Tage vor *Michelangelo* verlassen hatte; dabei sollte Gazzana genug Treibstoff und Vorräte für eine Fahrt ums Kap und in den Indischen Ozean aufnehmen. Am 3. März gab Betasom die genaue Position für das Treffen der beiden Boote durch, und wir verlassen Gazzana einstweilen, während er diesem Treffpunkt zustrebt, einem Punkt ungefähr 550 Seemeilen ostnordöstlich von St. Helena, abgelegen genug, um vor der Luftüberwachung der Alliierten einigermaßen sicher zu sein.

Unterdessen nahm die *Aurelia* in Durban eine gemischte Ladung an Bord: Menschen, „militärisches Gepäck", 800 Tonnen kostbaren, weil streng rationierten Zucker und, natürlich, eine unbestimmte Anzahl Tonnen Gold. Wie Andreas

Recherchen gezeigt hatten, waren solche Goldtransporte aus dem Empire zur Auffüllung der britischen Kriegskasse gang und gäbe, und soweit sich das heute feststellen läßt, entgingen sie recht zuverlässig allen feindlichen Nachstellungen, weil sie unter strikter Geheimhaltung und meistens von den schnellsten Kriegsschiffen durchgeführt wurden. Stand, wie in diesem Falle, kein Kriegsschiff zur Verfügung, so war ein schneller Passagierdampfer eine gute Alternative. Die *Aurelia* war nach den Maßstäben ihrer Zeit mäßig schnell. 1922 erbaut, hatte sie 21 517 Bruttoregistertonnen und konnte eine Reisegeschwindigkeit von 20 Knoten durchhalten. Wie auf allen für militärische Zwecke dienstverpflichteten Handelsschiffen waren hier und da auf den Decks einige leichte Geschütze aufgebaut worden, bemannt mit dreizehn Flugzeugabwehr-Kanonieren. Davon abgesehen war die *Aurelia* im wesentlichen ein unbewaffnetes Passagierschiff mit ziviler Mannschaft. Trotzdem, durchs Periskop eines feindlichen U-Boots gesehen war sie jagdbares Wild, denn was sie auch befördern mochte, hatte sicherlich in irgendeiner Weise mit den alliierten Kriegsanstrengungen zu tun. Und so war es tatsächlich.

Wir zitieren am besten Jock Walkers Zeugnis für das Vorhandensein einer Goldladung, so wie es in seinen unveröffentlichten Memoiren steht. Er muß Mike Anderson etwa die gleiche Geschichte erzählt haben, mit der die Möglichkeit einer Bergung überhaupt erst eröffnet wurde:

> Nach der Rückkehr aufs Schiff hatte ich eben erst meine Einkäufe in der Kommode unter meiner Koje verstaut, als Jack Clarke, der Erste Offizier aus Vancouver, zu mir in die Kabine kam. Er machte die Tür zu und sagte ganz leise: „Nach dem Essen heute abend kommt eine spezielle Sache, um die du dich kümmern sollst, Jock." Dann erklärte er mir, um Punkt acht würden zwei Fahrzeuge ankommen, mit einer bewaffneten Eskorte von südafrikanischen Soldaten. In den Fahrzeugen wären etwa fünfzig Kisten Goldbarren, und ich müßte dafür sorgen, daß sie an einem sicheren Platz gut verstaut und eingeschlossen würden. Um acht Uhr stand ich bereit, und

ein Trupp schwarzer Hafenarbeiter brachte die Kisten an Bord, immer zwei Mann mit einer Kiste. Kurz nach neun war die Sache erledigt, und ich brachte Jack Clarke die beiden schweren Schlüssel der Stahlkammer und meldete, daß alles in Sicherheit sei und die Soldaten und Hafenarbeiter wieder an Land gegangen seien. Dann wünschte ich dem Gold und der Bank von England viel Glück und schlug mir die ganze Sache gleich aus dem Kopf, bis viel, viel später.

Dies ist der einzige bekannte Hinweis auf eine Goldsendung an Bord der *Aurelia.* Nicht einmal der Kapitän George Goold erwähnte sie in dem sehr ausführlichen amtlichen Bericht, den er fast einen Monat nach dem Untergang seines Schiffes schrieb. Wir müssen annehmen, daß er absichtlich nicht davon sprach, gemäß den strengen Geheimhaltungsvorschriften; daß er von der Sendung, wenn sie an Bord war, nichts gewußt haben sollte, ist kaum denkbar. Im nachhinein läßt dies den Ton seines Berichts sonderbar, ein wenig gekünstelt erscheinen, und dasselbe gilt für ein zeitgenössisches Schriftstück aus der britischen Admiralität, in dem darüber spekuliert wird, ob die Versenkung möglicherweise Anzeichen für eine undichte Stelle in den Sicherheitsvorkehrungen sei. Wie allgemein bekannt, wurden die größeren Häfen beiderseits des Atlantiks von Spionen der Achsenmächte beobachtet. Obwohl das Gold nach Einbruch der Dunkelheit verladen wurde, ist es sehr wohl möglich, daß jemand mit einem guten Fernglas verfolgt haben könnte, wie die beiden Lastwagen unter den Bogenlampen auf dem Kai eine Sonderlieferung brachten. Ohnehin war das Ein- und Auslaufen alliierter Schiffe immer eine Nachricht wert, denn jedes war ein mögliches Angriffsziel, egal was es geladen hatte.

Jedenfalls befanden sich auf der *Aurelia,* als sie Durban verließ, 318 Seeleute (die meisten Kanadier), 13 Kanoniere und 31 Marinesoldaten sowie 1530 Passagiere. Unter diesen letzteren waren 500 kriegsgefangene Italiener, 484 britische Staatsbürger, 313 Polen, 194 Griechen, 29 freie Franzosen, 3 Niederländer, 2 Norweger, 1 Südafrikaner und 1 Jugoslawe. Außerdem gab es zwei blinde Passagiere, beide Briten. Das

Schiff fuhr am 3. März ab – zufällig am gleichen Tag, an dem Gazzana den Funkspruch von Betasom empfing, der *Michelangelo* zu dem Punkt mitten im Atlantik umdirigierte, wo das Boot sich am 18. mit *Finzi* treffen sollte. Gazzana befand sich nun auf den Schiffahrtswegen, die sich in letzter Zeit für die deutschen U-Boote als so fruchtbar erwiesen hatten, und spähte darum scharf nach Opfern aus, die ja nicht weit sein konnten. Kapitän Goold verfolgte seinen Kurs mit einer Reihe von Zickzackwendungen, das normale Verfahren zur Vorbeugung gegen U-Bootangriffe. Am 11. März erhielt auch er einen Funkspruch mit der Aufforderung zu einer Kursänderung. Er sollte Takoradi ansteuern (einen Hafen an der damaligen Goldküste, heute Ghana). Das war alles, was noch gefehlt hatte, um zu bewirken, daß die Bahnen von *Aurelia* und *Michelangelo* sich kreuzten. Zwei Tage später war es soweit.

Kurz vor Mitternacht am 13./14. März traf ein Torpedo den Heizraum Nr. 4 auf der Steuerbordseite der *Aurelia.* Es gab „eine dumpfe, schwere Explosion, aber an Deck war wenig Wirkung zu spüren, keine Wasserfontäne und kein Aufblitzen", heißt es in Kapitän Goolds amtlichem Bericht. Alle Maschinen setzten sofort aus, alle Lichter erloschen, und ohne Strom funktionierte die Ruderanlage nicht mehr. Der Funker gab sofort ein SOS-Signal, „und obwohl wir keine Antwort erhielten, erfuhr ich später, daß es von allen in der Nachbarschaft aufgefangen wurde". Goold gab Befehl zum Verlassen des Schiffs. „Die Marinesoldaten kümmerten sich um die italienischen Gefangenen, halfen ihnen über die Kletternetze ins Wasser hinunter. Wir hatte 499 italienische Kriegsgefangene und einen italienischen Arzt, der sie betreute. Sie benahmen sich sehr gut, gerieten überhaupt nicht in Panik, aber der Gedanke, sich ins Wasser zu begeben, gefiel ihnen gar nicht, und sie ließen sich dabei viel Zeit; ich versprach ihnen, sie so bald wie möglich in die Boote und Flöße aufzusammeln. Wir hatten alle die Schwimmwesten an, auch alle Passagiere, aber nur die Mannschaft hatte die roten Schwimmwestenlichter."

Etwa eine Stunde nach dem ersten schlug ein zweiter Torpedo in einen Öltank direkt unter der Schiffsbrücke ein, ebenfalls auf der Steuerbordseite.

Das Schiff legte sich weiter stark nach Steuerbord über, zunehmend bis zu 40°... Um 1.00 h war ich soweit, daß ich mich vom Schiff ins Wasser begeben konnte, in Begleitung des Ersten Offiziers J. S. Clarke und des Ersten Ingenieurs Mr. Cowper. Wir drei waren die letzten. Das Schiff richtete sich dann langsam auf, ging mit dem Bug vertikal in die Höhe und sank mit dem Heck voran um 01.15 h glatt unter, etwa 5 min., nachdem wir Abstand gewonnen hatten. Ich schwamm etwa zwei Stunden lang herum, die Polen und Griechen machten keine Anstalten, mir in ein Boot zu helfen, darum schwamm ich weg, bis mich etwas später ein junger Marineleutnant anrief, O'Brian, der ein zum Teil mit Wasser vollgelaufenes Boot gefunden hatte... Er schaffte es, mich hineinzuziehen, obwohl er fast ebenso erschöpft war wie ich, denn wir hatten beide eine ganze Menge Öl geschluckt. In geringer Entfernung sichteten wir ein gekentertes Boot, an dem sich zwei Männer festhielten. Wir riefen zu ihnen hinüber, und sie kamen geschwommen, um uns zu helfen. Diese beiden, Unteroffizier Hunter und ein anderer Offizier, Mr. Walter, waren jung und kräftig, und zusammen schöpften sie das Wasser aus dem Boot...

Dann kam Cdr. Begg mit einem Carley-Floß daher... In seinem Trupp waren die meisten italienische Kriegsgefangene. Es wurde allmählich hell... Alle meine Deck-Offiziere bis auf einen, der die Aufsicht in einem Boot hatte, gingen erst im letzten Moment von Bord und schwammen 12 Stunden lang herum, bevor sie gerettet wurden, und so erging es auch den meisten Marinesoldaten, die so lange wie möglich an Bord geblieben waren, um sich um die italienischen Gefangenen zu kümmern. Viele wurden von Haien gebissen. Ich selbst wurde in den 2 Stunden, als ich herumschwamm, nicht gebissen, aber ich war auch mit dem Öl verschmiert, und das hielt sie wohl ab, denn sie mögen den Geschmack nicht. Mehrere Leute litten an Barrakudabissen. Ich glaube, schlimmer sind die Haie, aber die Barrakudas sind unangenehmer, weil sie langsam beißen...

Wir hatten die roten Segel gesetzt und das gelbe Quadrat an den Mastspitzen aller Rettungsboote, und am Nachmittag des 14. kam ein Catalina-Flugboot vorüber, sah uns und signalisierte, daß Hilfe unterwegs sei. Das war das erste von drei Catalinas von einer Staffel, die in Sierra Leone stationiert ist und auf den SOS-Ruf der *Aurelia* hin Langstrecken-Rettungspatrouillen ausgeschickt hatte. Alle schienen zu erwarten, daß nun gleich Zerstörer kommen würden, aber ich warnte sie, das könnte noch eine Weile dauern. Aber gegen Abend des 15. kamen dann ein Zerstörer, HMSS *Boreas,* und zwei Korvetten, *Petunia* und *Crocus*...

Diese nahmen Überlebende an Bord, und am Morgen des 16. kam noch der bewaffnete Handelskreuzer *Corinthian* hinzu und beteiligte sich an der Suche. Die *Corinthian* verließ die Unglücksstätte am 17. und gelangte als letztes der Schiffe nach Freetown.

An Bord wurden alle bestens versorgt, trotz der Überfüllung. Ich weiß nicht, wie die zwei kleinen Korvetten *Petunia* und *Crocus* mit uns allen fertigwurden; es war großartig, und sie haben ihre Sache wirklich gut gemacht...

Unter unseren Marinesoldaten hatten wir schwere Verluste, hauptsächlich weil die Männer bis zuletzt dablieben, um den italienischen Gefangenen wegkommen zu helfen; außerdem halfen sie meiner Mannschaft, so gut sie irgend konnten. Die Italiener verloren nicht den Kopf, sie benahmen sich eher wie Schafe und waren sehr langsam. Am schlimmsten war die Panik leider unter den Griechen – etwa 200 Soldaten und 20 Offiziere – und den Polen. Es ist bezeichnend, daß alle griechischen und die meisten polnischen Offiziere gerettet wurden, während wir unter unseren Marine-Offizieren schwere Verluste hatten. Unsere Marinesoldaten kann ich nicht genug loben, sie waren die ganze Zeit über hervorragend.

Ich erfuhr später, daß das U-Boot neben unserem Rettungsboot Nr. 2 aufgetaucht ist, während ich herumschwamm. Dieses Boot stand unter Befehl von Lt. Cdr. Davis, der in Freetown im Lazarett liegt. Das U-Boot rief unser Boot auf englisch an und verlangte, daß ein Offizier zu ihnen an Bord käme. Der italienische Militärarzt, der die Gefangenen betreut hatte, antwortete sofort auf italienisch; das U-Boot kam längsseits, und der Arzt sprang an Bord; dann setzte das U-Boot sich ab und tauchte. Eine Anzahl Polinnen riefen laut *via Italia!,* als das U-Boot auftauchte, und machten sich sehr unbeliebt bei den Engländerinnen im selben Boot, die dann mit den Polinnen nichts mehr zu tun haben wollten.

Ein anderer, anonymer Bericht fügt zu den Angaben über den zweiten Torpedo etwas hinzu: „Das U-Boot kam bis auf drei Kabellängen heran und untersuchte das Schiff mit dem Scheinwerfer; dann wurde etwa um 00.30 h ein zweiter Torpedo in das sinkende Schiff hineingefeuert. Er explodierte nah an der Wasserlinie, direkt unter der Navigationsbrücke, und tötete viele, die im Begriff waren, das Schiff zu verlassen... Der zweite Torpedo war eine mörderische Handlung, denn der Kommandant des feindlichen U-Boots hatte sich mit dem Scheinwerfer davon überzeugen können, daß die *Aurelia* kein Kriegsschiff war, daß sie vollkommen manövrierunfähig war und rasch sank."

Der merkwürdige Vorfall, daß *Michelangelo* aufgetaucht war und von den 500 durch es zu Schiffbrüchigen gewordenen Italienern gerade diesen einen an Bord nahm, gab naturgemäß Anlaß zu Spekulationen, daß die ganze Geschichte vielleicht doch vorher abgekartet gewesen sein könnte. (Weil Schatzsucher ebenfalls zu Verschwörungstheorien neigen, dachte man auch bei Orca über diese Möglichkeit nach, denn wenn dies zuträfe, spräche es dafür, daß der Goldtransport vielleicht doch kein so dichtes Geheimnis war.) Vielleicht war der „Arzt" in Wirklichkeit ein Spion oder aber ein hochrangiger und wichtiger Offizier gewesen, dessen wahre Identität geheimgehalten wurde? Zur Zeit der *Keldysch*-Expedition war das alles, was wir über diesen mysteriösen Herrn Doktor wußten. Erst viel später, als ich in Italien Giulio Raiolas Buch aufgetrieben und gelesen hatte, erfuhr Orca, daß die Identität des Mannes nicht nur bekannt war, sondern daß er auch in den 70er Jahren noch am Leben gewesen war.

Er hieß Vittorio Del Vecchio und war als junger Arzt im Leutnantsrang von den Engländern in Nordafrika gefangengenommen worden. Teils wegen seines sympathischen Wesens, teils wegen seiner medizinischen Qualifikation hatte man ihm an Bord der *Aurelia* viel Freiheit gelassen; mit den britischen Offizieren hatte er nach Belieben Umgang gehabt. Als Raiola ihn 1972 befragte, war Del Vecchio ein hochangesehener Mann, Professor der Medizin und Subrektor der Universität Rom. Er schilderte lebhaft, was vor nahezu dreißig Jahren geschehen war. Wie er an Bord des *Michelangelo* kam, hört sich in seinem Bericht bei weitem nicht so suspekt an wie in dem des Kapitäns Goold. Gazzana habe ihn eigentlich nur sehr ungern aufgenommen, erzählte Del Vecchio. Gazzana sei aufgetaucht, um das zu Tode getroffene Schiff zu identifizieren, und als ihm dessen Größe klar wurde, habe er den zweiten Torpedo abschießen lassen, um ganz sicherzugehen, daß es sank. Demnach war dies also nicht die sinnlose Mordtat, die der anonyme Verfasser des einen britischen Berichts darin sah. Die Tatsache, daß die *Aurelia* kein Kriegsschiff war, änderte nichts daran, daß sie ein großes, wertvolles Schiff war, höchstwahrscheinlich mit einer großen, wertvollen Fracht; und als solches mußte sie versenkt und nicht nur beschädigt werden. Jedenfalls, als Del Vecchio zum *Michelangelo* hinüberrief, um auf sich aufmerksam zu machen, war Gazzana alles andere als begeistert. Sicherlich bemerkte der junge Kommandant mit Entsetzen, daß so viele von seinen eigenen Landsleuten auf dem Schiff gewesen waren, und es widerstrebte ihm nun, irgendeinen herauszugreifen und zu retten. Vermutlich hatte er auch den Notruf der *Aurelia* gehört und hatte es daher eilig, zu verschwinden. Mürrisch warf man Del Vecchio ein Tauende zu und zog ihn an Bord, als das U-Boot schon zu tauchen begann.

Gleich darauf gab Gazzana eine verschlüsselte Funkmeldung über seinen Erfolg an Betasom durch, mit der Versenkungsstelle. (Pech für Orca, daß sich später herausstellte, daß diese Daten zur Vereinfachung der Übermittlung „rationalisiert". d.h. auf ganze Zahlen abgerundet waren.) Fast über Nacht wurde Gazzana zum Nationalhelden, berühmt in allen Ländern der Achse. Die *Aurelia,* so erwies sich, war das größte jemals von einem italienischen U-Boot versenkte Schiff, ein Rekord, der heute noch Bestand hat. Überall meldeten die Zeitungen in Schlagzeilen ihren Untergang – überall, nur nicht in der britischen oder von den Alliierten gelenkten Presse, wo die Nachricht erst über ein Jahr später erscheinen durfte.

Gazzanas letzte Fahrt hatte also mit einem sensationellen Erfolg begonnen. *Michelangelo* fuhr weiter zum verabredeten Treffen mit *Finzi* am 18. März, das sich jedoch verzögerte, weil *Finzi* am Nachmittag dieses Tages einem britischen Frachter begegnete und ihn angriff, der 7600 BRT schweren *Lulworth Hill,* die es beschädigte, aber nicht versenkte. *Michelangelo* übernahm das Weitere und gab der *Lulworth Hill* am nächsten Tag den Rest. Wieder nahm das U-Boot einen Überlebenden an Bord, einen Kanonier der Royal Navy namens James Leslie Hull. Dann kehrte Gazzana zu *Finzi* zurück, um 90 Tonnen Dieselöl und andere Vorräte zu übernehmen, darunter auch Lebensmittel für zwanzig Tage. Dafür gab er seine beiden Passagiere ab, Del Vecchio und Hull, die zu diesem Zeitpunkt noch nicht wissen konnten, was für ein Glück sie hatten. *Finzi,* nun knapp an Treibstoff, fuhr mit ihnen an Bord zurück nach Bordeaux, während *Michelangelo* auf Kurs nach Süden und ums Kap ging.

Dort versenkte Gazzana in den vierzehn Tagen vom 11. bis 25. April weitere fünf Schiffe der Alliierten. Seine persönliche Erfolgsbilanz auf dem *Michelangelo* kam damit auf fast 59 000 Tonnen; und das Boot als solches hatte unter drei aufeinander folgenden Kommandanten eine Rekordmenge von 116 686 Tonnen versenkt. In Italien waren Gazzana und seine Mannschaft bald in aller Munde. Betasom verbreitete die Nachrichten von den Ruhmestaten des *Michelangelo* und teilte Gazzana per Funk seine Beförderung zum Korvettenkapitän mit, wobei noch niemand wissen konnte, daß die Männer keinen Monat mehr Zeit hatten, sich ihrer Siege zu erfreuen. Am 22. Mai waren sie auf dem Rückmarsch vor der spanischen Küste, näherten sich der Biskaya und funkten an Betasom, daß sie am 29. in Bordeaux anlegen würden. Und das war das letzte, was man von *Michelangelo* hörte. Wie im Falle des *I-52* wurde die Funkstille immer länger und länger, bis die unausweichliche Folgerung gezogen werden mußte.

Gazzana und seine tapfere Mannschaft konnten zu dem triumphalen Empfang, den man ihnen bereiten wollte, nicht mehr erscheinen.

Erst nach dem Krieg erfuhren die Italiener, welches Ende ihr ruhmreiches U-Boot gefunden hatte. Am Vormittag des 23. Mai 1943 befand sich die britische Fregatte *Ness* auf Geleitschutzfahrt etwa 200 Seemeilen westlich von Vigo. Das Wetter war schlecht, mit schnell wechselnder Sicht. Bei einem kurzen Aufklaren bemerkte ein Ausguckposten ein aufgetaucht fahrendes U-Boot an Steuerbord. Die *Ness* und die HMS *Active* scherten aus dem Geleitzug aus, um Kontakt aufzunehmen; das U-Boot tauchte weg, sobald es die Annäherung bemerkte. Mit ihrem „Hedgehog" warf die *Ness* einen Teppich von Wasserbomben ab, die auf Explosion in großer Tiefe, bei 600 Fuß, eingestellt waren. Ihr Kapitän, T. C. P. Crick, berichtete später, unter den Detonationen seien zwei so stark gewesen, daß sie Treffer gewesen sein mußten. Er schickte die *Active* zum Geleitzug zurück, während er selbst wartete, ob Wrackteile auftauchten, die eine Identifizierung des getroffenen Zieles erlaubten. Nach einer ganzen Weile (das Boot war offenbar in beträchtlicher Tiefe aufgerissen worden) kam einiges in Sicht und wurde geborgen: vier italienische Kaffeedosen, Rettungsgürtel, Holzstücke mit unverrosteten Nägeln darin und ein paar menschliche Lungen. Crick meldete ordnungsgemäß die Vernichtung eines feindlichen – wahrscheinlich italienischen – U-Boots, konnte es aber nicht identifizieren. Doch es mußte *Michelangelo* gewesen sein. Nicht nur weil die Position genau auf dem von ihm angegebenen Kurs lag, sondern auch weil kein anderes italienisches oder deutsches Boot in dieser Gegend am gleichen Tag angegriffen wurde.

Die *Aurelia* und die anderen von *Michelangelo* versenkten Schiffe waren gerächt. Eine seltsame Fußnote kam über dreißig Jahre später hinzu, als Kapitän Crick von der *Ness* erfuhr, daß sein Bruder unter den Überlebenden der *Aurelia* gewesen war. Bis dahin hatten die Brüder einer vom andern nicht gewußt, daß sie an zwei Geschichten beteiligt waren, die durch *Michelangelo* und seine fatale letzte Fahrt miteinander zusammenhingen.

Der Verlust des *Michelangelo* war ein schwerer Schlag, für Italien und für die Moral bei Betasom. Und ein halbes Jahrhundert später, aus schnöd materiellen Gründen, war er auch ziemlich nachteilig für Orca. Wäre das Boot davongekommen, hätte sein Logbuch vielleicht eine andere und genauere Position für die Versenkung der *Aurelia* ergeben. Es hätte auch Kapitän Goolds Angaben dazu bestätigen können, an genau welchen Stellen Gazzanas zwei Torpedos in sein Schiff eingeschlagen waren. Dies wäre für Orca von großer Bedeutung gewesen, denn von Jock Walker hatte man genau erfahren, wo sich das Gold im Schiff befunden haben sollte. Hätte gerade dieser Lagerraum einen direkten Torpedotreffer abbekommen, so könnte man kaum erwarten, auch nur noch einen einzigen Goldbarren dort zu finden. Außerdem hätte die genaue Kenntnis der Schadenstellen Aufschluß über die Art der drei Meilen langen Sinkfahrt und in gewissem Maße auch über die wahrscheinliche Lage des Schiffes auf dem Grund geben können (Nichtvorhandensein abrupter geologischer Formen wie Spalten oder Schluchten vorausgesetzt). Davon wiederum hinge ab, wie groß oder gering die Chancen wären, sich mit Schneidegeräten den Weg durch den Rumpf bis in den Lagerraum zu bahnen. Läge das Schiff auf der falschen Seite, wäre das Gold unerreichbar – so einfach war das!

Spätere Nachforschungen erbrachten eine weitere Delikatesse, an der Orca zu knabbern hatte. Ein paar Jahre nach Kriegsende war einer der jüngsten britischen Überlebenden von der *Aurelia,* inzwischen Offizier der Royal Navy, im besetzten Deutschland stationiert, wo er einen ehemaligen Offizier der deutschen Kriegsmarine kennenlernte. Als der Deutsche begriff, daß er es mit einem Überlebenden von der *Aurelia* zu tun hatte, bemerkte er, deren Versenkung sei doch ein schöner Triumph gewesen. Gereizt erwiderte der junge Engländer, das gelte wohl nur für die Italiener, aber nicht für die Deutschen. „Im Gegenteil“, soll der Deutsche geantwortet haben, „das werden Sie nie erfahren, wie wir da mitgemischt haben und wie das eingefädelt wurde, daß *Michelangelo* und *Aurelia* sich trafen.“ Als Raiola in den 70er Jahren pensionierte Offiziere der britischen Admiralität interviewte, fand er für diese Geschichte keine Bestätigung. Er vermutete aber, daß nicht alle, mit denen er sprach, ihm alles sagten, was sie wußten, auch dreißig Jahre nach dem Geschehen noch nicht.

War also die Versenkung der *Aurelia* nach einem Plan erfolgt? Oder war sie Ergebnis des zufälligen Zusammentreffens, wie es den Anschein hatte? Und, wenn planmäßig, bestand ein Zusammenhang mit der Goldladung – was deren Vorhandensein bestätigen würde? Diese Fragen sind noch immer offen. Wahrscheinlich werden sie nie beantwortet, es sei denn, eines Tages wird vielleicht ein Dokument freigegeben, das neues Licht in die Angelegenheit bringt. Auf der *Keldysch* wußten wir von dieser irritierenden Geschichte noch nichts; trotzdem hatten wir auch da schon darüber spekulieren können, ob Dr. Del Vecchio vielleicht ein „Maulwurf“ des italienischen Geheimdienstes gewesen sein und ein selbstmörderisches Risiko in Kauf genommen haben könnte, um dem *Michelangelo* irgendwie behilflich zu sein. Allmählich sah das Ganze nach einer der üblichen verschachtelten Verschwörungsgeschichten aus, die sich um versunkene Goldbarren zu sammeln scheinen wie die Fliegen über dem Aas.

Vor allem aber konnte ich das Gefühl nicht loswerden, etwas Unanständiges mitzuerleben. Die Angst der Menschen, die Öl ausspeiend und von Haien und Barrakudas verfolgt im pechschwarzen Ozean schwammen; die zusammengepferchte Gemeinschaft junger Männer, die, vom Schicksal zu Feinden gestempelt, in ihrem U-Boot an den Seewegen lauerten; die Wasserbomben, die von den Wurfvorrichtungen der *Ness* zu ihnen herabsanken: es war schwer, sich dies alles aus dem Kopf zu schlagen, und schwer auch, die 392 Menschen zu vergessen, die in der *Aurelia* umkamen. Es waren Nachklänge eines weit in die Vergangenheit entrückten Krieges, die einem dennoch scharf ins Ohr drangen, weil man selbst noch in diesem Krieg geboren war, weil man in seiner Jugend Erzählungen genau solcher Männer wie Goold, Crick oder Gazzana gehört hatte, mit dem Unterschied nur, daß sie noch lebten und man sie nun als Lehrer vor sich sah oder als Väter seiner Freunde. Auch in den Filmen der unmittelbaren Nachkriegszeit klang dies noch an, in ihrer schwarzweißen Kahlheit, in Bildern von angespannten alt-jungen Gesichtern in gejagten U-Booten, wo sie die Teppiche der explodierenden Wasserbomben immer näher herankommen hören, die lähmende Melancholie der aus den leeren Weiten der See widerhallenden Sonartöne. Wenn man sich noch die feierliche Rhetorik jener Zeit mit ihren gespenstischen Phrasen wie der von der „Aufopferung des eigenen Lebens" hinzudachte, so erschien es nicht so sehr unmoralisch als vielmehr schlicht *ungehörig,* von diesen Dingen alles beiseite zu werfen, was für eine simple Schatzsuche nicht erforderlich ist. Um diese Ungehörigkeit nicht zu sehen, mußte man wohl viel jünger und auch weniger mit Erinnerungen belastet sein. Und auch dann blieb noch eine Frage des Anstands. Es kommt mir wie eine versteckte Kränkung vor, daß Neulinge sich daranmachen, in der Asche eines Krieges zu wühlen, in dem Millionen gekämpft und überlebt (aber trotzdem alles verloren) haben, die heute noch unter uns sind. *Pecunia non olet,* Geld stinkt nicht. Vielleicht. Wenn es aber nicht stinkt, warum gehört dann die Geldwäscherei zu den größten Wachstumsindustrien des zwanzigsten Jahrhunderts? Wir werfen unser Gewissen über Bord und finden es unversehens wieder in drei Meilen Tiefe. Wenn sie auf der zweiten Etappe der Fahrt die *Marlin* nun finden, so werden sie zweifellos tun, was sich gehört, und eine kurze, gottlose Gedenkfeier abhalten. Aber was sie dann über Bord werfen, wird kein Kranz sein, sondern ein Gebinde aus Feigenblättern vor den auf ein handliches Format geschrumpften Erinnerungen.

Dreiundzwanzig

28.2.95

Diesiger Glast, scharfer Wind bläst gelben Saharastaub in die Atmosphäre, Schaumkronen ringsum. Wir fahren südlich an den Kapverdischen Inseln vorüber, bekommen sie aber nicht zu Gesicht. Steuerbords in Lee bäumen sich die Wellenkämme zu Fontänen auf, und die Sonne lehnt für Augenblicke regenbogenfarbene Strebepfeiler gegen die Seite des Schiffs.

Ich bin schließlich doch zu manchen Besprechungen über die Suchzone für *Marlin* gegangen, muß aber gestehen, ich bin nicht recht bei der Sache. Teils weil ich selbst nicht mitsuchen werde, teils weil der Inhalt der Besprechungen leicht voraussehbar ist. Ich habe das dunkle Gefühl, Orca hätte sich vor Beginn der Fahrt mit der *Keldysch* über das Suchgebiet klarwerden müssen. Daß man nun bis zur letzten Minute noch daran arbeitet, sieht mir nach versäumten Hausarbeiten aus. Heute abend um 6 Uhr 15 wird die letzte dieser Sitzungen stattfinden, bevor wir den Hafen erreichen. Überall knistert es politisch. Clive legt sich ins Zeug, tut alles Erdenkliche, um zu erreichen, daß diejenigen, die auf der zweiten Etappe mitfahren werden, wirklich nach der *Aurelia* suchen und nicht nur ein Minimum an Sonardaten aufnehmen. Er läuft auf dem Schiff herum und erklärt den Leuten, daß sie es ebenso nötig haben wie Orca, daß der Dampfer gefunden wird. Gold auf Deck bedeutet, die *Keldysch* bleibt zahlungsfähig, und sie behalten ihre Jobs. Um 6 Uhr soll die Orca-Gruppe in seiner Kabine zu einer Vorbesprechung zusammenkommen, damit nachher niemand irgendwelche unbedachten Zugeständnisse macht. Sagalewitsch geht zwar in Dakar von Bord, aber der Meister will trotzdem alles unter Kontrolle behalten, was auf der zweiten Etappe passiert. Sehr kooperativ, ehrlich gesagt, war er wohl nie, denn er denkt ja, Orca war es auch nicht. Er will offenbar das nächste Suchgebiet, bevor er abreist, so eindeutig festgelegt haben, wenn nötig, mit einem von allen unterschriebenen Protokoll, daß jeder sich daran halten muß. Aber Clive, Quentin und Mike vermuten, daß er alles tun wird, es zu knapp zu bemessen, damit seine Handlanger möglichst wenig tun müssen, um die Bedingungen des Vertrags mit Orca zu erfüllen. Diesen Plan wollen sie heute abend sabotieren.

Quentin erklärt mir inzwischen eine angebliche Tatsache, bei der man sich das Hirn verrenken könnte: Wenn Höhe × Fläche = Volumen, dann rechne mal aus, was ein Parsec (eine astronomische Größeneinheit gleich $3^1/_4$ Lichtjahre, etwa die Entfernung zum nächsten Fixstern) multipliziert mit einem barn ergibt (barn: Querschnittfläche eines Wasserstoffatomkerns). Das Volumen, das bei dieser fabelhaften Rechnung rauskommt, ist 1 cm^3, nicht ganz ein Teelöffel voll, was jedenfalls soviel besagt, daß ein Wasserstoffatomkern ziemlich klein sein muß. Aber was ist es, was du dann in dem Teelöffel hast? Schreiben Sie uns Ihre Antwort bitte auf einer Postkarte.

Die Vorvorbesprechung in Clives Kabine beginnt rein politisch, gerät dann aber augenfällig aus der Hand. Zuerst mal politisch. Worauf es uns ankommt bei der Suche nach *Marlin,* sagt Clive, ist doch, daß die Russen sich weiter mit Andreas Unterlagen befassen, sich selbst etwas dazu einfallen lassen und Vorschläge machen, statt nur unsere Ideen zu übernehmen; d. h. es ist wieder so zu verfahren, wie im Falle *Dolphin* die Kooperation hätte sein sollen. Darum, so fährt er fort, sollten wir auf keinen Fall die Karte mit dem *Marlin*-Lageplan herumzeigen, die einer der Investoren selbst auf seinem Computer gezeichnet hatte, denn die sei nur ein erster Versuch, aus den Unterlagen ein paar Koordinaten abzuleiten, und könnte daher eher Verwirrung stiften. Viel besser, wir ließen die Russen mal selbst die Ärmel aufkrempeln und sich ihre eigene Karte zurechtmachen, und *dann* könnte man sehen, ob die beiden Karten etwas gemeinsam haben.

Ebenso sollten wir John Wilson (der Seiten-Sonarexperte, der in Dakar an Bord kommt, um Quentin zu ersetzen) nicht sagen, wie wir die Daten auffassen, sondern ihn sich selbst eine Meinung bilden lassen. Wenn wir Anatolys Pläne vereiteln wollten, den *Marlin*-Suchbereich, bevor er von Bord geht, kleinzustutzen, dürfe der Bereich erst abgesteckt werden, nachdem das Schiff Dakar wieder verlassen hat.

Dazu sagt Quentin, er würde sowieso kein Protokoll für einen Kollegen mit unterschreiben, der noch gar nicht auf dem Schiff sei. „Ist auch richtig", sagt Clive und fängt nun an zu bemängeln, wie die Russen den von ihm so sorgfältig formulierten Vertrag mit Orca auslegen. (Er scheint ein bißchen beleidigt zu sein, weil immer noch Spielraum für eine andere als seine eigene Auslegung bleibt.) Bisher, sagt er, würden sie dazu neigen, den Vertrag so zu lesen, als ginge es um eine zweimonatige und dann möglicherweise verlängerbare Charter, während doch der Text „eindeutig" besage, daß es sich grundsätzlich um eine fünfmonatige Charter handle. Wenn wir nach Ablauf der für die *Marlin* vorgesehenen Zeit nichts gefunden hätten, müsse die *Keldysch* vertragsgemäß noch einige Wochen länger vor Ort bleiben, statt gleich nach Falmouth, Kaliningrad und in den Bankrott zu verschwinden.

An diesem Punkt, keine Minute vor Beginn der Sitzung mit den Russen, platzt Ralph der Kragen. „Verdammt noch mal kein Wunder, daß die Russen anscheinend sauer sind", sagt er. Die hätten doch nie eine echte Chance bekommen, teilzunehmen. „Dein Investor ist mit seinem computererzeugten Plan angekommen, und da hast du dann drauf gesessen. Du hast weder den Russen noch sonstwem die vollständigen Daten gegeben, aus denen sie sich selbst hätten ein Urteil bilden können. Was ist das Herrgott noch mal für eine Art, eine Bergungsoperation zu machen?"

Mike, der bisher zusammengesunken dagesessen hat, das Kinn auf der Brust, horcht auf und antwortet bitter, im Gegenteil, die Russen hätten schon vor neun Monaten von Orca alle Daten bekommen. Ich habe den Eindruck, dies ist eine Diskussion, die sie schon mehrfach unter vier Augen geführt haben. Nicht nur das, sondern sie sind sich wohl auch im großen und ganzen einig, daß an diesem Vorhaben noch einiges mehr nicht in Ordnung ist als nur hinsichtlich der Frage, wie und wann das Suchgebiet festzulegen ist. Ich spitze innerlich beide Ohren, aber mehr ist einstweilen nicht zu hören; wir müssen das Gespräch abbrechen und machen, daß wir ins Konferenzzimmer kommen.

Und da müssen wir warten, warten, warten. Zu spät zu kommen sieht den Russen nicht ähnlich, schon gar nicht, daß überhaupt keiner von ihnen erscheint. Ralph, ob er nun nicht mehr recht weiß, mit wem er es halten soll, oder ob er einfach seine zornige Laune nicht los wird, ärgert sich offenbar über Quentin.

„Du kannst dasitzen und grinsen", sagt er zu ihm, „aber ich kann dir sagen, mein Junge, du bist so dicht dran gewesen" (er zeigt zwischen Daumen und Zeigefinger etwa einen Zentimeter an), *„so dicht,* von diesen Russen abgestochen zu werden, als du sie neulich beleidigt hast. Und ich sag' dir noch was, ich bin mir nicht sicher, ob ich Lust gehabt hätte, dazwischenzugehn."

Die „Beleidigung", von der Ralph spricht, war eine scherzhafte Bemerkung Quentins bei einer Besprechung: daß in Dakar etwa an Bord kommende Huren ein Sicherheitsrisiko darstellen könnten. Ich glaube keine Sekunde lang, daß irgendwer im Raum, der ihn verstehen konnte (er sprach natürlich englisch) im mindesten beleidigt war oder sich gar herausgefordert fühlte, mit einem Messer auf ihn loszugehen. Sie schienen alle viel zu aufgeklärt und abgebrüht zu sein, um an etwas so Belanglosem Anstoß zu nehmen. Später amüsiert sich Quentin (auf Ralphs Kosten, aber klugerweise nicht in seinem Beisein) darüber, „wie er sich aufregt über meine Unterstellung, daß die Mannschaft der *Keldysch* womöglich heterosexuell ist". Gut beobachtet, aber fairerweise muß man hinzufügen, daß Quentin das Geschlecht der Huren unbestimmt gelassen hatte.

Als die Sitzung endlich abgesagt worden ist, lädt mich

Ralph nach unten in seine Kabine ein, wo er mir großzügigerweise einen Gin-Tonic anbietet (großzügigerweise, denn in Ermangelung des Gordon's, den wir gleich nach Falmouth losgeworden sind, haben wir uns in skandalöser Manier an seinem unter Verschluß gehaltenen Beefeater vergriffen, was ihm nicht entgangen sein kann). Dann sagt er, immer noch zornig: „Du kannst mich zitieren, James: Ich bin noch nie im Leben auf einer so schlecht geplanten Expedition gewesen." Sicher ist er aufrichtig, aber ich möchte wetten, es stimmt nicht. Es gibt zwar Planungsfetischisten, aber gegen Animositäten und widerstreitende Motive kommt alle Planung nicht an.

2.3.95

Und heute früh liegen wir vor Dakar. Die erste europäische Kolonie in Westafrika, einst als „Tor zu Afrika" bezeichnet (wie sich dann herausstellte, eine erschreckend richtige Prognose). Hoher blauer Morgenhimmel, niedrige weiße Stadt. Am fernen Hafen überragen zwei leuchtend kanariengelbe Schwefelhügel die Kräne und Speicher. Wir haben reichlich Zeit, diese Zwillingspyramiden zu bestaunen, denn trotz aller Funkmeldungen, die wir in den letzten drei Tagen an einen hiesigen Agenten geschickt haben, scheint niemand uns hier zu erwarten, und ein Anlegeplatz ist nicht frei. Die Russen sammeln sich auf dem Brückendeck. „Diese Afrikaner!" sagen sie. „Was erwarten Sie von denen? Affenhorde!"

Tatsache, das ganze Schiff ist in Unruhe. Die Matrosen sind nervös und haben schon sehr gründlich die Wachen eingeteilt, damit keine Gangway unbeaufsichtigt bleibt und immer jemand auf der Hafenseite über die Reling hängt und achtgibt, daß keine gelenkigen Eindringlinge wie an Lianen aufs Schiff herüberturnen. Die Stunden vergehn, die Sonne steigt höher. Matrosen stehen an der Reling und angeln; eimerweise holen sie glitzernden Fang ein, leichte Beute. Aus den Ventilatoren der Kombüse weht der Duft frisch gebratener Fische. Viktor Browko lehnt sich neben mir an die

Reling und erzählt mir, so etwa vor fünf Jahren sei die *Keldysch* in Sierra Leone festgehalten worden, unter dem Vorwurf der Spionage. Die Beschuldigungen blieben im einzelnen unbestimmt; irgendwas an der elektronischen Ausrüstung und den Unterwassereigenschaften des Schiffs sollte angeblich die Verteidigungsanlagen von Sierra Leone „untergraben". Fast zehn Tage lang befand sich das Schiff in der Hand des örtlichen Militärs, ein Erlebnis, das offenbar insofern traumatisierend wirkte, als es in allen, die damals an Bord waren, eine unauslöschliche Afrophobie hinterließ. „Überall diese schwarzen Wilden in allen Fluren unten, oben auf der Brücke, in den Laderäumen – Primitive mit automatischen Waffen! Wir waren in Angst und Schrecken." Mit Diplomatie war nichts zu machen. Außenminister Eduard Schewardnadse mußte in eigener Person aus Moskau kommen, um sie herauszuholen. Er war an Bord der *Keldysch* mit den Oberbonzen von Sierra Leone zusammengetroffen. „Das ganze Konferenzzimmer war voller Afrikaner mit Orden und bunten Bändern. Alles große Krieger, sicher! Danach durften wir dann fort. Aber jetzt werden Sie verstehen, warum wir die westafrikanischen Häfen nicht mögen. Später erfuhren wir, daß die Sierra-Leoner das Ganze auf Ersuchen Washingtons und der CIA veranstaltet hatten, weil uns die US Navy für eine Woche aus dem Weg haben wollte, während sie irgendwo nicht weit vor der Küste etwas mit ihrem SOSUS-Netz machte. Ich glaube, so wird es gewesen sein", fügt Viktor treuherzig hinzu.

Wer dies paranoid findet, sollte bedenken, daß Viktors Lebenserfahrung grundverschieden ist von der des durchschnittlichen Lesers im Westen. Ein ruhiger Mann in gesetztem Alter, Ingenieur, hat er in seiner Jugend eine Welt kennengelernt, wo alle Fähigkeiten und aller Fleiß nicht vor willkürlichem Terror schützten. Sein Vater war Luftfahrtingenieur zur Zeit von Stalins großen Nachkriegs-Säuberungen. Bevor ein sowjetischer Pilot zu einem Testflug startete, mußten damals die Ingenieure eine Erklärung unterschreiben, welche die Lufttüchtigkeit der Maschine bezeugte. Eines Tages stieg der berühmteste Testpilot der UdSSR auf und kam um. Am nächsten Morgen nahm Viktors Vater gleich den Koffer mit ins Büro, der für alle Fälle immer bereitstand; er wußte, es ging ab nach Sibirien. Doch er hatte sich geirrt. Alle seine Kollegen wurden verhaftet, nur er nicht, weil er wegen eines administrativen Versehens als einziger das Dokument nicht unterschrieben hatte ... All dies rückt die scheinbare Naivität unserer Russen in bezug auf Verträge in ein ganz anderes Licht. Daran hätten wir denken sollen. Was es bedeutet, seine Unterschrift unter ein Dokument zu setzen, wissen sie so gut wie nur irgendwer. Kein Wunder, daß sie so hart darauf bestanden haben, Protokolle anzufertigen, die Orca unterschreiben mußte. Manchmal müssen sie sich danach gesehnt haben, den Spieß umdrehen zu können, und vielleicht hätten sie uns alle gern in den Zug nach Sibirien gesteckt.

Schließlich wird uns ein vorläufiger Anlegeplatz zugewiesen, und danach sollen wir einen an der Stadtseite des Hafens bekommen. Kaum sind wir vertäut und nehmen Treibstoff auf, als es auf dem Kai schon von senegalesischen Händlern wimmelt, großen, dünnen Männern in schönen Gewändern, die im Laufschritt herankommen. Auf Stoffstreifen stellen sie ebenso große und ebenso dünne Holzfiguren auf. Hätte Giacometti je eine westafrikanische Periode gehabt, würden seine Skulpturen diesen ähnlich sehen. Wir sehen auch Säcke mit verdrossenen Papageien. Mißtrauisch steigen die ersten russischen Wissenschaftler die Gangway hinab und fangen an, Souvenirs einzukaufen. Dakar kann gefährlich sein, aber es ist exotisch, und nichts kann eine öde Wohnung in Moskau oder Kaliningrad besser aufhellen als ein Stück Afrika, eigenhändig ausgewählt unter tropischer Sonne ... Also das ist Dakar für die Russen. Für Quentin ist Dakar nicht viel mehr als das Tor zum Norden, ein Flughafen, von dem er bald abfliegen und zu seiner Familie heimkehren kann. Für Clive ist Dakar ein Punkt, wo er, nicht ohne Bedauern, den Stab an Simon übergibt, eine Verabredung, bei der wieder vieles schiefgehen kann, Vorräte und Ausrüstungsteile vielleicht nicht angekommen sind oder beim Zoll unrettbar festliegen. Für Andrea und Mike ist Dakar ein Etappenziel, bei dem die Erfolgsaussichten des Projekts schon auf die Hälfte geschrumpft sind. Mike hat schon oft die Drohung hören lassen, daß er hier von Bord gehen könnte, so entmutigt ist er inzwischen. Selbst die Papageien sehen nicht so verdrossen aus wie er.

Und für mich ist Dakar die Basis, von der aus die Piccards, Vater und Sohn, im Herbst 1948 den ersten Tauchversuch mit dem FNRS 2 unternahmen, dem Prototyp des Bathyskaphs, des Tauchbootes, das bald den Tiefen-Weltrekord von Beebe und Barton brechen sollte, die sich so mutig in ihrer engen Kugel (4 1/2 Fuß Innendurchmesser!) eine halbe Meile in die Tiefe gehängt hatten. Damals war Dakar natürlich ein französischer Marine-Stützpunkt mit allen technischen Einrichtungen und Auftankmöglichkeiten, die den Piccards nützen konnten. Obwohl Schweizer Staatsbürger, wurden die Piccards doch von den Franzosen lebhaft umworben, die ihre eigenen Absichten verfolgten. Das nächste Bathyskaph, FNRS 3, wurde dann auch von der französischen Marine übernommen, die ein paar kleine Veränderungen am Schwimmkörper vornahm, die Tauchkapsel aber bis auf die letzte Schraube genau nach dem Plan für Piccards FNRS 2 baute. Ein wenig gekränkt, aber mit ungebrochenem Schweizer Nationalstolz verlegten die Piccards sofort Bauplatz und Testgebiet an die italienische Adriaküste, wo sie die *Trieste* bauten. Interessanterweise bleibt auch nach einem halben Jahrhundert, obwohl die sperrigen und gefährlichen metallenen Schwimmkörper, die viele tausend Liter Benzin enthielten, durch Schaumstoffe überflüssig gemacht worden sind, die Größe der Kapseln die gleiche wie bei der von Auguste Piccard zuerst entworfenen. Eine Kugel von zwei Metern Innendurchmesser ist heute allen Tiefseetauchbooten gleich welcher Nationalität gemeinsam. Dies hat offenbar gute, aber ziemlich komplizierte physikalische Gründe. Piccard hatte sich nicht verrechnet, und er riskierte sein Leben, um es zu beweisen. Er selbst tauchte noch auf den Meeresgrund in fast zwei Meilen Tiefe und erlebte später, wie sein Sohn 1960 die tiefste bekannte Stelle auf der Erde erreichte. Er ist 1962 im Alter von 78 Jahren gestorben.

3.3.95

Simon trifft aus London ein, sieht elegant und überlastet aus, wie ein leicht angeschlagener Korvettenkapitän. John (der Quentin ersetzen wird) kommt auch an, sieht streng aus wie ein schottischer Pfarrer. Clive, der zusammen mit Quentin und mir morgen abfliegt, schnappt sich Simon und verschwindet mit ihm in seiner Luxuskabine zu einer eiligen Vorbesprechung vor einer Sitzung mit Anatoly, der anscheinend mit derselben Maschine fliegen wird wie wir. Er und Natalja sind vermutlich dabei, ihre Koffer zu packen und versiegelte Anordnungen für Bogdanow zu hinterlassen

Schließlich gelingt es Quentin und mir, Clive und Simon zum Mittagessen in ein Restaurant abzuschleppen, von dem man über ein felsiges Stück Strand hinwegblickt und wo die *Keldysch* einmal glücklicherweise nicht zu sehen ist. Bougainvilleengerank ringsum. Unter uns, bis zu den Knöcheln im Niedrigwasser ein kleiner Pier, in dessen Schatten Kinder und graue stelzbeinige Vögel (sagen wir mal Reiher, aber das stimmt sicher nicht) die glucksenden, schlammigen Pfützen durchforschen. Das Essen ist denkwürdig. Es schmeckt wie ein nach langer Zeit endlich erfülltes Versprechen, besonders in Verbindung mit der Erleichterung, zum erstenmal seit sechs Wochen nicht mehr auf dem Schiff zu sein.

Ebenso erleichternd ist es zu wissen, daß man bald weit davonfliegen wird, in eine Ferne ohne Suchzonenbesprechungen, Gezänk, Machenschaften und Willenskonflikte, wie sie von Unternehmungen „mit hohem Risiko" (wie es die Beteiligten zu nennen pflegen) nicht wegzudenken sind.

Simon stellt vernünftige, gutinformierte Fragen danach, wie sich Menschen und Maschinen unter den Belastungen gehalten haben. Er äußert nur wenig Ärger darüber, daß wir *I-52* nicht gefunden haben; jedenfalls hütet er sich vor Selbstgerechtigkeit und erhebt keine kontraproduktiven

Vorwürfe. „Also weiter, zur *Marlin!*“ scheint seine Einstellung zu sein, äußerlich forsch und zielstrebig, was immer er insgeheim befürchten mag. Bei all den Millionen Dollar und den Erwartungen der Investoren, die nun allein auf ihm und dem Ergebnis dieser zweiten Etappe lasten, muß er beträchtliche Sorgen haben. Ich bewundere ihn, auch wenn ich annehme, daß die stahlharten Wallstreet-Typen ja schon daran gewöhnt sein müssen, anderer Leute Geld und den eigenen Kopf zu riskieren. Schließlich ist er ja der Mann, der einmal bereit war, von der Clifton-Hängebrücke zu springen, bevor man ihn in letzter Sekunde festnahm, als einer seiner weniger glücklichen Gefährten schon zappelnd sechzig Meter unter ihm baumelte.

4.3.95

Abschiednehmen ist immer furchtbar, besonders wenn man auf Bewährung entlassen wird und den Zellengenossen Ade sagt, die noch die zweite Hälfte der Strafe verbüßen müssen. Man kommt sich wie eine Ratte vor, wie ein breit in sich hinein grinsender Verräter. Frühmorgens auf dem Kai zwischen den klumpigen Papageiensäcken und den Herz-der-Finsternis-Giacomettis sehe ich etliche Paar feuchte Augen, und Mike vergießt sogar unverhohlene Tränen. Andrea umarme ich geschwisterlich. Ich liebe ihre leibliche und seelische Handfestigkeit; eine Situation, in der sie die Fassung verlöre, kann ich mir kaum vorstellen. Ausgeglichen und beharrlich, wie sie die Fakten beherrscht, die sie ausgegraben hat, behält sie auch sich selbst immer in der Gewalt. Es ist sehr erfreulich, mit einer solchen Zellengenossin zusammen gesessen zu haben, mit einer, die selbst einmal unter einer frisierten Anklage in einen stinkenden asiatischen Knast gesteckt wurde, wie es vor fast dreißig Jahren in Südamerika auch mir beinah ergangen wäre. Knackis sind wir beide, Abenteurer, und auch in den meisten anderen Dingen nicht ganz in der Norm. Eine echte Gemeinsamkeit.

Ein Gutes ist jedenfalls, daß wir von England fern genug sind, um ungeniert zu heulen (ebenso wie das Krokodil vergießt auch die Ratte dann und wann eine Träne). Diese Fahrt hat allerhand Gefühle bewegt. Die Russen, Meister das tränenfeuchten Abschieds, sehen uns von der Reling herab zu und winken verständnisvoll. Ich denke mir, manche werden froh sein, wenn wir fort sind. Im letzten Moment renne ich noch mal die Gangway hinauf, um meine Mit-Aquanauten aus dem „literarischen Tauchboot" zu umarmen. Sergei ist in der kompletten Anarchistenkluft, in der ich ihn zuerst gesehen habe: Ringel-T-Shirt, Mega-Bart und Mega-Baskenmütze. Ich sage, daß ich ihn nie vergessen werde, und glaube es wirklich. Vor meinem inneren wie vor meinem äußeren Auge erscheint er als von einem Hoheitsgebiet menschlicher Ganzheit und Selbstsicherheit umgeben. Mit einem Wort, er ist, was die Juden *„mensch"* nennen, praktisch ein Inbegriff alles Schätzenswerten. Sein Bart berührt warm und weich meine Wange.

Sobald wir den Kai hinter uns gelassen haben, befinden wir uns auf einer langen, halluzinatorischen, wundervollen Reise. Durchs Abflug-Tor geschleust und von den grau oxydierenden Flügeln einer Aeroflot-Iljuschin 62 emporgetragen, fliegen wir nach London, aber zunächst mal genau südwärts nach Conakry in Guinea. Wohin auch sonst? Aeroflot ist mir unter allen Fluggesellschaften bei weitem die liebste, die einzige, die sich Mühe gibt, auch den kürzesten Flug noch zum Abenteuer zu machen. Von Conakry starten wir zum weiten Sprung über das Herz der Sahara nach Malta, überfliegen Mali der Länge nach und das Ahaggar-Gebirge. Ungesehen ziehen Timbuktu und Tamanrasset vorüber, mythische Nonplusultras. An seinem Fensterplatz wird Quentin zu einem Geologielehrer, der selbst sein bester Schüler ist. Die Luft ist glasklar und gibt den Blick auf eine Landschaft frei, die über 2000 Meilen hin von dem Meeresboden, den wir gerade kartiert haben, kaum zu unterscheiden ist. Hätten wir den Grund des Atlantiks ebenso klar und im vollen Mittagsglast sehen können, so hätten wir nahezu gleiche Dünenbildungen und Sedimentbewegungen erkannt; mit Farbveränderungen, die daraus entstehen, daß alter Sand an die

Oberfläche tritt und neuer Sand unter ihm verschwindet, wenn die Strömungen langsam die Wirkungen des Windes nachahmen. Besser als durch die Verwehungsformen der Wüste, die in jahrhundertelangen Sandverlagerungen entstandenen flußlaufartigen Windungen und Deltas, läßt es sich kaum veranschaulichen, wie auf der Erdoberfläche ständig alles in fließender Bewegung ist, ob an Land oder unter Wasser. Ich sehe, daß mein Eindruck im Tauchboot falsch war: Der Meeresboden dort unten und dieses afrikanische Gelände sind eindeutig miteinander verwandt und benachbart.

Anatoly und Natalja sitzen zusammen weiter vorn auf der anderen Seite der Kabine. Ein großes Stück weiter hinten sitzen ein in Ungnade gefallener grauhaariger Russe und seine Frau, die uns oft behilflich gewesen waren, an Flaschen von Ralphs Gin oder McEwans-Dosen aus dem verschlossenen Vorratsraum der *Keldysch* heranzukommen. Mir war er immer wie ein netter Kerl vorgekommen, er konnte sehr liebenswürdig lächeln. Jetzt hat ihn Anatoly anscheinend kurzerhand rausgeschmissen, weil er als Mitglied der russischen Mafia enttarnt wurde, und ihn nach Moskau zurückgeschickt. Mafiosi müssen ja nicht immer wie Kinoschurken aussehen, ebensowenig wie Geistliche immer gleich als Kinderschänder zu erkennen sein müssen. Irgendwo über dem hintersten Zipfel von Algerien wankt ein schwer betrunkener Anatoly zu uns her und eröffnet uns, den Tränen nahe, daß sein Leben zu Hause in Moskau keinen Pfifferling mehr wert sein wird. In Rußland herrsche jetzt eine solche Anarchie, daß er fest damit rechnen müsse, bald nach der Landung nicht mehr am Leben zu sein. Irgendwie wirkt diese Mitteilung nicht so ernüchternd, wie man erwarten sollte. Später rafft er sich zu einem Kunststück auf, das mir im nachhinein immer noch ganz unglaublich erscheint. Obwohl inzwischen noch betrunkener, wirft er von seinem Platz zwei Reihen vor uns und über die ganze Breite der Kabine hinweg einen einzelnen Orangenschnitz genau in Quentins offenen Mund. Es müssen mindestens fünf Meter Abstand sein; trotzdem sieht es nicht nach Glück aus. Ein ungemein tüchtiger Ingenieur, der unter all dem Wodka steckt und alles über motorische Fertigkeiten und die Dynamik der Flugbahnen weiß, gewährt dem „Inspector Huggett" eine letzte spöttische Huldigung.

5.3.95

Was gäbe es über eine Nacht auf den Flughafenbänken in Moskau zu sagen oder über die bald folgenden Begrüßungen in Heathrow? Es war eine wundervolle Reise.

Zuletzt noch ein seltsamer Zufall: Dank einer Laune in den britischen Fernsehprogrammen gab es am Abend unserer Rückkehr ein Gegenstück zu der Sendung über die *Keldysch*, die uns einen Vorgeschmack gegeben hatte, als wir vor zwei Monaten in London saßen und auf das Schiff warteten. Das erste, was ich sehe, kaum daß ich wieder in London bin, ist ein Film über die *Titanic*, in dem man das IFREMER-Tauchboot *Nautile* sieht, wie es aus dem Wrack Objekte für eine Ausstellung heraufholt. Dazu gehört verrückterweise auch ein drei Tonnen schwerer Poller, der mühsam mit einer Winde ans Tageslicht gehoben wird, ein höchst uninteressanter Eisenklumpen. Etliche widerliche Figuren an Bord des Mutterschiffs versuchen den Ausplünderungscharakter des ganzen Unternehmens zu bemänteln. Alle tragen logobunte T-Shirts, und PR-Phrasen wie „das berühmteste Schiff seit der Arche Noah" gehen ihnen glatt über die Lippen. Die von der Firma RMS Titanic, Inc. verwurstete *Titanic* wird für den Markt interessanter hergerichtet, als sie tatsächlich ist. Oder besser gesagt, denn ich kenne nun ein paar Gründe, warum sie wissenschaftlich doch von Interesse ist, man versucht ihre belanglosesten Aspekte als historische Offenbarungen zu verkaufen. Nicht einmal werden in der ganzen Sendung die Rostbäche oder Rostzapfen erwähnt. Nichts von den eisenfressenden Bakterien. Nur Objekte und noch mal Objekte. Alles sehr amerikanisch – als ob ein x-beliebiger Dampfer von 1912 alt genug wäre, um als archäologischer Fund gelten zu können. Sicherlich hätte das einem Thomas Hardy einige ätzende Verse entlockt.

Die Bilder, die *Nautile* aufgenommen hat, sind vortrefflich, und ich schaue sie mit gebührendem Respekt an, denn ich weiß nun, wie schwer sie zu machen sind. Hingegen ist die „Storyline“ oder das Erzählschema, das dem Treiben der Idioten an Deck aufgedrückt wird, ein schäbiger Hokuspokus, der Spannung vortäuschen soll. Ich will mir merken, daß wir unbedingt, wenn es je zu einem Filmbericht über das Orca-Projekt kommen sollte, all die voraussehbaren Bilder von angespannt auf den Sonarschirm starrenden Gesichtern vermeiden müssen, all die zusammenhanglosen Schnipsel von technischem Allerweltskram (Kräne, die kostbare Spielsachen über die Reling heben, Auswerfen von Transpondern, Demontage von hydraulischen Pumpen an Deck), das nachgestellte Jubelgeschrei der um den Lautsprecher versammelten Leute, wenn sie angeblich zum ersten Mal hören, daß die gesuchte Sache endlich gefunden worden ist. Ich glaube nicht, daß wir damit durchdringen. Das Genre will das alles, mitsamt der Tonspur von irgendwelchen elektronischen Geräuschen, wie sie in Hollywood für die Meerestiefen nun obligatorisch sind. Die Chance ist zu klein, für ein so stumpfsinniges Medium wie das Fernsehen irgendwas wirklich Interessantes zu machen, denn dort muß in Bild und Ton alles so sein, wie man's gewöhnt ist. Auch ein echtes Abenteuer, wenn es erst mal so beschnitten und abgepackt ist, daß es auf dem winzigen Bildschirm und in der winzigen Phantasie des Produzenten Platz findet, sieht wie Dutzende solcher Sachen aus, die man schon kennt.

Warum ist das so? Ich glaube, weil Unterwasserfilme ähnlich wie Bergungsmaßnahmen durch eine wundervolle, erfindungsreiche Technologie zustande kommen, und Technologie läßt sich nur allzuleicht filmen. Wer aber selbst eine Schatzsuche in der Tiefsee mitgemacht hat, weiß, daß das Faszinierende vor allem in den Menschen und nicht in den Geräten zu suchen ist, die ja nur Werkzeuge sind. Dies sollte selbstverständlich sein, ist es aber aus irgendeinem Grund nicht. Am faszinierendsten ist wohl, daß es gerade denen nicht selbstverständlich ist, die an der Schatzsuche teilnehmen.

Vierundzwanzig

Als ich wieder in Italien war, blieb ich mit Quentin, Clive und Andrea in Kontakt – über dasselbe an die Wand geschraubte Telefon in derselben Bar. Von Simon kamen Neuigkeiten von Bord der *Keldysch,* wo sie nun die Sonarerkundung nach dem Rasenmäher-Prinzip auf einem neuen Stück Ozean wiederholten.

> Wir sind vor Ort im *Marlin*-Suchgebiet, und diese Mitteilung wird auf den Tag, sogar auf die Stunde genau zweiundfünfzig Jahre nach der Torpedierung der *Marlin* geschrieben. Die Umstände sind nahezu identisch; es ist eine dunkle Nacht mit einem Fünkchen Mondschein, sehr leichtem Wind aus SO, und die See schimmert schwarz und still wie Tinte. Unter diesen Bedingungen unermeßlicher Ruhe fällt es schwer zu begreifen, daß wenige Meilen von hier oder vielleicht noch näher 1800 Menschen in die Rettungsboote steigen mußten, mit der Folge, daß in einem chaotischen Durcheinander 392 ihr Leben verloren. Morgen vormittag werden wir in einer kurzen Feier an der Untergangsstelle einen Kranz abwerfen.

Dann kamen ermutigende Nachrichten: Eines der MIRs hatte sechs Schuhe gefunden und geborgen, darunter ein Paar. Wenn die Flasche, die während der Suche nach *I-52* gefunden wurde, schon etliche phantasievolle Konstruktionen hervorgerufen hatte, so waren die Schuhe noch vielversprechender. Welches Kleidungsstück würde ein plötzlich ins Wasser geworfener Passagier wohl als erstes abstreifen? Na klar! Obendrein wiesen manche der Schuhe Anzeichen notdürftiger Reparaturen auf, in einem Fall mit Schraube und Mutter, wie sie von Kriegsgefangenen mit irgendwelchen gerade verfügbaren Materialien ausgeführt worden sein mochten. Die Machart schien allgemein älteren Datums zu sein. Das Problem war nur, daß niemand an Bord der *Keldysch* als Schuh-Historiker hinreichend kompetent war, um zu sagen, seit wann die Schuhfabrikanten zum Beispiel für die Brandsohlen Plastik verwendeten. Trotzdem zeigte sich Simon in dem Bericht, den er Clive nach London schickte, optimistisch:

> Die Schuhe wurden alle auf einer kleinen Fläche (etwa 150×100 m) gefunden, und ich habe keinen Zweifel, daß noch mehr dort lagen, denn wir konnten nicht gründlich suchen. Der Qualitäts- und Größenbereich wäre meiner Ansicht nach anders schwer zu erklären, außer natürlich dadurch, daß er für die Zusammensetzung der Personen auf der Marlin repräsentativ ist; die Koinzidenz wäre zu ungewöhnlich, wenn sie nicht tatsächlich von dem Schiff stammten. Überflüssig zu sagen, daß wir auch Skeptiker an Bord haben – Meister Anderson z. B. hat in seiner gewohnt scharfsinnigen Art sogleich verkündet, daß die Schuhe aus den 50er (!) Jahren stammten und daher nicht von der *Marlin* sein könnten.

Schließlich wurden die Schuhe auch noch von einem Experten untersucht. Manche konnten tatsächlich aus der richtigen Zeit sein, aber zumindest einer erwies sich als ein „Schnabelpieker" nach der Mode der späten 50er und frühen 60er Jahre, mit Sohle und Absatz aus einem Stück (eine Neuerung, die anscheinend nicht vor Mitte der 50er aufgekommen war). Trotzdem hätte es einem Romancier im Dienste von Orca natürlich wenig Mühe bereitet, das unwillkommene Indiz mit der Annahme zu erklären, es sei von einem vorüberfahrenden Kreuzfahrtschiff über Bord geworfen worden, vielleicht von dem desillusionierten Mitglied einer Skiffle-Band, die gerade von einem Auftritt in Südafrika zurückkehrte, und zufällig habe der Mann dazu gerade den Augenblick gewählt, als sich sein Schiff über der Grabstätte der *Aurelia* befand. Davon abgesehen hatte Mike wohl doch recht. Ich habe die Schuhe schließlich selber gesehen, als sie durchgeweicht in Simons Gästetoilette in London lagen. Sie hatten etwas schaurig Eindringliches an sich, und ich mußte an Robert Ballard denken, der auch ein Paar Schuhe auf dem Meeresgrund beim Wrack der *Titanic* gefunden und ein ergreifendes Sinnbild in ihnen gesehen hatte, nicht zuletzt deshalb, weil er annahm, daß sie dort niedergegangen waren, als sie noch die Füße ihres nun längst verschwundenen Trägers umschlossen. Ich dachte auch an den Kippwagen auf dem Kai in Falmouth, in den die Russen ihre alten Schuhe warfen, die sie durch neue ersetzten, und an das Schwarzweißfoto von einem Berg Judenschuhe, das ein Fotograf der Alliierten 1945 in einem Konzentrationslager aufgenommen hat. Mit Schuhen hat es eine seltsame Bewandtnis. Sie sind nichts Totes, wie abgelegte Kleider, sondern bewahren den Eindruck einer furchtbaren Verletzlichkeit.

Diese Episode blieb der Höhepunkt der Suchfahrt nach dem untergegangenen Dampfer. Die See gab ihr Geheimnis nicht preis, und unter den Expeditionsteilnehmern machte sich Mutlosigkeit breit. Als einzige von allen Orcanern flog Andrea nicht von Afrika oder den Kanaren aus heim, sondern blieb bis zur Rückkehr nach Falmouth auf der *Keldysch*. Bis sie dort ankamen, war der Mißerfolg der Expedition, die keines ihrer beiden Ziele gefunden hatte, schon ein wenig verschmerzt. Man blieb bei der Überzeugung (wie vermutlich bei jeder Schatzsuche), daß wir „unglaublich dicht dran" gewesen seien – was nicht leicht zu beweisen sein dürfte –, und schon sprach man von einer neuen Expedition, die sich die beiden Ziele noch mal vornehmen solle.

Ich war nicht in Falmouth, als die *Keldysch* dort anlegte, kann mir aber gut vorstellen, wie recht Andrea hatte, als sie mir später von ihrer Traurigkeit beim Abschied von ihren Gastgebern erzählte – einem Gefühl, das nicht gleichbedeutend war mit der Niedergeschlagenheit wegen des gemeinsamen Mißerfolgs. Als einzige, die von der Bande britischer Bukaniere bis zuletzt bei ihnen geblieben war, hatte sie bei den Russen sicherlich Respekt und Sympathie durch ihren Sachverstand gewonnen, ebenso wie durch die beharrliche Loyalität zu dem Projekt, an dem sie so lange gearbeitet hatte. Sie berichtete aber noch von einer „unziemlichen Eile", mit der in Falmouth alle Daten von Bord geschafft worden seien, insbesondere die Rollen mit den Sonar-Ausdrukken.

Wie die Dinge bei Orca geregelt waren – und es hätte keinen Sinn zu leugnen, daß bis April 1995 schon manche Brüche zwischen den Fraktionen aufgetreten waren –, müssen die ausführlichsten Grabreden auf das Projekt wohl im Kreis der Investoren mit Simon und Clive gehalten worden sein. Wir anderen machten die traurige Figur von Bundesgenossen, die zu einer kurzen, aber lebhaften Anstrengung zusammengetrommelt worden waren und die nun jeder wieder seines Weges gingen. Mike war irgendwo in Cornwall und nicht zu erreichen. Quentin war für Geotex in Japan, Ralph in Hollywood, Andrea in Walthamstow, ich auf einem Berg in Italien. Also kamen wir nie wieder bei einer Gelegenheit zusammen, wo alle gemeinsam hätten ihre Wunden lekken können, um sich wieder aufzubauen. Es ist leicht zu verstehen, warum nicht; aber ich glaube, es war ein Fehler. Auch wenn wir keine zukunftsweisenden Entschlüsse gefaßt hätten – sofern es denn für Orca eine Zukunft geben konnte –, so hätten wir doch manche Verstimmungen ausräumen können, die unter dem Druck der nächsten Monate weiter um sich zu greifen schienen.

Von welcher Art dieser Druck war, davon soll gleich die Rede sein; er war jedenfalls so dramatisch, daß er sich kaum ignorieren ließ. In der Zwischenzeit konnte ich etwas objektiver auf ein Erlebnis zurückblicken, das für mich eines der denkwürdigsten aus den letzten zehn Jahren war. Alles in allem war ich voller Bewunderung für ein Unternehmen, das in vieler Hinsicht keineswegs mißlungen, wenn auch bisher nicht von Erfolg gekrönt war. Immerhin hatte ich nun eine deutlichere Vorstellung als zuvor von der schieren Komplexität, auf die man sich bei der Organisation einer Bergungsoperation einläßt. Daß Simon und Clive – der eine ein Finanzmensch, der andere ein Anwalt – über drei Millionen Dollar aufgebracht, ein Team zusammengestellt, ein ausländisches Schiff mit sachverständigen Technikern gechartert und zwei Suchaktionen in Wassertiefen durchgeführt hatten, in denen dergleichen noch nie versucht worden war, erschien mir als ein augenfälliger Triumph des Willens, der

Logistik und des puren Selbstvertrauens. Und so erscheint es mir noch immer. Gern würde ich, wenn man mich aufforderte, mich ihnen bei jeder künftigen Expedition wieder anschließen, in dem Wissen, daß sie aus den Erfahrungen dieses ersten Unternehmens mit der *Keldysch* gelernt hätten.

Natürlich war das Ganze ein Glücksspiel; das war von Anfang an klar gewesen und machte einen Teil das Reizes aus. Davon abgesehen wurden gewiß auch Fehler gemacht. Ich meine immer noch, daß die finanzielle Leitung des Projekts letztlich eine Clique bildete, in der die professionellen Berger allzu schwach vertreten waren. Dieses Mißverhältnis hatte schlimme Folgen, so ernsthaft sich Clive und Simon auch um demokratische Entscheidungen bemühten und sich selbst mit den technischen Aspekten der Bergung befaßten. Beide taten viel, um sich mit Einzelheiten des Seerechts vertraut zu machen, mit komplizierten Gegebenheiten der Unterwasser-Physik, mit der Ausbreitung akustischer Signale, der Computer-Darstellung von Zeitgrenzen (der Vereinbarung aller Daten, die in Logbüchern und anderswo über die Versenkungen vorlagen) und mit anderen Techniken, an die sich nicht jeder heranwagt. Beide kannten die Dokumente über *Dolphin* und *Marlin* auswendig. Auch konnte niemand ihnen vorwerfen, daß sie nicht bereit gewesen wären, sich praktisch nützlich zu machen, sei es nun in gefährlichen oder in bloß langweiligen Dingen. Beide machten eine Tauchfahrt in einem MIR mit und verbrachten viele Stunden im Sonar-Labor und in Besprechungen in Anatoly Sagalewitschs Büro.

Doch um die Zeit, als Simon die Suche nach der *Aurelia* aufnahm, nachdem Clive, Quentin und ich in Dakar von Bord gegangen waren, war der Teamgeist ein bißchen heruntergekommen, wie die Berichte deutlich machten, die Simon Mitte März nach London schickte.

Ich glaube, es ging hier wirklich um dasselbe wie in all diesen Hollywood-Filmen. Ob sie nun von einer Schatzsuche handeln oder von einem meisterhaft geplanten Raubüberfall, alles dreht sich gewöhnlich um Charakterkonflikte, die, wenn sie nicht im Zaum gehalten werden, das ganze Unternehmen vereiteln können. Merkwürdig, wenn man bedenkt, daß all dies wohl nie besprochen und eingesehen worden wäre, hätte Orca die Wracks gefunden und das Gold geborgen. Der Erfolg läßt solche Fragen, die dann belanglos werden, verstummen. Darum sind die meisten Berichte von berühmten Bergungsunternehmen, die am Ende die ersehnten Millionen abwerfen, von einer eigentümlichen Plattheit. Die Technik triumphiert, und die Zweifel, Abneigungen und Zwistigkeiten im Hintergrund dieser Abenteuer gehen unter im hirnlosen Grinsen derer, die sich mit Händen voller Goldmünzen fotografieren lassen. Insofern ist aus dem Erfolg nichts zu lernen.

Und der Mißerfolg, ob vorläufig oder endgültig – ist aus ihm etwas zu lernen? Es wird sich nie beweisen lassen, daß die Probleme im Orca-Team irgendeinen direkten Einfluß auf den Ausgang des Unternehmens hatten, aber von Zeit zu Zeit blicke ich immer noch auf von dem, was ich gerade treibe, und lasse mir den Gedanken im Kopf herumgehen. Haben wir vielleicht in unserer Landrattentorheit zu viele Salzwassertabus verletzt? Haben wir zuviel gepfiffen? Hätten Clive und Quentin auf gar keinen Fall die Hälften des zerrissenen Dollarscheins auf den Meeresgrund mitnehmen dürfen? „Sehr schlimmes Pech, Geld mitnehmen dahin!“ Ich sehe immer noch vor mir, was Anatoly für ein Gesicht machte, als er das sagte und mir den Schein aus der Hand riß und zerfetzte. Sein Ton war weder entsetzt noch streitlustig, nur sehr nachdrücklich. Ebenso hätte er einem Maschinenbau-Studenten im ersten Semester den Youngschen Satz vorhalten können, um ihm zu erklären, warum seine Tauchboote unfehlbar auch einem Druck von 500 Atmosphären standhielten. Jeder, der auch nur ein bißchen Hirn im Kopf hatte, mußte das doch wissen!

Immerhin traf ich mich mit Andrea in London Ende April, als sie nach ihren drei Monaten auf See ein wenig zur Ruhe gekommen war. Inzwischen hatte sie aus der Fahrt einige wehmütige und folgenreiche Schlüsse gezogen. Die meisten unterschieden sich nicht allzusehr von meinen eigenen, sie waren nur besser informiert und eingehender begründet. Die Hauptsache war, daß Orca sich für ein so gewaltiges Unternehmen bei weitem nicht genug Zeit genommen hatte. Zwölfeinhalb Tage hatte man auf die Sonar-Suche nach *Dolphin* und siebzehn auf die nach der *Marlin* verwendet. Das war irrsinnig wenig, verglichen mit all den anderen Fällen wie etwa denen der *Central America* oder der *Titanic*. Am Anfang dieses Buches habe ich gesagt, Mikes Plan, nicht nur eine, sondern gleich zwei Tiefseebergungen mit einer einzigen Expedition vorzunehmen, sei ein Glücksspiel mit hohem Einsatz und lasse einen „Sieg der Habgier über die Vorsicht" vermuten. Abgesehen davon, daß dies etwas schulmeisterlich klingt, war es auch falsch, denn was schließlich über die Vorsicht siegte, wer nicht Habgier, sondern Unerfahrenheit.

Daß wir bisher mit leeren Händen dastanden, war jedenfalls kein Grund, völlig zu verzweifeln. Bei Orca dachte man, daß man nun von neuem an die Investoren herantreten und sie überzeugen müßte, daß das Gold immer noch auf dem Meeresgrund für sie bereitliege. Bei einer zweiten Expedition werde man unvermeidlich das eine oder andere der beiden Wracks finden, denn ein so großer Teil der Vorarbeiten sei durch bathymetrische Kartierung und Sonar-Suche ja nun geleistet. Die nächste Fahrt wurde sogar schon geplant, als Mitte Juli eine Bombe explodierte, die in der internationalen Presse Schlagzeilen machte. Jemand anders hatte *I-52* gefunden.

Orca war fassungslos. Die Nachricht brachte das versprengte Team wieder zusammen, wie nichts anderes es vermocht hätte; Mitteilungen liefen hin und her, aus denen teils Verbitterung, teils Unglaube sprachen. Anscheinend hatte ein Amerikaner namens Paul Tidwell mit Hilfe eines anderen russischen Forschungsschiffs, der *Jutschmorgeologija*, das *Dolphin*-Suchgebiet noch einmal abgegrast, kaum zwei Monate, nachdem die *Keldysch* es verlassen hatte. Die *Jutschmorgeologija* hatte zwar keine Tauchboote an Bord, dafür aber erstklassige Sonar-Geräte und ferngesteuerte Unterwasser-Fahrzeuge mit Kameras, die offenbar einige gute Bilder von dem japanischen U-Boot aufgenommen hatten. Demnach war das Boot nicht implodiert, wie Ralph erwartet hatte. Bis auf ein klaffendes Loch an der Stelle, wo die Mk. 24-Mine es getroffen hatte, war es praktisch unversehrt und stand aufrecht auf glattem Sedimentboden, dicht neben einer kleinen Böschung. Die Position befand sich sieben Meilen weit außerhalb des von Orca abgesuchten Bereichs, was auf eine Diskrepanz in der Interpretation der Daten hinwies.

Wie das Nachrichtenmagazin *Time* berichtete, hatten Tidwell, ein Vietnam-Veteran, und sein Team das U-Boot erst auf ihrem letzten Sonar-Streifen gefunden, nach fünfwöchiger Dauer der Expedition und 250 000 Dollar Budgetüberschreitung. Sie fanden es am 2. Mai, aber die Nachricht kam erst am 19. Juli heraus. Man hätte meinen sollen, Orca konnte dazu nicht viel mehr sagen oder tun, als philosophisch die Achseln zu zucken und alle Aufmerksamkeit nun auf die *Aurelia* zu richten. Weit gefehlt. Allerlei Verschwörungstheorien wurden privatim geäußert, deren jede ihre Möglichkeiten zu juristischem Vorgehen in sich barg. Eines dieser Szenarien ging von einem verdeckten Zusammenspiel zwischen Tidwell und „unseren" Russen aus: „Unsere" Russen hatten das U-Boot bei einer Tauchfahrt, als niemand von Orca mit im MIR saß, gefunden und dann beschlossen, Stillschweigen zu wahren, um die Koordinaten für einen besseren Preis zu verkaufen. (Plötzlich erinnerten sich alle, wie ausweichend sie die Fragen nach Ziel 1 beantwortet hatten, dem vielversprechendsten von allen, wo sie behaupteten, nichts gesehen zu haben, während Orca nicht überzeugt war, daß sie es überhaupt gefunden hatten.) Ein anderes Szenario nahm eine von unserem mysteriösen Amerikaner angezettelte Intrige an oder aber einen Gaunerstreich, der es Außenstehenden ermöglichen sollte, sich in Orcas erstes und immer noch geheimes Projekt, die Suche nach der *Aurelia*, „einzukaufen"... Der Bericht im *Guardian* (vom 19. Juli 1995) gab der Paranoia bei Orca mächtig Auftrieb. Darin wurde Orca als „eine rivalisierende britische Bergungsgruppe im Wettrennen um die Auffindung des Wracks" bezeichnet:

> Die britische Gruppe, die sich ebenfalls eines russischen Schiffs, der *Akademik Keldysch*, bedient, soll ein Angebot Mr. Tidwells, bei der Suche zu kooperieren, abgelehnt haben und vor dem amerikanischen Team in das Suchgebiet aufgebrochen sein.

Da war ich nun doch verblüfft. Ich konnte mich nicht erinnern, von einem Paul Tidwell je gehört zu haben, bevor die Nachricht kam, und erst recht hatte ich keine Ahnung davon, daß er mit Orca in Verbindung gestanden haben sollte, bevor wir im Januar von Falmouth abfuhren. Wer steckte da mit wem unter einer Decke? Einen JUFO oder eine Schmeißfliege ging das alles vielleicht nichts an. Aber aus der Orca-Gruppe schienen einige ebenso erstaunt zu sein wie ich. Wieder entstand ein unabweisbarer Eindruck von undurchsichtig verschlungenen Fäden, von vorenthaltenen oder dosierten Informationen. Die Geschäftsführung bei Orca muß es auch gespürt haben, denn sie hielt es für nötig, eine vertrauliche Mitteilung an die Anteilseigner herausgeben zu lassen, die Tidwells Behauptung entschieden widersprach. Darin hieß es, man habe Tidwells Namen zum ersten Mal von dem mysteriösen Amerikaner mit dem Kontakt zur US Navy gehört, der uns die angeblich geheimen Koordinaten des U-Bootwracks verkauft hatte. Erst nachdem die *Keldysch* das Suchgebiet schon verlassen habe, sei ein Fax von diesem Herrn gekommen, in dem er mitteilte, daß ein Paul Tidwell vielleicht bereit wäre, mit Orca zusammenzuarbeiten. Das sei alles, was man von Tidwell je gehört habe. Ein „Angebot der Kooperation" habe es nie gegeben, ebensowenig wie irgendeinen direkten Kontakt ...

Was sollte man da glauben? Wen sollte das überhaupt noch kümmern? Aber interessant war die neue Situation. Wie schon zu Anfang dieses Buches gesagt, sind Wracks in internationalen Gewässern in den meisten Fällen Freiwild für jeden, dem es gelingt, an sie heranzukommen; faktischer Besitz ist hier so gut wie das einzige, worauf es rechtlich ankommt. *I-52* war nun eine wunderschöne Taube auf dem Dach. Tidwell mochte es zwar gefunden haben, aber bis er auch nur einen einzigen Goldbarren in die Hand bekäme, hatte er noch einen weiten Weg – nämlich genau drei Meilen. Die Zeitungen sprachen von seinem Plan, Schaum in das U-Boot zu pumpen, um es zu heben, womit sie belustigte Erinnerungen an den Mann weckten, der einmal vorgeschlagen hatte, die *Titanic* zu heben, indem man Millionen von Pingpongbällen durch ein Rohr in sie hinunterschmisse. Was Tidwells Idee anging, so war sie zwar theoretisch und physikalisch vertretbar, aber die Ausführung würde sicherlich schwierig und verflucht teuer sein (als erstes würde man das Loch im Schiffsrumpf irgendwie schließen müssen).

Bei diesem Stand der Dinge begann man sich bei Orca zu beglückwünschen, daß man so weitsichtig gewesen war, im Vertrag mit der *Keldysch* eine Fünfjahresfrist festzulegen, während der die MIRs für niemand anderen als Orca nach einem der beiden Ziele tauchen durften. Da es so wenige andere Tauchboote gab, die 5000 Meter tiefgehen konnten, schien Tidwells Unternehmen erst einmal lahmgelegt zu sein. Naheliegend wäre es natürlich, der Sackgasse durch einen Kompromiß zu entkommen: eine gemeinsame Expedition zur Bergung des japanischen Goldes mit Hilfe der MIRs und die anschließende Teilung der Erträge, nach dem Prinzip, daß die halbe Taube in der Hand jedenfalls besser als nichts ist, besonders wenn es sich auch bei der Hälfte noch um Millionen handelt. Bisher ist jedoch keine solche Vereinbarung zustande gekommen.

Einen echten Grund, sich zu beklagen, erhielt Orca durch die Presse, die Tidwells Darstellung der Affäre ungeprüft übernahm. In seinen Interviews brachte er es fertig, den Anschein zu erwecken, als habe er das U-Boot nicht nur gefunden, sondern auch seine Geschichte in einsamer Pionierarbeit aus den Archiven gegraben. Tatsächlich, wie wir wissen, waren die Versenkung des Bootes und das Vorhandensein der zwei Tonnen Gold allgemein im Bergungsgewerbe bekannt, und das schon seit Ende der 40er Jahre. Was die Entdeckungen in den Archiven angeht, so erscheint es als sicher, daß er genau die gleichen Hintergrund-Informationen und Logbücher zur Verfügung gehabt hatte wie Andrea, nicht mehr und nicht weniger, ausgenommen möglicherweise die von dem mysteriösen Amerikaner angeblich noch immer geheimgehaltenen Daten. Es ist natürlich denkbar, daß diese den entscheidenden Vorteil ausmachten. In diesem Falle müßte man Paul Tidwell gratulieren: Er hätte dann nicht blindes Glück gehabt, sondern die bessere Information.

Einen echten Kontrast zwischen den beiden sehr verschiedenen Such-Expeditionen könnte man darin sehen, wie die Datenkomplexe jeweils verarbeitet wurden. Orca setzte die eigenen Mitglieder und die für das Unternehmen verpflichteten Mitarbeiter als einen „think tank", als Ideenfinder ein: Die einzelnen erhielten die Unterlagen und wurden aufgefordert, sich ihre Gedanken darüber zu machen, wie die Suchzone abzustecken wäre. Dann wurden die Ergebnisse in einer Reihe von Besprechungen zusammengetragen, die noch nicht abgeschlossen war, als sich die *Keldysch* schon dem Suchgebiet näherte. Einer der Investoren produzierte auf seinem Computer selbst einen Suchplan für beide Ziele, der in den Gesamtplan mit einging. Bei aller für das Verfahren bei den Besprechungen angestrebten Demokratie wurden die Daten doch wie Staatsgeheimnisse gehütet. Tidwell scheint dagegen seinen Projektleiter angewiesen zu haben, dieselben Daten einer kommerziellen Nachforschungs-Einrichtung, der Firma Meridian Sciences Inc. aus Maryland, zu geben, die alles neu durchspielte, unter Verwendung von Software, die es erlaubte, wie *Time* schrieb, den Kurs von *I-52* „nachzufahren" und die offiziellen Angaben der Navy über die Versenkungsstelle um 32 Kilometer zu korrigieren. Doch auch Tidwells Gruppe, ebenso wie Orca, war bis zum letzten Moment mit den Analysen beschäftigt. Die Analyse, die schließlich zu dem Wrack hinführte, war noch zwei Tage, bevor Tidwell das Gebiet verlassen mußte, nicht abgeschlossen, und zuletzt hatte er wohl einfach Glück.

Natürlich weiß ich, weil ich ja nicht dabei war, nicht mehr über die innere Organisation von Tidwells Unternehmen, als einem Bericht in der Hauszeitschrift der Firma Meridian zu entnehmen ist. Der besagt, daß Tidwell in höherem Maße bereit war, außenstehende Fachberater zu engagieren, daß er sich von der Firma Sound Ocean Systems einen Projektleiter und von Meridian einen technischen Leiter und einen Sonar-Experten stellen ließ. Der Vorteil dieses Verfahrens dürfte in der verstärkten Heranziehung fachkundiger Berger liegen, ein möglicher Nachteil in der erschwerten Geheimhaltung.

Orca scheint daraus gelernt zu haben. Vermutlich nahm man an, daß das Geschäftsgeheimnis in bezug auf die *Aurelia* inzwischen ohnehin nicht mehr sicher war. Bevor Orca Anfang 1996 eine zweite Expedition ins Zielgebiet unternahm, wurden die *Marlin*-Daten drei verschiedenen Gruppen von Fachleuten vorgelegt, von denen jedoch keine etwas von der vorangegangenen Expedition erfuhr. Das Ergebnis war „ein starker Konsens“ darüber, wo das Suchgebiet sein sollte, nämlich in einem Bereich, der sich mit dem schon abgesuchten weitgehend überschnitt. Zu der zweiten Expedition begab sich Simon Fraser wieder an Bord eines russischen Schiffs – desselben, um die Ironie bis ins Absurde zu treiben, mit dem zuvor Paul Tidwell soviel Erfolg gehabt hatte, der *Jutschmorgeologija.* Als Simon abermals mit leeren Händen zurückkehrte, tat die Enttäuschung mir wirklich weh. Seit der Fahrt mit der *Keldysch* war ein Jahr vergangen, und manche damit verbundenen gemeinsamen Erinnerungen hatten sich ein wenig eingetrübt, aber ich wünschte mir immer noch, daß dem Unternehmen auch mal das Glück lachte, besonders im Gedanken an Andrea und an Mike Anderson. Außerdem wußte ich, daß im Falle des Erfolgs, wenn Simon die *Aurelia* gefunden hätte, sofort eine umfassende Bergungsoperation eingeleitet worden wäre, und es war nicht unwahrscheinlich, daß sich dazu viele, wenn nicht alle von der alten Mannschaft noch einmal auf der *Keldysch* versammelt hätten. Welch ein Wiedersehen, mit viel Madeira und Pingpong! Ich denke mir, jeder wäre gern bereit, seine diversen Depressionen und Geschäftsprobleme für ein Weilchen auf sich beruhen zu lassen, wenn er dafür noch einmal die Chance hätte, die Millionen tropfnaß und eiskalt aus ihrem tiefen Grab auftauchen und an Deck in der afrikanischen Sonne warmwerden zu sehn.

Es kann ja immer noch so kommen.

Klett-Cotta
Die Originalausgabe erschien unter dem Titel „Three Miles Down“
im Verlag Jonathan Cape, London
© 1998 James Hamilton-Paterson
Für die deutsche Ausgabe
© J. G. Cotta'sche Buchhandlung Nachfolger GmbH, gegr. 1659,
Stuttgart 1998
Fotomechanische Wiedergabe nur mit Genehmigung des Verlags
Printed in Germany
Gesetzt aus der 9 Punkt Lucida von Jung Satzcentrum, Lahnau
Auf holz- und säurefreiem Werkdruckpapier gedruckt
und gebunden von Wiener Verlag, Himberg
Gestaltung: Dietrich Ebert
ISBN 3-608-93448-0

Literarische Reisebegleiter

John McPhee:
Cargo

Aus dem Amerikanischen von Hans J. Schütz
212 Seiten, gebunden, ISBN 3-608-91300-9

John McPhee erzählt von seiner Reise auf dem Containerschiff »Stella«, das auf der gleichen Route fährt wie 150 Jahre zuvor Charles Darwin: entlang der Westküste Südamerikas bis nach Chile. Folgt man den Aufzeichnungen beider Seefahrer, so hat sich seit damals nicht viel geändert. Banden und wilde Tiere bedrohen das Leben der Landgänger. Piratenüberfälle und die Tücken von Wetter und Wasser können für Containerschiffe ebenso fatal werden wie früher für die Segelschiffe.

»Keine Frage, John McPhee weiß, worüber er spricht, doch darüber hinaus gibt es nur wenige Autoren, die mit gleicher Sprachsicherheit und Präzision schreiben. Es gibt in der Tat den McPhee-Stil«
Paul Theroux

Christopher Hope:
Moskau! Moskau!

Aus dem Englischen von Joachim Kalka
240 Seiten, gebunden, ISBN 3-608-95763-4

Hope präsentiert das Porträt Moskaus wie einen Unterhaltungsroman mit Slapstick-Effekten, satirischen Einlagen, absurden Dialogen, aber auch mit Fakten und Zahlen aus der Literatur vor der Oktoberrevolution. Aus der einstmals blühenden Metropole ist nach siebzig Jahren Kommunismus eine menschenfeindliche Stadt mit sonderbaren Subkulturen geworden.

»Hopes Moskau liegt fern der Intourist-Trampelpfade. Er bekommt – mit Hilfe von Moskauer Freunden – seine Auskünfte in Schulen, Krankenhäusern, Friedhöfen, Kirchen und Warteschlangen.«
Sunday Times

Literarische Reisebegleiter

Alexander Frater:
Regen-Raga

Eine Reise mit dem Monsun

Aus dem Englischen von Bettina Runge
368 Seiten, 1 Karte, gebunden, ISBN 3-608-93284-4

»Alexander Frater vermag das Reisen als eine Form von Lebenskunst darzustellen. Sein doppeltes Talent, zur glückhaften Reise und zu ihrer Beschreibung, macht »Regen-Raga« zu einer Sensation auf dem Gebiet der hierzulande leider viel zu gering geschätzten Gattung der Reiseerzählung.

Tobias Gohlis / Die Zeit

Frank Viviano:
Depeschen aus dem pazifischen Jahrhundert

Aus dem Englischen von Bettina Runge und Hans-Ulrich Möhring
344 Seiten, eine Karte, gebunden, ISBN 3-608-91702-0

»Neben der plastischen Darstellung komplexer Zusammenhänge gelingt es diesem Buch vor allem, immer wieder die ungeheure Dynamik dieser Weltregion faßbar zu machen. Nicht durch Zahlenspielereien und weniger durch Momentaufnahmen explosiv boomender Metropolen als vielmehr immer wieder in zunächst scheinbar ephemeren Details…«

Ulrich Baron / Rheinischer Merkur

Barry Lopez:
In der Wüste. Am Fluß

Aus dem Amerikanischen von Hans-Ulrich Möhring
202 Seiten, Leinen, ISBN 3-608-93332-8

»Wäre«, so meint ein Kritiker, »Castanedas Don Juan ein Schriftsteller, so würde er schreiben wie Barry Lopez. Beide wissen um die Magie von Orten, eine Magie, die jenseits des menschlichen Fassungsvermögens ist. Sie erinnert mich an Peyote, an Buddhismus, an Tanz.«